D1128259

KNAUR

Andreas Föhr

Eifersucht

Ein neuer Fall für
Rachel Eisenberg

Besuchen Sie uns im Internet:
www.knaur.de

Originalausgabe Juni 2018

Ein Imprint der Verlagsgruppe Droemer Knaur GmbH & Co. KG, München

Redaktion: Alexandra Löhr
Covergestaltung: ZERO Werbeagentur, München
Coverabbildung: FinePic / shutterstock
Satz: Adobe InDesign im Verlag
Druck und Bindung: CPI books GmbH, Leck
ISBN 978-3-426-65446-0

2 4 5 3 1

Prolog

Juni 2012

Die Flaschen und Gläser glitzerten und verschwammen ineinander. Tränen drückten von innen. Schlieren vor der Pupille. Bea bestellte noch einen Gin Tonic. Der Barkeeper goss etwas mehr Gin ein, stellte das Glas vor ihr ab und sagte: »Der Kerl ist die Tränen nicht wert.«

Kein Kerl war Tränen wert. Es war ja auch kein Kerl. Die Rolle hatte sie nicht bekommen. Es hätte ihr Durchbruch werden können – eine Nebenfigur in der vierten Staffel von *Game of Thrones*. Ja, es waren Dutzende Bewerberinnen gewesen. Aber sie hatte die Gewissheit gehabt, dass sie es schaffen würde. Du bekommst jede Rolle, hatte ihre Mutter gesagt, wenn du sie nur verzweifelt genug willst. Bitch!

Gott! Wie sah sie aus! Im Spiegel hinter dem Gläserregal blickte ihr eine Comicfigur mit riesenhaft großen, schwarzen Augen und verwuschelten Haaren entgegen.

Eine Viertelstunde dauerten die Sanierungsarbeiten. Als Bea von der Damentoilette zurückkam, war der Platz neben ihr am Tresen besetzt. Ein Mann. Anzugträger.

»Sitze ich auf Ihrem Platz?« Er lächelte.

»Schaue ich so, als würden Sie auf meinem Platz sitzen?«

»Ein bisschen.«

»Sie sitzen neben meinem Platz.«

Sie setzte sich neben den Mann, obwohl links und rechts mehrere Barhocker frei waren.

»Darf ich sitzen bleiben?«, fragte der Mann.

»Natürlich. Ich bin ja dazugekommen.«

»Das ist richtig. Aber nachdem das Ihr Platz ist, den Sie nur kurz verlassen haben, hätte ich fragen müssen, wenn Sie da gewesen wären. Zu kompliziert?«

»Ich bin nur eine Frau und im Moment ziemlich durch den Wind. Aber das begreife ich noch.«

»Tut mir leid. Meine Frage sollte nichts in der Richtung andeuten.«

»Welche Richtung?«

»Na, dass Sie es als Frau nicht verstehen würden oder so. Ich fand meinen eigenen Satz einfach kompliziert.«

»Was jetzt? Einfach oder kompliziert?«

Sie sah ihn ein wenig provokant an, war gespannt, wie er reagieren würde. Er lachte, ein bisschen wie ein Schulbub, den man bei etwas erwischt hatte.

»He! Das kann ja ein unterhaltsamer Abend werden.« Er reichte ihr gut gelaunt die Hand. »Ich bin Arne.« Wink an den Barkeeper. »Die nächste Runde geht auf mich.«

Die nächste Runde geht auf mich. Das gefiel ihr. Nicht: *Darf ich Sie auf einen Drink einladen?* Er behandelte sie wie einen Kumpel, nicht wie den nächsten One-Night-Stand. Vielleicht wollte er mit ihr ins Bett. Aber er hatte Stil genug, keine schmierigen Sätze abzusondern. Und irgendwie war er nett. Genau das, was sie jetzt brauchte, um nach dem Casting-Desaster wieder zu relaxen. Sie betrachtete ihn. Sein Gesicht war freundlich. Nicht Hollywood-Star-like, aber annehmbar. Und – lustig – ein Ohr stand ab. Nicht *zwei* Segelohren. Eins! Links.

Eine Stunde war vergangen. Sie hatten geredet, waren beim Du, hatten gelacht, sich aufgezogen, Spaß zusammen gehabt. Sein Schulbubenlachen gefiel ihr immer mehr, vielleicht lag's am Gin Tonic, es war der dritte seit der Damentoilette. Einmal hatte er sie berührt – versehentlich? –, sie seine Hand spielerisch gestreichelt. Beim vierten Gin Tonic fiel ihr auf, dass Arne alkoholfreies Bier trank.

»Muss noch Auto fahren«, erklärte er und lächelte wieder wie ertappt.

Mit einem Mal war der Zauber seines Lächelns verflogen. Warum? Weil er keinen Alkohol trank? Die Geste, mit der er seinen Satz sagte, erinnerte Bea an den Regisseur beim Casting. Alles kam mit einem Schub wieder hoch, und Tränen liefen ihr übers Gesicht.

»Hab ich was Falsches gesagt?« Arnes verwirrtes Gesicht machte sie noch trauriger. Vielleicht auch mehr der Gedanke, dass sie den armen Kerl in solche Verwirrung stürzte, obwohl er sich todanständig verhielt und sie an einem schweren Tag zum Lachen gebracht hatte. Noch mehr Tränen rannen über ihr Gesicht, sie ergriff Arnes Hand und zerquetschte sie fast.

»Tut mir leid«, schluchzte sie.

Er hielt ihr ein Papiertaschentuch hin.

Der Anfall verging, Bea verschwand auf die Toilette und kam nach zehn Minuten neuerlich restauriert zurück. Sie winkte dem Barkeeper.

»Bezahlt hab ich schon«, sagte Arne.

»Oh, danke. Wie viel …?« Sie kruschte in ihrer Handtasche.

»Lass gut sein. Das ist ja das Mindeste, nachdem ich dich zum Heulen gebracht habe.«

»Ach komm.« Sie legte ihre Hand auf seinen Arm. »Du weißt, das ist nicht deine Schuld. Ich hatte einen schweren Tag heute.« Sie sah ihm in die Augen. »Danke für den schönen Abend. Ich fahr jetzt nach Hause.«

»Wo musst du denn hin?«

»Nach Obermenzing. Ich nehme ein Taxi.«

»Ich muss nach Pasing. Da liegt Obermenzing ja quasi auf dem Weg.«

Sie fuhren am nächtlichen Hauptbahnhof vorbei Richtung Westen, passierten die Hackerbrücke, die zu Oktoberfestzeiten überquoll von Besuchermassen. Am Romanplatz nahmen sie die Route nach Norden, linker Hand das Nymphenburger Schloss in Abendbeleuchtung, dann folgte die Straße für eine Weile der Mauer des Schlossparks. Bea hing ihren Gedanken an eine verpasste Weltkarriere nach und ergab sich der Hoffnung, dass noch nicht alles verloren war. Ab und an tauschten sie einen höflichen Satz. Aber auch Arne war in Gedanken versunken.

»Ich müsste noch kurz was bei einem Freund vorbeibringen. Hab's ihm versprochen«, sagte Arne mit einem Mal. »Ist das okay? Dauert fünf Minuten.«

»Natürlich. Kein Problem.« Sie lehnte die Stirn an die kühle Scheibe und beobachtete den Mercedesstern auf der Motorhaube, der nach rechts schwenkte, als Arne von der Menzinger Straße nach Norden abbog. Plötzlich waren sie in einem Park oder Wald.

»Wo sind wir?«, fragte Bea.

»Kapuzinerhölzl.« Arne parkte den Wagen am Straßenrand und stellte den Motor ab.

Bea sah sich um, versuchte Klarheit in ihre Gin-Tonic-getrübte Wahrnehmung zu bekommen. »Hier wohnt jemand?«

»Dahinten.« Arne deutete in die Nacht. »Man muss ein Stück zu Fuß gehen. Ist aber nicht weit.«

Arne stieg aus dem Wagen.

Bea blickte verunsichert in den dunklen Wald hinein. Im letzten Jahr hatte es mehrere Morde an Frauen in München gegeben. Alle in ähnlichen Parkanlagen. Arne bückte sich in den Wagen und sah Beas ängstliches Gesicht.

»Wenn du ein komisches Gefühl hast – ich kann auch morgen bei meinem Freund vorbeischauen.«

»Nein, nein. Du hast es ihm ja versprochen. Das ist okay.« Ihre Hand zuckte in Richtung Türöffner, doch Bea zögerte.

»Pass auf ...«, sagte Arne, »... du kannst entweder im Wagen warten und die Knöpfe runterdrücken. Oder du kommst mit und glaubst mir, dass ich den schwarzen Gürtel in Karate habe.«

»Hast du nicht, oder?«

»Nein. Aber das!« Arne hatte mit einem Mal einen Hammer in der Hand, dessen Edelstahlkopf im nächtlichen Licht funkelte. »Zumindest auf dem Hinweg. Den wollte ich bei meinem Freund vorbeibringen.«

Der Weg war unbeleuchtet, aber noch gab es Licht von fernen Straßenlaternen, und der Halbmond schien durch das Blätterdach. Die Luft war feucht und modrig und sommernächtlich frisch. Ein Kauz schrie.

»Mein Gott! Auch noch das Käuzchen.« Bea fröstelte und zog ihre Strickjacke vor der Brust zusammen. »Als mein Opa gestorben ist, hat auch ein Käuzchen geschrien. War echt so.«

»Jede Sekunde sterben drei Menschen auf der Erde«, sagte Arne. »Wann immer also ein Käuzchen schreit – stirbt jemand.«

»Wieso wohnt dein Freund in dieser Wildnis?«

»Da gibt es ein altes Haus, das sie irgendwann abreißen werden. Die Miete ist günstig.«

Bea versuchte, durch die Bäume hindurch etwas zu erkennen. Aber nichts war zu sehen, was ein Haus hätte sein können. Nur andere Bäume. Mit einem Mal überkam sie Panik. Sie blieb stehen.

»Was ist?«, fragte Arne.

»Ich weiß nicht.« Ihr Atem ging schwer, Kälte schlich sich unter ihre Bluse. »Ich ... ich will umkehren.«

»Aber wir sind gleich da.«

»Trotzdem.« Sie schluckte. »Ich hab Angst.«

»Na ja ...«

Bea hatte den Eindruck, dass Arne sie merkwürdig ansah, obwohl seine Augen in der Dunkelheit kaum zu erkennen waren. »Ich hatte dich vorhin gefragt, ob du mitkommen willst.«

»Ich weiß. Aber jetzt möchte ich zurück zum Wagen.« Sie suchte fieberhaft nach einem Ausweg aus der verzwickten Situation. Natürlich benahm sie sich wie ein Kleinkind. Aber die Angst war groß. Da vorn ging es immer tiefer in den Wald. »Wie weit ist es denn noch?«

»Eine Minute.«

Aber wo? Wo verdammt noch mal war dieses Haus? Es war nichts zu sehen davon. Sollte man es nicht sehen, wenn es nur noch eine Minute weg war? Sollte nicht Licht im Haus brennen, wenn jemand nachts Besuch erwartete? Log Arne sie an? Unsinn. Ruhig bleiben. Arne war einer von den Netten. Sie durfte nicht hysterisch werden, nur weil es dunkel war.

»Du kannst mir doch die Autoschlüssel geben.«

»Autoschlüssel?« Arne trat einen Schritt näher. Der Edelstahlkopf des Hammers blitzte kurz auf.

»Ich geh zurück zum Wagen und warte auf dich.« Ihre Stimme klang brüchig und kippelig. Opferstimme, dachte sie. Du sprichst mit einer verfluchten Opferstimme. Sie realisierte, wie groß Arne war. Jetzt, wo er vor ihr stand und auf sie heruntersah. Sie hörte ein leises Klimpern. Wo kam das her?

»Einverstanden. Geh schon mal vor.« Er hielt ihr die Wagenschlüssel hin. Sie nahm sie vorsichtig. »Aber pass ein bisschen auf. Das sind sicher fünfhundert Meter bis zum Wagen. Ist nicht die sicherste Gegend hier.« Er lächelte amüsiert.

»Hör auf mit dem Scheiß. Du machst mir Angst.«

»Das wollte ich nicht. Entschuldige.« Er sah sie bedauernd an und nickte. »Jetzt geh. Ich schau dir nach und pass auf.«

Sie drehte sich um.

»Mach dir keine Sorgen«, rief er ihr hinterher. »Hier ist niemand.«

Es war nicht weit bis zum Auto. Jedenfalls bei Tag. Bei Nacht konnte man den Wagen nur erahnen. Vor dem Wald war ein schmaler Streifen Wiese, dann, unter den Alleebäumen, die parkenden Autos. Nicht viele. Eins davon der Mercedes, dessen Schlüssel Bea umklammerte. Sie ging zügig, den Blick nach vorn gerichtet. Etwas huschte im Augenwinkel vorbei – ein Vogel, ein Blatt? Sie sah nicht hin, ging schneller, hörte ihren eigenen Atem. Sie näherte sich dem etwas helleren Streifen Wiese. Ob Arne noch ein Auge auf sie hatte? Sie hoffte es. Noch fünfzig Meter, dann ließ sie die Bäume hinter sich. Sie hörte schweren Atem. War das ihrer? Sie hielt die Luft an, hörte die Sohlen ihrer Schuhe auf dem gekiesten Waldboden knirschen – und den Atem. Er kam von hinten. Sie ging noch schneller. Wagte nicht, sich umzusehen. Es kam näher. Sie spürte es. Was immer hinter ihr atmete – es war gleich da. Sie nahm sich ein Herz, blieb stehen und drehte sich um. Er wäre fast in sie hineingerannt. Jetzt stand er vor ihr. Arne. Sie zitterte.

»Was ist? Willst du nicht zu deinem Freund?«

»Hab's mir überlegt«, sagte er atemlos, aber bestimmt. »Ich will zu dir.«

Ehe sie reagieren konnte, hatte er seine Hand, die jetzt in einem Gummihandschuh steckte, auf ihren Mund gepresst und sie zu Boden gerissen. Während des Falls kam ihr Mund frei. Sie war so überrascht, dass sie nicht wusste, was sie schreien sollte. Dann schlug ihr Kopf auf den Kies. Blitzschnell war die Hand wieder da und nahm ihr fast die Luft, denn sie bedeckte jetzt auch die Nasenlöcher. Bea versuchte, den Kopf mit heftigen Bewegungen freizubekommen. Er ließ sie los und schlug ihr ins Gesicht, einmal, zweimal, dreimal. So kräftig, dass ihre linke Backe brannte, ihre Augenbraue war taub, an der Schläfe fühlte sie etwas heruntersickern.

»Ruhig«, sagte er. Sie hielt den Atem an, nickte mit aufgerissenen Augen. Vielleicht würde er sie am Leben lassen. Mit einer Vergewaltigung würde sie schon klarkommen. Wenn er sie nur am Leben ließ! Arne kniete auf ihrer Brust und sah auf sie herab, die Backen hingen nach unten, die Augen starr und konzentriert, immer noch der kleine Schulbub, jetzt aber nicht mehr liebenswert, jetzt das fiese Kind. Er atmete heftig durch den Mund, und genau hinter seinem Kopf schien der Mond durch das Laub eines Ahornbaums. Das abstehende Ohr leuchtete rosa. Sein Gewicht drückte ihr die Luft ab. Er nestelte hinter seinem Rücken an etwas herum, sie konnte nicht sehen, was es war, sah nur seine Knie und Schultern, sie suchte Blickkontakt, doch er starrte an ihr vorbei auf den Boden. Schließlich hob er den rechten Arm, und sein Gesicht wurde zur wütenden Fratze. Im Mondlicht glänzte der Hammerkopf …

1

Mai 2017

Sie trug Karottenjeans und weiße Segelschuhe, die Haare standen dauergewellt vom Kopf weg – Achtzigerjahre. Das Mädchen auf dem Foto war hübsch und strahlte Selbstbewusstsein aus. Der rechte Arm lag um die Hüften eines gleichaltrigen Burschen, blond mit muskulösem Hals, das Klischee eines kalifornischen Surfers. Der Griff des Mädchens wirkte fest und besitzergreifend. Das Paar stand am Grill, die junge Frau hielt mit ihrer freien Hand ein gebratenes Steak von beachtlicher Größe an einem Spieß in die Kamera und lachte. Etwas seitlich stand ein weiteres Mädchen, jünger, mit Brille, nicht hässlich, aber ohne die Ausstrahlung der anderen – die kleine Schwester. Ein Tanktop enthüllte mollige Arme. Um die Schultern hatte die Kleine den Arm des Vaters liegen, der sie liebevoll und etwas besorgt anblickte.

Jemand klopfte, und ohne eine Antwort abzuwarten, wurde die Tür geöffnet. »Willst du einen Cappuccino? Ich mach grad welchen.« Sarah steckte den Kopf herein.

Rachel Eisenberg klappte den Laptop mit dem alten Foto zu. »Hab ich ›Herein‹ gesagt?«

»Entschuldige. Ich wusste nicht, dass du Pornos guckst.«

Sarah war siebzehn, etwa so alt wie das selbstbewusste Mädchen auf dem Foto. Rachel fiel schon seit einiger Zeit auf, dass ihre Tochter dem Mädchen auf dem Foto immer ähnlicher wurde.

»Warum starrst du mich so an?« Sarah war ins Zimmer getreten.

Rachels Blick wanderte von ihrer Tochter weg zum

Fenster. Der Goldregen stand in voller Blüte. »Hab ich dich angestarrt?«

Sarah sagte nichts.

»Ich hab dich nicht angestarrt. Ich war in Gedanken.«

Sarah nickte. »Wollen wir auf der Terrasse Kaffee trinken? Ist superschön draußen.«

»Das ist lieb von dir, aber ich hab zu tun.« Rachel lächelte kurz und gezwungen und drehte sich dann auf dem Bürosessel zu ihrem Schreibtisch, ohne den Laptop wieder aufzuklappen.

»Wieso sitzt du hier drin? Es ist Sonntag?«

»Ist gerade viel zu tun in der Kanzlei. Jetzt sei so lieb und lass mich arbeiten.«

»Papa sagt, ihr hättet gerade nicht so viel zu tun.«

Rachel drehte sich wieder zu Sarah. »Herrgott – geh bitte und mach die Tür zu!«

»Was ist los mit dir?«

»Nichts. Ich brauch nur meine Ruhe. Bitte!« Rachels Blick war so verzweifelt intensiv, dass Sarah einen Schritt zurückwich.

Erschrocken verließ sie das Büro ihrer Mutter und zog vorsichtig die Tür zu. Rachel sank in ihrem Stuhl zusammen und atmete durch. Es war keine gute Idee, sich hier einzusperren. Draußen war schönes Wetter. Nur passte das nicht zu Rachels Stimmung. Nein, Rausgehen war keine Option. Es klopfte wieder an die Tür.

»Komm rein!«, sagte Rachel. Sarah lugte vorsichtig durch den Türspalt. »Es tut mir leid. Ich bin heute ein bisschen gereizt. Muss am Föhn liegen.«

»Oder am Datum?« Sarah hatte die Augenbrauen hochgezogen.

Rachel erstarrte. »Was meinst du?«

Sarah zögerte. »Heute ist der 28. Mai.«

»Und?«

»Letztes Jahr warst du am 28. Mai genauso drauf.«

»Hast du das gerade in deinem Tagebuch nachgelesen?«

Sarah lächelte. Verständnisvoll. Erwachsen. »Wollen wir reden? Kaffee trinken und ein bisschen reden?«

»Hör zu, es gibt Tage, da bin ich einfach schlecht drauf, okay? Vielleicht war das letztes Jahr auch im Mai. Ist wahrscheinlich die Jahreszeit. Und wenn ich scheiße drauf bin, will ich nicht reden. Kannst du das akzeptieren und mich einfach in Ruhe lassen?«

Das Krachen der Tür hallte noch eine Weile nach.

Die Sonne brannte an diesem Maitag sommerlich auf München herab. Im Hirschgarten, dem größten der Münchner Biergärten, nur wenige Gehminuten von Rachels Haus entfernt, herrschte sonntäglicher Betrieb. Der Hauptbereich der Anlage war mit einfachen Bierbänken ausgestattet, an denen man nach unantastbarem Brauch mitgebrachte Speisen verzehren durfte, nur die Getränke musste man am Ausschank kaufen. Die meisten Gäste verköstigten sich trotzdem an den zahlreichen Verkaufsbuden mit Bratwürsten, Hendln, Schweinshaxen, Radi und anderen Spezialitäten, die üblicherweise in Biergärten angeboten wurden. Am Hirschgartenallee-Eingang direkt links lag das alte Wirtshaus, davor der von frei stehenden Markisen beschattete Servicebereich, wo einen hurtiges Personal mit bayerischem oder osteuropäischem Akzent bediente.

Rachel Eisenberg hatte nach dem Streit mit ihrer Tochter das Haus verlassen. Dass Sarah die Schuld an Rachels Reizbarkeit dem 28. Mai zuschrieb, beunruhigte sie. Hatte Sarah die Bedeutung dieses Tages tatsächlich entschlüsselt? Oder war es nur ein Schuss ins Blaue gewesen? Rachel nahm an einem freien Tisch Platz und betrachtete den sonnendurchfluteten Garten. Der Tag war klar und hell – nicht unähnlich der Erkenntnis, die sich immer unabweislicher in Rachels Kopf breitmachte: Sie würde ihr Geheimnis nicht mit ins Grab nehmen. Irgendwann musste sie es Sarah sagen. Noch bis vor Kurzem hatte sie gedacht, sie könnte es aussitzen. Hannahs Bild war über die Jahre zusehends verblasst, und in Rachel hatte die Hoffnung gekeimt, die Sache würde eines Tages hinter dem Ereignishorizont jenes schwarzen Lochs verschwinden, das ihr Gedächtnis zur Entsorgung von Schmutz und Unrat betrieb. Doch jetzt war Sarah in dem Alter, aus dem Hannahs letzte Bilder stammten, und sie wurde ihr immer ähnlicher. Sogar Gesten und Mimik waren auf geheimnisvollen Pfaden von Hannah auf Sarah übergegangen, obwohl sich beide nie gesehen hatten. Es war wie eine Erinnerungsmail des Schicksals.

Rachel fächelte sich mit einem Bierdeckel Luft zu. Wo sie hinsah, waren Teenager-Mädchen, sommerlich fröhlich, ausgelassen, selbstbewusst, verliebt, mit sommerbraunen Sonnenbrillen-Jungs. Rachel saß im Schatten, aber die Wärme drang durch die Markise hindurch. Ihr Blick fiel jetzt auf einen benachbarten Tisch. Dort saß eine Frau mit halb langen Haaren, die ebenso wie Rachel das Treiben im Biergarten betrachtete und deswegen den Kopf abgewandt hatte. Braune Arme, Spaghettiträger, dezent teure Uhr, der wenige Schmuck wirkte ebenfalls edel, aber nicht zu stylish. Attraktive Frau in den Dreißigern, vermutete Rachel und wartete darauf, dass die Frau ihr Gesicht zeigte. Langsam drehte sie ihren Kopf in Rachels Richtung, und da tauchte sie auf – die Nase der Frau. Sie war außergewöhnlich groß und fleischig, und schlagartig wusste Rachel, mit wem sie es zu tun hatte: Judith Kellermann. Rachel drehte sich schnell weg, um Blickkontakt mit der Frau zu vermeiden, denn dann würde Judith sie ansprechen, und das wollte Rachel auf keinen Fall. Nicht an einem Tag wie heute.

Rachel starrte also in eine andere Richtung und überlegte, ob sie einfach gehen sollte. Aber sie hatte schon einen Cappuccino bestellt. Vielleicht konnte sie die Bedienung bitten, den Kaffee an einen der hinteren Tische zu bringen. Als sie gerade aufstehen wollte, erschallte von hinten: »Das gibt's doch nicht!«

Ganz kurz überlegte Rachel, ob sie nicht trotzdem aufstehen und so tun könnte, als habe sie es nicht gehört. Aber wahrscheinlich würde ihr Judith hinterherrennen. Es half nichts, Rachel drehte sich langsam um und sah Judiths Nase, die von einem lächelnden Gesicht umrahmt wurde.

»Judith! Das ist ja witzig.« Judith Kellermann war die Tochter eines bekannten Filmproduzenten und besaß selbst eine Filmfirma namens *Jumpcut*. Eine von den unzähligen kleineren, die es in München gab. Irgendwie schaffte es Kellermann, immer wieder mal eine Produktion an Land zu ziehen. Der Name des Vaters half sicher.

»Die Rachel Eisenberg!«, sagte Judith und kam an Rachels Tisch. »Mensch, wie lange haben wir uns nicht mehr gesehen!« Sie hatte ihre dürren, braunen Hände mit den Ferrari-rot lackierten Nägeln auf Rachels Schultern gelegt und drückte fest zu. *So lange, wie es mir gelungen ist, dir aus dem Weg zu gehen,* hätte Rachel gerne geantwortet. Stattdessen sagte sie: »Bist du mit jemandem verabredet?«

»Nein. Ich bin einfach mal hergefahren, um unter Leute zu kommen. Und du?«

»Nur 'ne kurze Arbeitspause. Dann muss ich wieder nach Hause.«

»Was? Am Sonntag? Ach du Arme! Warte, ich hol nur schnell meinen Kaffee.« Sie stöckelte zu ihrem Tisch zurück.

Rachel nahm sich vor, das hier nicht ausarten zu lassen. Cappuccino trinken, zahlen, weg.

Judith setzte sich, die Tasse in der Hand, neben Rachel, und ihre Augen funkelten neugierig, sie verzog den halb offenen Mund zu einem Lächeln und gab Rachel mit dem Handrücken einen Klaps auf den Oberarm. »Mensch, du …!«

Um nicht weiter gehauen und angelächelt zu werden, sagte Rachel: »Und? Wie geht's?«

»Du, das ist im Augenblick der komplette Wahnsinn. Ich sag nur 11/18 – das wird so unfassbar geil! Der Bodo Friedler macht Regie. Genial, aber der totale Choleriker. Kannst dir vorstellen, was da abgeht.«

Konnte sich Rachel offen gesagt nur sehr vage. Sie hatte mit der Filmbranche wenig zu tun, und 11/18 sagte ihr überhaupt nichts. Sascha machte Vertrags- und Urheberrecht in der Kanzlei, hatte einige Mandanten aus der Filmbranche und war deswegen immer mal wieder auf Filmpartys eingeladen. Bei der Gelegenheit hatten sie zweimal Judith Kellermann getroffen, die Rachel seither ständig irgendwelchen Müll auf Facebook und Instagram schickte und sie einlud, sich an Aktivitäten im Netz zu beteiligen. Rachel ignorierte das alles.

»11/18? Was war das noch mal?«

»Hey! Jetzt willst du mich aber hochnehmen.«

»Sascha hat mal was erwähnt.«

»Novemberrevolution 1918! Und was ist nächstes Jahr?«

»Ich hoffe, keine Revolution.«

»2018! Hundert Jahre Novemberrevolution. Das wird der ultimative HiKatZ.«

»Äh …?«

»Historischer Katastrophenzweiteiler, nie gehört?« Sie schlug lachend, diesmal mit der Handfläche, gegen Rachels Schulter. »HiKatZ! Ich find das so geil!« Sie wurde wieder ernst. »Das ist natürlich ein ganz schöner Koffer, das Teil, fünfeinhalb Millionen Budget, kannst dir vorstellen! Drehbeginn Oktober, und wir sind jetzt schon am Rotieren, aber das Ding wird richtig gut – *richtig* gut! Kriegst 'ne Karte für die Premiere.« Sie zog ihr Handy hervor. »Notier ich mir jetzt gleich, Rachel 11/18-Party, kommst auf die Gästeliste, vielleicht machen wir's in Berlin, aber ich denk eher, auf dem Filmfest. Passt zwar nicht zum Sommer, aber scheißegal, die Leute werden's lieben.«

»Und sonst? Alles in Ordnung?«, fragte Rachel, um von 11/18 wegzukommen. Die Bedienung brachte in diesem Moment den Cappuccino, Rachel dankte, bat um baldige Rechnung und schüttete Zucker in den Kaffee. Erst da merkte sie, dass Judith aufgehört hatte zu sprechen. Sie war auf einmal in sich zusammengesunken und starrte auf den Kiesboden.

»Wenn du privat meinst ...« Sie kratzte mit ihrer Sandalette im Kies. »... ist grad nicht so toll.«

»Oh, das tut mir leid.«

»Kannst du ja nicht wissen.« Judith presste die Lippen zusammen, und ihr Kinn zitterte bedenklich.

»Sorry, wenn ich da in eine Wunde ... das geht mich ja wirklich nichts an.« Rachel sah mit Entsetzen, wie sich die Augen ihrer Tischgenossin mit Tränen füllten. Genau das fehlte heute noch, dass die Kellermann jetzt mit der sterbenden Mutter um die Ecke kam, oder man hatte bei ihr Krebs diagnostiziert, oder irgendein anderer Schicksalsschlag hatte sie ereilt, über den sie endlich mal mit jemandem reden musste. Dieser 28. Mai, vermutlich der prächtigste Tag in den letzten zwölf Monaten, drohte zu einem veritablen Albtraum zu werden.

In dem Bemühen, Blickkontakt zu vermeiden, sah Rachel zum Eingang. Und so fielen ihr ein Mann und eine Frau auf, die gerade in den Biergarten kamen, stehen blieben und sich verdächtig unauffällig umsahen. Beide hatten Jeans und Sportschuhe an und trugen Jacken, die für das Wetter zu warm waren. Rachel vermutete, dass es sich um Polizeibeamte in Zivil handelte.

»Ich will dich damit gar nicht belasten«, sagte Judith Kellermann, wischte sich mit dem Handballen Tränen aus den Augen und wühlte anschließend in ihrer Handtasche nach einem Papiertaschentuch.

Rachel hielt ihr eins hin und sagte: »Ich glaube, da sucht dich jemand.«

Der Blick der unauffälligen Frau am Eingang war beim Umherschweifen an Judith Kellermann hängen geblieben. Sie berührte daraufhin ihren Begleiter am Arm, der jetzt ebenfalls in Kellermanns Richtung sah. Dann setzten sich die beiden ohne Hast, aber zielstrebig in Bewegung.

Judith Kellermann holte eine Brille aus der Handtasche und hielt sie sich vor die Augen, um die Näherkommenden zu erkennen.

»Kennst du die?«

»Nie gesehen.« Kellermann verstaute die Brille wieder in der Handtasche und versteifte sich, als das Paar an den Tisch trat.

»Frau Kellermann?«, sagte die Frau.

»Ja?«

»Ihre Nachbarin sagte uns, dass wir Sie hier finden.« Zwei Polizeiausweise wurden dezent präsentiert.

Kellermann starrte auf die Beamten. »Wieso rufen Sie mich nicht an? Gibt es etwas Neues in der … Sache?«

»Das würden wir gerne auf dem Revier mit Ihnen besprechen.«

Kellermann sah verunsichert zu Rachel, dann wieder zu den Polizisten. Rachel hätte gerne gewusst, was Judith Kellermann mit der Polizei zu schaffen hatte. Wenn sie am Sonntag Beamte schickten, musste es was Gravierendes sein. Andererseits, die Chancen, dass sie jetzt in Ruhe ihren Kaffee trinken konnte, standen gut. Und so versuchte Rachel, einen unbeteiligten Eindruck zu machen.

»Ich hab noch nicht gezahlt«, hörte sie Kellermann sagen.

»Ich übernehm das.« Rachel lächelte ihr zu.

»Einen Kaffee und ein Wasser. Das wär wahnsinnig nett von dir.«

»Kein Problem. Geh nur.«

Kellermann packte ihre Sachen zusammen und begab sich, von den beiden Beamten umrahmt, zum Ausgang. Kurz vor dem Eingangstor blieben sie stehen, und es kam zu einer Diskussion zwischen den dreien, in deren Verlauf die Frau ein Papier aus ihrer zu warmen Jacke zog und es Kellermann zu lesen gab. Die warf nur einen flüchtigen Blick darauf. Dann folgte eine verbale Auseinandersetzung. Da gerade eine Drei-Mann-Kapelle anfing, Dixieland zu spielen, konnte Rachel nichts verstehen. Doch Kellermann machte einen sehr erregten Eindruck, während die Polizeibeamten offenbar versuchten, sie zu beschwichtigen. Irgendwann drehte sich Kellermann zu Rachel und deutete auf sie. Die Beamten sahen in ihre Richtung, kurze Abstimmung, dann kam die Frau zu Rachels Tisch zurück. Rachel schwante nichts Gutes.

»Sie sind Frau Kellermanns Rechtsbeistand?«, fragte die Polizistin.

»Nicht dass ich wüsste.« Rachel nahm einen Schluck Cappuccino.

»Sie behauptet das aber.«

»Ich kenne Frau Kellermann nur flüchtig. Anwaltlich vertreten habe ich sie nie und habe das auch nicht vor.« Sie hielt immer noch ihre Cappuccinotasse in der Hand. »Tut mir leid.«

»Kein Problem«, sagte die Beamtin und ging zurück.

Rachel hätte sie gerne gefragt, um was es ging. Aber das hätte die Frau ihr ohnehin nicht erzählt.

Als Kellermann hörte, was die Polizistin ihr zu sagen hatte, blickte sie entsetzt in Rachels Richtung und begann so laut zu schreien, dass Rachel es trotz Dixieland verstehen konnte. »Rachel! Du musst mir helfen!«

Die Beamten sagten etwas zu Kellermann und deuteten zum Ausgang, Kellermann aber wollte zu Rachel. Sie wurde von dem Beamtenpärchen an den Armen gepackt und weggezerrt, doch Kellermann riss sich los und versuchte, in Rachels Richtung zu laufen. Die Polizisten, körperlich und schuhtechnisch überlegen, hatten sie sofort eingeholt und erneut gepackt. Kellermann wehrte sich mit Kräften, die man ihrem dürren Körper nicht zugetraut hätte. Die Biergartenbesucher wurden unruhig, sodass der Beamte seinen Dienstausweis in die Höhe hielt und laut allen Umstehenden verkündete: »Bitte gehen Sie weiter. Das ist eine Festnahme!« Noch während er es sagte, schlug ihm die wild um sich zappelnde Delinquentin die Brille von der Nase und schrie erneut nach Rachel, die jetzt im Fokus der umstehenden Biergartenbesucher stand und sich fragte, ob sie das hier einfach aussitzen könnte. Schließlich beschloss sie, dem Albtraum ein Ende zu bereiten.

Kellermann hatte sich halbwegs beruhigt, als sie Rachel kommen sah, doch sie zitterte wie Espenlaub, weinte und hatte sich ein Knie aufgeschürft. Sie sah Rachel flehend an: »Rachel, bitte! Ich brauche eine Anwältin. Muss ich irgendetwas unterschreiben?«

»Nein, Judith, ich muss bloß einverstanden sein. Aber du solltest dir besser jemand anderen suchen. Ich ruf mal Geruda an. Den kennst du ja sicher.« Sie holte ihr Handy hervor. Geruda ging mit Sicherheit auch am Sonntag ans Telefon, es sei denn, er lief gerade einen Marathon. Aber wahrscheinlich auch dann.

»Das kannst du nicht machen!« Kellermann packte Rachel am Arm. »Denk an den Eid, den du geschworen hast!«

»Judith, den schwören Ärzte.« Sie pflückte Kellermanns

Hand von ihrem Arm. »Ich bin leider voll mit Mandanten. Und Geruda ist wirklich ein Topstrafverteidiger.«

»Rachel! Es geht um Leben und Tod. Ich brauche keinen Topstrafverteidiger. Ich brauche dich. Ich brauche – die Beste!«

Rachel konnte nicht verhindern, dass sie trotz aller Abneigung Kellermann für eine Millisekunde ganz sympathisch fand. Aber dann hielt die Vernunft wieder Einzug in ihr Gehirn. Kellermann war eine Ertrinkende, die alles sagen würde, damit man sie aus dem Wasser zog. Und so war es dann mehr als alle Schmeichelei die reine Neugier, die Rachel fragen ließ: »Um was geht's denn überhaupt?«

Judith Kellermann sah Rachel aus verheulten Augen an, und ihre Stimme war brüchig, als sie sagte: »Mord ...«

2

Das Zimmer war in hellen Grautönen gestrichen. Frau Kossirek und Herr Mantell hießen die vernehmenden Kommissare. Es waren nicht die beiden, die Judith Kellermann festgenommen hatten. Kriminalhauptkommissar Mantell kümmerte sich als Chef der Mordkommission in eigener Person um den Fall und hatte dafür an diesem sonnigen Sonntag sogar Frau und Kinder im Stich gelassen.

Rachel war hinter dem Polizeifahrzeug bis zum Polizeipräsidium in der Ettstraße gefahren. Auf dem Weg haderte sie mit sich, dass sie den Fall angenommen hatte. Aber einerseits war da – Sarah hatte recht gehabt – noch Luft, was die Arbeitsbelastung anging. Zum anderen hatte die Begründung des Haftbefehls ihre Neugier geweckt. Das war kein gewöhnlicher Fall. Und ein bisschen Presse würde es vielleicht auch geben. Kellermann war immerhin Filmproduzentin, wenn auch keine bekannte.

Rachel nahm ihre Brille ab, putzte sie mit dem Brillenputztuch, das sie immer bei sich führte, und setzte sie bedächtig wieder auf, um mit der Lektüre des Haftbefehls gegen Judith Kellermann fortzufahren. Sie hatte ihn im Hirschgarten nur kurz überflogen. Ein Haftbefehl war keine Anklageschrift und enthielt nur eine rudimentäre Schilderung des Tatvorwurfs sowie die wichtigsten Beweismittel. Aber das wenige, was darin stand, war erstaunlich.

»Ziemlich starker Tobak, was Sie meiner Mandantin vorwerfen.«

»Das ist Mord meistens«, erwiderte Kriminalhauptkommissarin Kossirek, die anscheinend den Bad Cop spielte. »Oder was meinen Sie genau?«

»Sie wissen, was ich meine.« Rachel schob den Haftbefehl von sich weg, als wollte sie mit diesem Unsinn nichts zu tun haben. »Frau Kellermann soll also eine Bombe aus Plastiksprengstoff gebaut haben, um einen Herrn Sandner mitsamt einer Blockhütte in die Luft zu sprengen.«

»Das interpretieren Sie vollkommen richtig, soweit es nicht ohnehin im Haftbefehl steht.« Kossirek nahm ihre eigene Kopie zur Hand und überflog sie. »Eigentlich steht das da ziemlich wörtlich drin. Was also ist Ihre Frage?«

Kommissar Mantell gefiel sich in der Rolle des Drahtziehers im Hintergrund, gab außer konzentriert-besorgter Mimik wenig preis und überließ es seiner Mitarbeiterin, sich mit Rachel zu zanken.

»Glauben Sie das allen Ernstes selbst, was Sie da von sich gegeben haben?« Rachel, die Arme vor der Brust verschränkt, deutete mit dem Kinn auf den streitgegenständlichen Haftbefehl.

»Frau Anwältin, ich weiß, dass Sie uns gerne alles Mögliche unterstellen. Aber wir haben unseren Job gemacht. Was Sie da lesen, ist das Ergebnis äußerst sorgfältiger Ermittlungen.«

»Das will ich mal hoffen. Nur, wie kommen Sie darauf, dass meine Mandantin, eine mittelständische Fernsehproduzentin, in der Lage sein soll, sich mehrere Kilogramm Sprengstoff zu beschaffen, daraus eine Bombe mit Fernzünder zu bauen und diese mit äußerster Präzision per Handy zu zünden?«

»Das hoffen wir, von Frau Kellermann selbst zu erfahren«, schaltete sich jetzt Mantells sonorer Bariton in das Gespräch ein.

»Was Sie da schreiben, ist völlig absurd.« Kellermann schüttelte den Kopf.

Rachel legte ihre Hand auf Kellermanns Arm. Sie wollte nicht, dass ihre Mandantin überhaupt irgendetwas sagte. Vor ein paar Tagen hatte Rachel in der Zeitung gelesen, dass nicht unweit des Golfplatzes von Straßlach ein Ferienhaus in die Luft geflogen war. Damals wusste die Polizei noch nicht, ob es sich um einen Unfall oder eine vorsätzliche Tat gehandelt hatte. Da war man in der Zwischenzeit offenbar weitergekommen. Sie nahm den Haftbefehl wieder zur Hand und betrachtete den nicht allzu langen Absatz mit den Beweismitteln.

»Was heißt Zeugen? Hat jemand gesehen, wie Frau Kellermann die Bombe gezündet hat? Wie sie den Sprengstoff am Tatort deponiert hat?«

»Es gibt Zeugen, die gesehen haben, wie Frau Kellermann am Tag vor der Tat zum Tatort gefahren ist. Außerdem haben wir Hinweise, dass sich Frau Kellermann auf dem schwarzen Markt Sprengstoff beschafft hat.«

»Ich nehme nicht an, dass die Person, die meiner Mandantin angeblich Sprengstoff verkauft hat, vor Gericht selbst aussagen wird.«

»Vermutlich nicht.«

»Wer wird dann aussagen? Irgendein Junkie, der gerade ein Verfahren am Hals hat und bei der Staatsanwaltschaft Punkte sammeln will? Dass er von irgendwem, den er nicht nennen kann, was gehört hat?«

»Lassen Sie das unsere Sorge sein«, sagte Mantell eher väterlich als ironisch. »Vielleicht wissen wir schon bald mehr. Die Kollegen von der Spurensicherung sind auf dem Weg zu Frau Kellermanns Haus.« Mantell zog ein weiteres Schriftstück aus einem vor ihm liegenden Aktendeckel und schob es über den Tisch. Es war der Durchsuchungsbeschluss für Judith Kellermanns Haus.

Rachel las den Beschluss konzentriert durch und sagte schließlich: »Meine Mandantin erhebt Widerspruch gegen den Durchsuchungsbeschluss.«

»Was soll das? Es wird nichts ändern.«

»Ich habe keine Ahnung, was hier vor sich geht, und werde uns deswegen alle Optionen offenhalten.« Rachel spielte darauf an, dass von einem späteren Gericht unter Umständen ein Beweismittelverbot ausgesprochen werden konnte, falls sich die Durchsuchung als rechtswidrig herausstellte.

»Na schön. Nehmen wir es zu Protokoll.«

»Tun Sie das. Und jetzt würde ich gerne mit meiner Mandantin unter vier Augen reden.«

Rachel wurde ein Raum zur Verfügung gestellt, von dem sie hoffte, dass die Polizei hier weder Kameras noch Mikrofone aufgestellt hatte. Es war im Grunde mehr eine Zelle mit Stahltür, Tisch und zwei Stühlen.

Kellermann war aufgewühlt und zitterte, als sie ihren Kaffeebecher zum Mund führte. Rachel wartete, bis ihre Mandantin sie ansah und signalisierte, dass sie bereit war zu reden.

»Hast du eine Idee«, begann Rachel, »warum die Polizei dich beschuldigt, den Mord an Eike Sandner begangen zu haben?« Rachels Worte waren bewusst so gewählt. Sie fragte nicht, ob Kellermann es getan hatte. Wenn Kellermann die Tat zugab, konnte das Rachel in ihrer Verteidigung beeinträchtigen, denn auch als Anwältin der Beschuldigten durfte sie nicht lügen. Kellermann machte eine hilflose Geste und fand keine Worte. »Fangen wir anders an. Du kanntest das Opfer?«

»Ja, Eike war mein …« Kellermann schluckte, Erinnerungen kamen hoch. »Wir waren seit einigen Monaten zusammen.«

»Warum solltest du ihn dann umbringen?«

Kellermann zögerte, wischte sich die Tränen aus den Augen. »Er hat mich betrogen.«

Rachel ließ noch einmal Kellermanns Verhalten im Biergarten Revue passieren. Ihre überdrehte Art am Anfang, solange es um Berufliches ging. Sie hatte nicht den Eindruck einer Frau gemacht, deren Freund vor ein paar

Tagen umgebracht worden war. Aber vielleicht war sie gut darin, ihre Trauer zu überspielen. Als Rachel nach ihrem Privatleben gefragt hatte, war Kellermann still geworden und hätte fast geweint. Aber worüber? Über Sandners Tod? Oder weil er sie enttäuscht hatte?

»Woher könnte die Polizei wissen, dass er dich betrogen hat?«

»Einige Tage vor der Explosion hatten wir Streit deswegen. Es war bei einer Premierenfeier. Ich bin ziemlich laut geworden, dann … habe ich ihn geohrfeigt und bin gegangen. Es dürfte jede Menge Zeugen geben.«

»Gibt es etwas, das den Mordverdacht entkräften könnte?«

»Ich habe Eike nicht umgebracht. Wir hatten Streit. Ich, ich war eifersüchtig – ja, aber deswegen … ich hab ihn geliebt!« Sie brach in Tränen aus. »Und jetzt behauptet die Polizei, ich hätte ihn in die Luft gesprengt. Ich kann das alles nicht glauben.«

Rachel reichte Kellermann ein Papiertaschentuch. Und gleich darauf ein zweites. Die Tränen flossen reichlich, und Kellermann musste sich schnäuzen.

»Was ist mit dieser Hütte?«

»Eike hat dort gewohnt.«

»Sagten die nicht, es war ein Ferienhaus?«

»Er wohnte eigentlich in Köln, kam aber häufig nach München. Dafür hatte er die Hütte gemietet.«

»Das ist vermutlich nicht billig. Ein Ferienhaus in Straßlach …«

»Eike konnte es sich leisten. Er hatte eine Firma, und die Geschäfte liefen gut.«

»Warst du öfter in der Hütte?«

»Nein. Eigentlich nie. Er ist immer zu mir nach Harlaching gekommen. Nur wenn ich keine Zeit hatte oder er abends mal weg war, hat er die Hütte benutzt. Ich hatte aber einen Schlüssel – falls mal was ist.«

»Das heißt, du warst nie in der Hütte in Straßlach?«

Kellermann zögerte, Rachel gab ihr noch ein Taschentuch, um die restlichen Tränen fortzuwischen. Kellermanns Blick wie auch ihre Gefühlslage hatten sich verändert, und sie machte einen konzentrierten Eindruck. »Doch«, sagte sie, zog die Nase hoch und sah an Rachel vorbei zur Stahltür, die Augen verengten sich. »Doch, ich war da.«

»Wie oft?«

»Einmal. Am Tag vor der Explosion.« Sie starrte Rachel an. Die Augen und die wulstige Nase waren vom Weinen gerötet.

»Was wolltest du in der Hütte?«

»Ich war mir sicher, er betrügt mich. Aber er hat alles abgestritten. Ich wollte Beweise. Irgendwas finden: E-Mails, Kalendereinträge, einen Slip im Badezimmer, Parfüm – was weiß ich. Ja, ich war außer mir. Ich bin also nach Straßlach gefahren, hab den Wagen ein paar Hundert Meter vorher im Wald abgestellt und bin den Rest zu Fuß gegangen. Ich wusste, dass Eike zu dieser Zeit nicht da war.«

»Warum hast du den Wagen abgestellt?«

»Ich dachte, wenn jemand vorbeikommt und mich sieht, dann sieht er eben nur mich und nicht den Wagen. Autos sind leichter zu identifizieren. Haben Nummernschilder, Farben, Marken.«

»Anscheinend hat dich trotzdem jemand gesehen.«

»Keine Ahnung. Da draußen kennt mich eigentlich niemand. Aber ich bin kein Profieinbrecher. Wahrscheinlich hab ich mich einfach zu dumm angestellt.«

»Warst du im Haus?«

»Ja.« Kellermann stand auf, ging im Raum umher, streifte mit den Fingern am Putz entlang, blieb vor der Stahltür stehen und betastete die Nieten an den Metallbändern mit den Fingerkuppen. »Eike hatte mir, wie gesagt, einen Schlüssel gegeben. Für Notfälle. Oder wenn er in Köln war und etwas aus der Hütte gebraucht hätte. Er ist wahrscheinlich davon ausgegangen, dass ich den Schlüssel sonst nicht benutze.«

»Auch nach der Szene, die du ihm gemacht hast?«

Kellermann zuckte mit den Schultern.

»Hast du was gefunden?«

Kellermanns Kinnmuskulatur kam in Bewegung, ihr Blick verhärtete sich. »Das Bett war gemacht. Aber das Kopfkissen roch nach einem Duft, den Eike nicht benutzte. Irgendwie mit nuttiger Note. Im Ablauf der Duschwanne waren lange schwarze Haare. Die Frau, mit der ich Eike gesehen hatte, war schwarzhaarig.«

Rachel hätte noch viele Fragen gehabt, etwa: Wo hatte Kellermann Sandner mit der schwarzhaarigen Frau gesehen, und wie war es dazu gekommen. Aber das konnte sie später klären. Die Zeit drängte, und anderes war wichtiger. »Wie könnte die Polizei darauf kommen, dass du dir Sprengstoff besorgen wolltest?« Auch hier verzichtete Rachel auf die Frage, ob Kellermann das tatsächlich gemacht hatte.

Kellermann kehrte an den Tisch zurück, nahm wieder Platz und biss sich auf die Unterlippe. Sie sah Rachel an und wollte etwas sagen. Doch es klopfte an der Tür. Kommissarin Kossirek steckte den Kopf herein.

»Tut mir leid, dass ich Ihr Mandantengespräch unterbreche …« Ihr Gesichtsausdruck sagte Rachel etwas anderes. »Aber wir wären so weit. Wenn Sie also bei der Hausdurchsuchung dabei sein wollen, dann sollten Sie jetzt mitkommen.«

Rachel wollte definitiv bei der Hausdurchsuchung dabei sein. Es ergab in dem Fall vermutlich nicht viel Sinn. Aber sie wollte auf keinen Fall den Eindruck erwecken, sie würde der Polizei freie Hand lassen.

Kellermann stand auf, aber Rachel hielt sie mit einer

Handbewegung zurück und rief »Eine Minute noch!« in Richtung Kossirek. Die zog die Tür wieder zu.

»Ich weiß, das ist alles sehr belastend für dich, und ich versuche, es dir so leicht zu machen, wie es in einer solchen Situation eben geht. Trotzdem müssen wir über die finanzielle Seite unserer Zusammenarbeit reden.«

»Natürlich. Was bekommst du? Willst du nach Stunden abrechnen?«

»Das mache ich üblicherweise. Allerdings müsste ich einen Vorschuss verlangen.«

»Der wie hoch wäre?«

»Fünfzigtausend.«

Kellermann starrte Rachel ins Gesicht.

»Ist das ein Problem?«

»Ein Problem?« Sie lachte dünn. »Ja.«

»Dann haben wir beide ein Problem.«

Kellermann zog die Stirn in Falten.

»Es klingt nach viel. Klar. Aber das könnte ein kompliziertes und langes Verfahren werden, und Mandanten, die inhaftiert sind – verzeih mir meine Offenheit –, haben in der Regel gewisse Probleme mit der Honorarbeschaffung.«

Kellermann fuhr sich mit den Händen übers Gesicht. »Um ehrlich zu sein, habe ich das Geld nicht. Wir sind für den Dreh von 11/18 wahnsinnig in Vorleistung gegangen. Da steckt mein ganzes Kapital drin. Und wenn die Banken erfahren, dass ich verhaftet bin, bekomme ich keinen Cent mehr.«

»Und wie lösen wir das Problem? Kannst du deinen Vater nicht bitten?«

Kellermann atmete tief ein und schüttelte mit zusammengepressten Lippen den Kopf. »Das will ich nicht. Nicht meinen Vater.«

Rachel notierte im Kopf, dass es da anscheinend Verwerfungen gab. »Was ist mit deinem Bruder?«

Kellermann nickte. »Ich geb dir seine Telefonnummer.

Meinst du, ich kann ihn anrufen und ihm Bescheid sagen?«

»Ja. Das wird gehen«, sagte Rachel und holte eine vorgedruckte Vollmachtserklärung aus ihrer Aktentasche, um sie von Kellermann unterschreiben zu lassen.

3

Judith Kellermanns Haus befand sich in Harlaching, einem Ortsteil von München, der direkt an Grünwald grenzte. Wenn man durch Grünwald nach Süden fuhr, kam man in Straßlach heraus. Zwischen ihrem Haus und dem Tatort lagen also nur wenige Kilometer.

Judith Kellermann hatte das Recht, bei der Durchsuchung ihres Hauses zugegen zu sein. Ebenso ihre Verteidigerin. Die Ermittlungsbeamten suchten weitere Spuren, die Kellermann mit der Tat in Verbindung brachten. Insbesondere hatte es die Polizei auf ein Mobiltelefon abgesehen, von dem aus die Bombe gezündet worden war. Das Handy, das Kellermann bei ihrer Festnahme dabeihatte, war bereits beschlagnahmt worden. Was die vorläufige Untersuchung des Handys durch die Spezialisten bislang ergeben hatte, wurde Rachel nicht mitgeteilt. Der Umstand, dass Kommissar Mantell die Spurensicherer anwies, nach weiteren Handys Ausschau zu halten, ließ sie freilich vermuten, dass die Untersuchung des bislang sichergestellten Geräts nicht zur Zufriedenheit der Ermittler ausgefallen war.

Rachel schaute den Beamten bei der Durchsuchung auf die Finger. Ab und zu kam sie nach draußen auf die Terrasse, wo Judith Kellermann eine Zigarette nach der anderen rauchte. Eine ungestörte Unterhaltung war hier nicht möglich, denn Kellermann wurde von einer Polizeibeamtin bewacht.

In weiße Overalls gekleidete Beamte der Spurensicherung schwirrten umher, trugen gelegentlich Gegenstände aus dem Haus und verstauten sie in Einsatzfahrzeugen. Es sah ein bisschen aus, als wären Marsmännchen über das Anwesen von Judith Kellermann hergefallen. Auch ein

Team mit zwei Spürhunden traf ein und machte sich erst im Garten, dann im Haus zu schaffen. Rachel war nicht ganz klar, was die Hunde suchten. Irgendwann kam Kommissarin Kossirek mit einer durchsichtigen Plastiktüte auf die Terrasse. Die Tüte enthielt ein billiges Handy.

»Gehört das Ihnen?«

Kellermann wollte etwas sagen, aber Rachel fiel ihr ins Wort.

»Sie werden das sicher selbst herausfinden, Frau Kossirek. Wenn keine Fingerabdrücke von Frau Kellermann drauf sind, hat es wohl jemand im Haus vergessen.«

»Sehr witzig. Vielleicht sagen Sie uns einfach den PIN-Code. Das würde uns eine Menge Arbeit ersparen. Bei dem anderen Handy waren Sie ja auch nicht so zugeknöpft.«

»Schauen Sie, Frau Kossirek, wir sind nicht da, um Ihnen die Arbeit zu erleichtern. Dennoch rate ich meinen Mandanten, so kooperativ wie möglich zu sein. Man muss sich das Leben ja nicht unnötig schwer machen. Allerdings käme in diesem Fall die Herausgabe der PIN-Nummer einem Eingeständnis meiner Mandantin gleich. Deswegen müssen wir leider offenlassen, ob es sich um Frau Kellermanns Handy handelt.« Rachel bemühte sich um ein breites Lächeln.

»Werd's mir merken«, sagte Kossirek und stöckelte auf ihren für einen Außeneinsatz recht hochhackigen Pumps zurück ins Haus.

»Dein Zweithandy?«, flüsterte Rachel, da Kellermanns Bewacherin sich gerade ein paar Schritte entfernt hatte.

»Ist etwas kompliziert.« Kellermann sog mit verzweifelter Inbrunst an ihrer Zigarette, warf sie auf den Terrassenboden und trat sie aus.

Im Haus wurde es unruhig. Ein Hund bellte, Stimmen von Beamten riefen einander zu, man habe etwas entdeckt. Rachel sah Kellermann an, die zuckte mit den

Schultern. Es dauerte einige Zeit, bis sich die Unruhe gelegt hatte. Schließlich wurden die beiden Hunde wieder aus dem Haus geführt. Sie hatten offenbar ihre Arbeit getan. Kommissar Mantell, der die Aktion leitete, stand jetzt mit Sabine Wittmann, der zuständigen Staatsanwältin, deren Anwesenheit Rachel bis jetzt noch nicht bemerkt hatte, zusammen. Sie redeten mit ernster Miene, und man konnte den Eindruck gewinnen, die Arbeiten gingen gut voran.

»Hallo, Frau Wittmann!« Rachel gesellte sich zu den beiden. Sie kannte Wittmann aus etlichen früheren Verfahren. Ihr persönliches Verhältnis war kompliziert und verkrampft. Wittmann hatte Rachel vor zwei Jahren das Leben gerettet, als jemand vor einem Gerichtssaal mit einem Messer auf sie losgehen wollte. Seitdem bemühte sich Rachel um einen respektvollen und halbwegs freundlichen Umgangston. Allerdings liefen gelegentlich Dinge an Wittmann vorbei. Dann nämlich, wenn Rachel mit Oberstaatsanwalt Schwind, Wittmanns Vorgesetztem, auf dem kurzen Dienstweg kommunizierte. Schwind versuchte zwar, Wittmann nichts von diesen Kontakten merken zu lassen, schon um sie nicht bloßzustellen. Aber Wittmann war nicht dumm und ahnte es meist, wenn hinter ihrem Rücken gedealt wurde.

»Hab schon gehört«, sagte Wittmann. »Wir arbeiten wieder zusammen am gleichen Fall, wie mein Chef sagen würde.« Das sagte Schwind öfter – mehr im Scherz natürlich. Aber es gab Wittmann trotzdem jedes Mal einen Stich, weil insofern ein Körnchen Wahrheit daran war, als sie nie ganz sicher war, mit wem ihr Chef eigentlich zusammenarbeitete.

»Sieht so aus. Aber Sie sind ja noch am Ermitteln. Vielleicht kommt es gar nicht zum Prozess.« Rachel sah Kommissar Mantell lächelnd an. »Oder haben Ihre Hunde irgendetwas von Bedeutung gefunden?«

»Wird sich herausstellen.« Mantell wirkte entspannt und zufrieden. »Es dürfte sich um Spuren von Semtex handeln, soweit wir das schon sagen können. Der Hundeführer schließt es daraus, dass es der Hund so schnell gefunden hat. Das Zeug wird nämlich mit Markierungsstoffen versetzt, um es den Hunden zu erleichtern. Semtex ist ein ...«

»... gängiger Sprengstoff. Ich weiß.« Rachel sah zu ihrer Mandantin, die fünfzehn Meter entfernt stand und sich gerade eine neue Zigarette angezündet hatte.

Es war halb vier, als Rachel in die Kanzlei kam. Die Büroräume waren verwaist. Bei Eisenberg & Partner wurde Wert darauf gelegt, dass keiner am Wochenende arbeitete. Rachel bewilligte sich heute eine Ausnahme. Sie wollte nicht zu Hause auf Sarah treffen. Die hätte sie vermutlich mit Fragen zu ihrem Verhalten vorhin gelöchert.

Rachel diktierte ein Gedächtnisprotokoll der bisherigen Ereignisse sowie einen Antrag auf Akteneinsicht, dann rief sie Jonas Kellermann an, den Bruder von Judith. Er war Geschäftsführer der Filmfirma seines Vaters, und Rachel hatte ihn einige Male bei Film- und Fernsehempfängen getroffen. Sie überlegte, ob sie per Du waren, hielt es aber für unwahrscheinlich. Jonas Kellermann war ein nüchterner Kaufmann, der nicht die Visionen seines glamourösen, inzwischen fünfundsiebzigjährigen Vaters Bernd hatte, sondern den Laden ordentlich verwaltete und fürs Kreative Leute hatte, die er bezahlte.

Jonas Kellermann war gerade von seiner Schwester angerufen worden und zusammen mit seinem Vater auf dem Weg, sie zu besuchen. Er bot an, in die Kanzlei zu kommen.

Zwanzig Minuten später saßen Rachel, Jonas und Bernd Kellermann in Rachels Büro. Beide Kellermanns erschienen in Freizeitkleidung. Während Jonas Lacoste-Polo,

Jeans und Loafers trug, hatte sein Vater einen legeren Sommeranzug aus Leinen mit weißem Hemd an. Jonas war trotz des schönen Wetters blass im Gesicht, Bernd braun gebrannt, er schien sich viel auf Golf- und Tennisplätzen aufzuhalten.

»Das kann doch nur ein absurdes Missverständnis sein«, sagte Jonas und sah Zustimmung erhoffend zu seinem Vater.

»Mich würde es nicht wundern, wenn sie einen dieser Mistkerle mal in die Luft gesprengt hätte.« Bernd Kellermann hob die Hände. »Womit ich nicht sagen will, dass sie es wirklich getan hat.«

Rachel wandte sich etwas verwundert an Jonas. Der fühlte sich bemüßigt, die Worte seines Vaters zu erläutern.

»Wissen Sie, meine Schwester ist kein Engel und sehr emotional. Sie ist sogar mal mit einem Messer auf einen Polizisten losgegangen. Trotzdem glaube ich nicht, dass sie das getan hat. Hätte sie den Kerl umbringen wollen, dann nicht mit etwas so Kompliziertem wie einer Bombe. Das muss man sorgfältig planen. Dafür ist sie viel zu chaotisch.«

»Vielleicht können wir Ihre Einschätzung von Judiths Persönlichkeitsstruktur vor Gericht verwenden. Aber ich glaube nicht, dass es die Staatsanwaltschaft zum Umdenken veranlasst. Zumal in Judiths Haus Spuren von Sprengstoff gefunden wurden.«

»Tatsächlich!«, raunte der alte Kellermann mit einem Anflug von Bewunderung. »Hätte ich ihr nicht zugetraut.«

»Für die Polizei scheint die Sache klar zu sein. Das heißt, Ihre Schwester braucht anwaltliche Hilfe. Ich weiß nicht, warum sie ausgerechnet mich will. Aber ich konnte es ihr nicht ausreden.«

»Sie wird ihre Gründe haben«, sagte Jonas. »Wie viel bekommen Sie?«

»Fünfhundert die Stunde. Fünfzigtausend Anzahlung. Sollten die Ermittlungen nächste Woche eingestellt werden, bekommen Sie natürlich eine Erstattung. Aber damit würde ich mal nicht rechnen.«

Bernd Kellermann zog nickend die Mundwinkel nach unten. »Ein recht ordentliches Stundenhonorar.«

»Es ist das, was alle Mandanten mir bezahlen. Aber es kommen möglicherweise noch andere Kosten auf Sie zu.«

»Gerichtskosten?«

»Die auch – wenn wir verlieren. Aber das ist Portokasse. Nein, ich meine etwas anderes, die Polizei glaubt, sie hat den Fall geklärt. Die werden nicht mehr in andere Richtungen ermitteln. Das müssten wir dann selbst tun.«

»Wer ist *wir?*« Jonas Kellermann blickte zusehends säuerlich drein.

»Ein Privatdetektiv, den wir engagieren. Da fallen etwa hundert Euro die Stunde plus Spesen an.«

»Das kann ja ein Vermögen kosten. Ich bin nicht Bill Gates.«

»Sie ist deine Schwester! Hör auf rumzugeizen«, fauchte ihn sein Vater an und wandte sich an Rachel. »Ich übernehme das. Er ist so ein Pfennigfuchser.«

Rachel war einen Moment lang unschlüssig, ob sie es sagen sollte, aber letztlich musste sie es tun. »Ich hatte, um ehrlich zu sein, den Eindruck, dass Judith Sie lieber nicht um diesen Gefallen bitten möchte.«

Wieder nickte Kellermann mit heruntergezogenen Mundwinkeln und gerunzelter Stirn. »Verstehe. Natürlich. Kann ich ihr nicht verdenken.«

»Ich gebe nur weiter, was sie mir sagte. Was da zwischen Ihnen ist, geht mich natürlich nichts an.«

Bernd Kellermann zuckte mit den Schultern. »Sie nimmt es mir übel, dass ich Jonas zu meinem Nachfolger gemacht habe.« Er sah zu seinem Sohn. »Also, was ist jetzt?«

»Es kann doch nicht sein, dass ich ihr jedes Mal wieder den Arsch retten muss. Sie ist erwachsen.«

»Ich meine, wie Sie beide das dann intern verrechnen, ist ja Ihre Sache«, versuchte Rachel zu vermitteln.

»Ja, klar. Wir kriegen das schon hin«, sagte Bernd Kellermann. »Muss er eine Vereinbarung unterschreiben?«

»Sie haben sie morgen im Briefkasten.«

»Na gut.« Jonas Kellermann verschränkte die Arme vor der Brust. »Aber ich hätte gerne wöchentliche Berichte. Auch was bei den Recherchen herauskommt. Damit ich weiß, wofür ich mein Geld ausgebe.«

»Da haben wir allerdings ein Problem.«

»Wie bitte?«

»Sie zahlen zwar, aber unsere Mandantin ist Judith Kellermann. Was wir recherchieren, unterliegt der Schweigepflicht. Sie können sich natürlich von Ihrer Schwester erzählen lassen, wie der Stand der Dinge ist.«

»Ist ja reizend.« Er sah mit fassungsloser Miene zu seinem Vater, der schwieg und schien eher amüsiert.

»Tut mir leid. Aber Sie übernehmen nur die Schulden Ihrer Schwester.«

»Ist wie gesagt nichts Neues. Schicken Sie mir die Vereinbarung.«

Als die Kellermanns gegangen waren, bemerkte Rachel eine WhatsApp auf ihrem Handy. Sascha bat sie, ihn anzurufen. Rachel und Sascha waren immer noch verheiratet, lebten aber seit Jahren getrennt. Die Anwaltskanzlei betrieben sie weiterhin gemeinsam. Rachel war für Strafrecht, Sascha für Zivilrecht zuständig. Trennungsgrund war eine Rechtsreferendarin gewesen, mit der Sascha Rachel betrogen hatte, oder genauer gesagt war es der Anlass zur Trennung gewesen. Ihre Ehe hatte schon länger geschwächelt. Mittlerweile hatte sich die Affäre mit der Referendarin, inzwischen fertige Juristin, erledigt, und Sascha, der keine Probleme hatte, Frauen kennenzulernen, führte ein lockeres Singleleben und schlug sich oft die Nächte um die Ohren. Rachel hatte seit zwei Jahren eine Beziehung zu einem Anwaltskollegen namens Reza Haim, alleinerziehender Vater eines Sohnes in Sarahs Alter. Sie gingen öfter zusammen essen, ins Theater, auf die Berge der bayerischen Voralpen und manchmal auch ins Bett. Aber bislang war nichts Festes aus den beiden geworden. Das lag mehr an Rachel als an Reza, der persische Wurzeln hatte, was Sascha, der einer jüdischen Familie aus Russland entstammte, die eine oder andere Spitze entlockte.

»Wie war dein Tag?«, eröffnete Sascha das Telefonat.

Rachel erzählte ihm von Judith Kellermann.

»Judith Kellermann? Die hat echt ihren Freund …?«

»Das wissen wir noch nicht. Aber sie wurde verhaftet, und ich war zufällig dabei. Deshalb hab ich jetzt das Mandat an der Hacke.«

»Kann sie zahlen?«

»Der Bruder übernimmt die Gebühren.«

»Sehr gut. Wenn du Hilfe brauchst, sag Bescheid. Ich bin in der Branche ja ganz gut vernetzt.«

»Werde ich wahrscheinlich sogar machen.«

»Ja, gut. Sag mal …« Sascha machte eine Pause, als müsste er nach den richtigen Worten suchen.

»Ja?«

»Sarah hat gefragt, ob ich heute Abend zum Essen komme. Sie kocht. Weißt du davon?«

»Offen gestanden – nein. Als ich das Haus verlassen habe, hatten wir gerade Krach. Und seitdem haben wir nicht mehr gesprochen. Aber du kannst gerne kommen.«

»Kein Mullah-Abend heute?«

»Du bist wieder ausgeladen.« Rachels Stimme wurde bedrohlich scharf, noch auf der scherzhaften Seite, aber das konnte kippen.

»Sorry. War ’n dummer Scherz. Wie nennt er mich eigentlich?«

»Wir reden nicht über dich.«

»Ah ja!« Sascha klang gut gelaunt, und Rachel ärgerte es, dass er sich so wichtig nahm – und dass er recht hatte. Natürlich redeten sie über ihn. »Zwanzig Uhr?«

Seit Längerem saß die Familie wieder zusammen beim Abendessen. Es war nicht so, dass sie nach der Trennung von Rachel und Sascha – genauer gesagt hatte Rachel Sascha vor die Tür gesetzt – gar nichts mehr zu dritt machten. Es gab Segelausflüge auf dem Starnberger See und öfter auch ein gemeinsames Essen. Das fand aber meistens mittags statt. Sarah hatte an diesem Abend Spaghetti aglio e olio con scampi gemacht und beim Knoblauch ordentlich zugelangt.

»Köstlich«, lobte Sascha, hielt sich aber bei der zweiten Portion zurück.

»Mama – ihm schmeckt’s nicht!« Sarah deutete fassungslos auf den Verweigerer. »Da essen wir endlich mal wieder zusammen zu Abend und dann …«

»Nein, nein, Mäuschen, es schmeckt ganz wunderbar. Es ist nur …«

»Was?!«

»Es ist sehr viel Knoblauch dran. Ich hab morgen einen Termin mit einem Rabbiner aus Frankfurt und möchte nicht, dass er bei der Besprechung ohnmächtig wird.«

»Sag ihm, dass deine Tochter megaköstliche Spaghetti mit Scampi gekocht hat und du keinen Ärger wolltest.«

»Das werde ich ihm besser nicht sagen.«

»Sind Spaghetti nicht koscher?«

»Spaghetti schon. Scampi nicht.«

»Aber nicht, weil sie aus dem Meer kommen, oder? Was ist mit Gefillte Fisch?«

»Fische sind koscher, wenn sie Schuppen und Flossen

haben. Alles andere aus dem Meer ist treif. Hast du das nicht für deine Bat Mitzwa gelernt?«

Sarah verdrehte die Augen. »Kann sich doch keiner merken. Ich weiß nur, dass Israel den besten Kaviar der Welt herstellt, die Orthodoxen ihn aber nicht essen dürfen. Wieso eigentlich? Stör ist doch Fisch.«

»Ja, aber er hat keine Schuppen, sondern einen Panzer. Die Ansichten zu Kaviar sind allerdings geteilt, weil junge Störe angeblich durchaus Schuppen haben. Deswegen sagen die meisten Rabbiner in den USA, Kaviar wär in Ordnung.«

»Steckt da irgendeine Logik dahinter?«

»Nein. Das ist Religion. Religion besteht darin, dass dir irgendjemand vorschreibt, was du tun und vor allem was du nicht tun sollst. Katholiken dürfen sich nicht scheiden lassen, Juden keine Scampi essen. Ob das Sinn macht, ist völlig egal. Eigentlich ist's dann Religion, wenn's *keinen* Sinn macht, denn für Dinge, die Sinn machen, brauchst du keine Religion. Die weiß man ja von selber.«

Sarah hielt kurz beim Kauen inne, nickte nachdenklich und sagte: »Cool. So hab ich das noch gar nicht gesehen.«

»Onkel Shimon hat übrigens mal wieder vorsichtig angefragt, wie es mit deiner Konvertierung zum Judentum vorangeht.«

Sarah hatte vor zwei Jahren auf ihren Wunsch hin eine Bat Mitzwa gefeiert, was die Erlangung der religiösen Mündigkeit im Judentum bedeutet. Allerdings war der Ritus von einer Reformrabbinerin vollzogen worden und hatte mehr den Charakter einer privaten Familienfeier gehabt. In Sarahs Pass stand als Religion immer noch evangelisch-lutherisch, denn nur Sascha war Jude. Die Zugehörigkeit zum Judentum hing aber von der Mutter ab. Rachel war evangelisch. Sarah interessierte sich zwar für das Judentum. Immerhin war eine Hälfte der Familie jüdisch. Aber es war nur ein Interesse unter vielen, die ein siebzehnjähriger Teenager hat.

»Ja, ich überleg noch.« Sie spießte einen Scampo auf und betrachtete ihn, als wollte sie seine religiöse Unreinheit ergründen. »Einiges spricht dafür, anderes dagegen.«

»Dafür spricht, dass dich Gott dann besonders liebt«, sagte Sascha. »Dagegen, dass die meisten Menschen dich dann hassen. Also lass dir Zeit mit der Entscheidung.« Er schob seinen Teller zu Sarah. »Gib mir noch eine Portion. Ich kauf mir morgen früh am Gemüsestand einen Bund Petersilie. Das soll helfen.«

Als sie beim Espresso saßen, sah Sarah ihre Eltern ernst an und sagte: »Ich würde gerne was besprechen. Es hat mit heute Morgen zu tun.«

Sarah und Rachel hatten über ihren Streit nicht mehr gesprochen, sondern seit Rachels Heimkehr so getan, als wäre nichts passiert. Das hatte Rachel schon stutzig gemacht, denn Sarah war niemand, der Differenzen totschwieg. Da waren sie sich sehr ähnlich. Nur dass Rachel in dem Fall ausnahmsweise kein Interesse an Klärung hatte.

»Es tut mir leid«, sagte Rachel. »Ich bin ein bisschen mit den Nerven runter. Ich wollte dich nicht so anmachen.«

»Du bist sicher, dass es nichts anderes ist?«

Rachel sah misstrauisch zwischen Sarah und Sascha hin und her. »Was wird das hier?«

Sascha hob beschwichtigend die Hände. »Ich hab keine Ahnung, worum es geht. Ich kann euch auch allein lassen.«

»Nein. Bleib bitte.« Sarah spielte nervös mit ihrem Espressolöffel. »Das geht uns als Familie an. Es geht um – Offenheit. Vertrauen. Solche Sachen.«

Rachel sagte nichts, wartete, was noch kommen würde.

»Ich glaube, du verheimlichst uns etwas.«

»Selbst wenn«, sagte Rachel. »Jeder hat ein Recht auf Geheimnisse.«

»Wenn du sie geheim hältst und sie andere nichts angehen – okay.«

»Es ist eine Sache, die nur mich was angeht. Und dass ich mal schlechte Laune habe, wirst du aushalten müssen. Als pubertierender Teenager hast du wenig Berechtigung, dich da zu beschweren.«

»Ich rede nicht von schlechter Laune.«

»Sondern?«

»Dass dein Geheimnis unsere Familie betrifft. Und es gibt Leute, die finden, dass ich davon wissen sollte.«

Sascha war jetzt hellhörig geworden. »Von was redest du? Und was für Leute?«

»Keine Ahnung. Da musst du meine Mutter fragen.« Sarah stand auf, holte ihr Handy aus dem Flur, kam wieder zurück und rief WhatsApp auf. »Das hab ich gestern bekommen.« Sie schob das Smartphone zu Rachel.

Sie las die ziemlich lange Nachricht und verzog keine Miene. Als sie fertig war, gab sie das Handy Sascha und wandte sich an ihre Tochter.

»Wer hat dir das geschickt?«

»Die Telefonnummer kenn ich nicht. Dir kommt sie nicht bekannt vor?«

Rachel schüttelte den Kopf.

Inzwischen hatte Sascha die WhatsApp-Nachricht gelesen und gab das Smartphone an Sarah zurück.

»Worum um Himmels willen geht's da?«

Sarah zuckte mit den Schultern und wies mit der Hand auf ihre Mutter.

4

Der Text der WhatsApp-Nachricht lautete:

Hallo Sarah, Du kennst mich nicht, das ist aber auch nicht wichtig. Sagen wir, ich bin ein Freund der Familie. Du wirst langsam erwachsen und hast, wie ich finde, ein Recht darauf, die wichtigen Dinge zu erfahren, die sich in Deiner Familie ereignet haben. Denn es gibt etwas, das Du nicht weißt und das Dir Deine Mutter verschweigt. Ich nehme an, sie hat es auch Deinem Vater verschwiegen. Deswegen wird es wenig Sinn machen, wenn Du ihn danach fragst. Was ist nun so schlimm an dem Geheimnis, dass Rachel es Dir siebzehn Jahre nicht sagen konnte? Das, finde ich, sollte sie Dir selbst sagen. Es tut mir leid, dass ich Dich auf diesem Weg damit konfrontiere, und mir ist klar, dass Du diese Nachricht wahrscheinlich für einen schlechten Scherz halten wirst – mir würde es genauso gehen. Daher mach Dir selbst ein Bild und beobachte das Verhalten Deiner Mutter am morgigen Tag. Dir wird auffallen, dass sie sich ungewöhnlich verhält, abweisend und verschlossen. Und falls Du Tagebuch führst, wirst Du vielleicht feststellen, dass sie sich an jedem 28. Mai so benimmt. Was war an diesem Tag? Du hast ein Recht darauf, es herauszufinden. Denn es geht, wie ich schon sagte, um Deine Familie. Du kannst gerne eine WhatsApp an diese Telefonnummer schicken (ob ich antworte, sehen wir dann). Anrufe werde ich allerdings nicht entgegennehmen. Ich wünsche Dir, liebe Sarah, viel Glück bei Deinen Recherchen.

Die Nachricht enthielt keinen Absender.

»Ach, ist heute der 28. Mai?«, sagte Sascha.

Rachel sah ihn argwöhnisch an. »Wieso?«

»Na ja, irgendwem ist in der Kanzlei mal aufgefallen, dass du am 28. Mai nie da bist. Aber auch keinen längeren Urlaub nimmst. Immer nur an dem Tag nicht da bist.«

»Ah ja? Ist das jemandem aufgefallen?«

»Ja.«

»Und was vermutet man – in der Kanzlei?«

Sascha zuckte mit den Schultern. »Keine Ahnung, was hinter vorgehaltener Hand geredet wird. Die erzählen mir auch nicht alles.«

»Haben sie dich nicht gefragt?«

»Natürlich. Ich hab gesagt, du hast deine Gründe und dass die niemanden was angehen.«

»Was hast du dir selber gedacht?«

»Was ich gedacht habe? Ich hab gedacht, wenn du es mir erzählen wolltest, hättest du es getan. Es würde mich natürlich interessieren. Aber in dem Punkt gebe ich dir recht, jeder hat das Recht auf Geheimnisse.«

»Klar, dass du so denkst«, sagte Sarah. »Wenn man selber schmutzige kleine Geheimnisse hat …«

»Das ist jetzt nicht ganz fair«, stand Rachel ihrem Mann bei. Sarah hatte auf Saschas heimliches Verhältnis mit der Rechtsreferendarin angespielt, das zur Trennung der Eltern geführt hatte. »Hast du keine Geheimnisse?«

»Vielleicht«, erwiderte Sarah etwas verunsichert. »Aber die gehen wirklich nur mich was an.«

»Wollen wir's mal hoffen.« Sascha grinste und schlug mit der Hand auf den Tisch. »So – und jetzt mal wieder ernst.« Er sah Rachel an. »Dein Geheimnis zieht inzwischen weite Kreise. Nicht nur wir drei und die gesamte Kanzleibesatzung machen uns Gedanken. Jetzt gibt es auch noch einen Anonymus da draußen, der dein Geheimnis kennt und es für wichtig hält, dass Sarah davon erfährt.«

»Hast du keine Ahnung, wer das sein könnte?« Sarah hielt Rachel das Handy hin. »Ich meine, wie viele Leute wissen davon?«

»Ich hab einen Verdacht. Aber ich bin mir nicht sicher.« Rachel knetete die leere Espressotasse in ihrer Hand.

»So, Mama, genug drum herumgeredet. Jetzt komm mal rüber damit!« Rachel sah Sarah etwas überrascht an.

»Na, dein Geheimnis. Was ist los mit dem 28. Mai? Du glaubst doch nicht, dass du hier lebend rauskommst, ohne es erzählt zu haben.«

»Mach mal langsam.« Sascha legte seine Hand beschwichtigend auf Sarahs Arm. »Wenn Rachel es nicht erzählen will, gibt es einen Grund dafür. Vielleicht, weil's uns wirklich nichts angeht. Aber Rachel ...« Sein Blick wanderte zu ihr. »Denk drüber nach. Bei aller Sympathie für den Datenschutz – denk drüber nach, ob du es nicht zumindest Sarah schuldig bist, sie einzuweihen.«

»Ich denk drüber nach«, sagte Rachel. »Und morgen mach ich mich auf die Suche nach dem Whistleblower.«

5

19. Juni 2012

In den frühen Morgenstunden wurde die Leiche der Schauspielerin Beatrice Heinlein, 27, im Kapuzinerhölzl aufgefunden. Die Polizei geht von einem Gewaltverbrechen aus. Es gibt offenbar Hinweise, dass die Tat vom gleichen Täter verübt wurde, der in den letzten zwei Jahren bereits drei weitere Frauen in München getötet haben soll.«

Fünf Monate früher: Februar 2012

Der Amarone schmeckte nicht ganz so gut wie zu Hause beim Italiener. Aber er hatte fünfzehn Prozent, und Judith Kellermann wollte heute Nacht ungestört schlafen. Sie saß in der Hotelbar und starrte in das riesige Glas, in dem der Amaronerest braunrot schwappte. Duft von Stroh und Rosinen stieg Judith in die Nase. Das Licht gedämpft wie die Geräusche im Raum, aus verborgenen Lautsprechern sangen Destiny's Child *Independent Women:* »The shoes on my feet, I've bought it / The clothes I'm wearing, I've bought it …« Judiths Blick wanderte vom Weinglas nach unten. Der Tresen aus schwarzem, blank poliertem Granit mit golden glitzernden Einschlüssen kam ins Bild, dann der Rock ihres Businesskostüms, schließlich, wo der Rocksaum endete, ein Paar spitze Knie. Die Schuhe waren aus dieser Perspektive unter dem Rock verborgen. Judith drehte die Ferse, um einen Blick auf den schwarzen Pump zu bekommen. Er sah gut und teuer aus. Sie wandte sich innerlich seufzend wieder dem Weinglas zu. Kostüm, Bluse, Schuhe … alles selbst gekauft. Aber stolz davon singen? Manchmal wünschte sie sich jemanden, der ihr Schuhe kaufte.

Zwei Plätze weiter setzte sich ein etwa vierzig Jahre alter Mann in Anzug auf den Barhocker. Keine Krawatte, angegraute Schläfen, Geschäftsmann nach hartem Arbeitstag, noch zwei, drei Drinks, dann ins Bett. Der Mann bestellte einen Single Malt mit Soda. Judith drehte sich weg, als er nach erfolgter Bestellung den Blick in ihre Richtung wandte. Im Spiegel hinter den Gläsern konnte sie ihn, wenn auch unvollständig, sehen. Der Mann kam recht manierlich daher, das Kinn vielleicht ein bisschen prominent und Segelohren. Aber sonst – smarter Anzugtyp. Judith überlegte einen Augenblick, ob man sie für eine Prostituierte halten könnte, die hier auf Kunden aus war. Aber das würden wohl nur ganz unbedarfte Männer vermuten. Nein, dafür war sie nicht attraktiv genug. Schmale Lippen, dünne Haare, kleine Augen, tief liegende Wangenknochen – und diese Nase! Warum hatte sie die nicht längst korrigieren lassen? Gewiss, auch dann würden sie ihr Gesicht nicht auf der Vogue abdrucken. Aber ansehnlicher würde sie sein, mit gerader Nase, schlank und edel. Der Rest des Gesichts ließe sich so um einiges besser durch Persönlichkeit wettmachen. Sie trank ihren Wein aus und wollte noch einen. Dazu musste sie sich dem Barkeeper zuwenden, wodurch der Mann im Anzug wieder in ihr Sichtfeld geriet. Er hatte ihr den Kopf zugewandt. Sie zwang sich, an dem Mann vorbeizuschauen. Er würde ohnehin sofort seinen Blick abwenden. Länger als zwei Sekunden wurde sie von Männern für gewöhnlich nicht angesehen. Judith deutete auf ihr Weinglas, sagte: »Noch einen und die Rechnung bitte.« Der Barkeeper nickte und holte ein neues Rotweinglas aus dem Regal. Judiths Blickfeldrand meldete, dass sie immer noch von links angesehen wurde.

»Was trinken Sie da?«, fragte eine männliche Stimme zwei Barhocker weiter. Er lächelte und zeigte neugierig auf ihr großes Weinglas. Der Mann sah freundlich aus. Nicht ganz George Clooney, aber etwas in der Richtung, wenn man drei Amarone getrunken hatte.

Judith bemühte sich zurückzulächeln. Sie war verwundert, überrascht, verwirrt. »Ich glaube, es ist Rotwein.«

Der Mann lachte und nickte amüsiert. »Sehr gut.« Sein Lachen wurde zum Lächeln. »Entschuldigen Sie. Ich wollte nur ein Gespräch anfangen und bin nicht der Kreativste.«

»Aber nein, der war in Ordnung. Ganz gut eigentlich. Es gibt schlimmere Anfänge.«

»Welche?«

Sie zuckte mit den Schultern. »Sind Sie öfter hier?« Sie kicherte unsicher.

Der Barkeeper brachte zwei Gläser. »Einen Amarone, die Dame. Und einen Lagavulin für den Herrn.« Judith unterschrieb die Rechnung.

»Amarone!«, sagte der Mann, zog die Augenbrauen anerkennend hoch und lächelte irgendwie verschmitzt.

»Sie kennen sich aus mit Wein?«

»Nicht die Bohne.« Er lachte und deutete auf ihr Glas. »Das da hat nichts mit … mit Amaretto zu tun?«

»Nein. Gar nichts. Das ist schon mal … nicht so schlecht. Ich glaube, Sie kennen sich doch ein bisschen aus.« Sie zog verschwörerisch die Augenbrauen hoch.

»Ja, ich geb's zu – ein bisschen Ahnung habe ich. Ich bin Jürgen.« Er prostete ihr mit seinem Whiskyglas zu.

»Judith.« Auch sie nahm ihr Glas hoch, aber sie stießen nicht an. »Ist das jetzt ein Angebot zum … oder siezen wir uns jetzt mit Vornamen?«

»Wenn Sie wollen!« Er setzte sich jetzt auf den Barhocker direkt neben Judith. Jetzt konnte sie sehen, dass er lediglich ein abstehendes Ohr hatte. Es sah drollig aus.

»Es hätte was Nostalgisches. Meine Großeltern hatten nur Siezfreunde. Und wenn sie mit jemand ganz lang und ganz doll befreundet waren, dann mit Vornamen: Hannelore – möchten Sie einen Kaffee? Aber Fritz, ich bitte Sie!«

»Interessant. Bei uns ging's bodenständiger zu.« Jürgen drehte sein Whiskyglas. »Mein Vater duzt jeden, der nicht bei drei auf dem Baum ist. Ja, wirklich. Sogar meinen Klassenlehrer hat er geduzt. Das war mir als Kind wahnsinnig peinlich. Und weißt du was – ich bin genauso.« Er lachte mit diabolischer Freude über seinen kleinen Gag. »Cheers, Judith. Erzähl, was hat dich in dieses Hotel verschlagen?«

Er strahlte sie vergnügt an, als wollte er einfach ein bisschen gute Laune teilen und plauschen. Was beabsichtigte er? War das Anmache? Warum? Er sah zu gut aus, um sich mit einer Frau wie ihr abzugeben. »Ich fange morgen meinen neuen Job an«, sagte sie, »und hab noch keine Wohnung in München.«

»Welche Branche?«

»Fernsehen.« Sie zögerte. »Aber reden wir nicht über Berufliches.«

Er nickte, ein wenig nachdenklich, wie es ihr schien. Der Moment dauerte nur eine Sekunde, dann kehrte das Lachen in sein Gesicht zurück. Er leerte seinen Whisky, stellte das Glas ab und verkündete: »Jetzt nehm ich auch einen Amarone. Wehe, das Zeug ist nichts.«

»Ich übernehme keine Garantie.«

»Doch, doch, doch. Du hast mich neugierig gemacht.« Er winkte dem Barkeeper. »Noch ein Glas Amarone, bitte, und haben Sie Erdnüsse?«

Der Barkeeper nickte und entfernte sich.

Jürgen strahlte Judith an. »Frag mich was.«

»Was denn?«

»Was immer dich an mir interessiert.«

Judith zögerte. Gedanken rotierten in ihrem Kopf. Wo um alles in der Welt steuerte das hin? Wie sollte sie sich verhalten? Würde das im Bett enden, und wollte sie das überhaupt? Sie bemerkte, dass sie die Bauchmuskulatur anspannte. Warum verkrampfte sie sich so? Warum konnte sie das Gespräch nicht einfach genießen? Wahrscheinlich suchte Jürgen einfach Gesellschaft, um sich die Zeit zu vertreiben. O Gott! Sie musste deutlich lockerer werden.

»Was mich an dir interessiert?« Sie blickte nachdenklich zur Decke. »Ich glaube, am meisten dein Vater, der, der jeden duzt«, sagte sie schließlich.

»Sehr gute Wahl. Ich mach gerade eine Therapie, um mein Verhältnis zu ihm aufzuarbeiten.«

»O Gott, ehrlich?«

»Nein, ist Quatsch. Mein Vater kommt aus der Eifel. Und ja, er treibt mich manchmal in den Wahnsinn. Aber ich hatte noch keine Zeit für eine Therapie.« Er lächelte sie an. »Ich glaub, das wird ein netter Abend.«

Judith war nicht hübsch, dem stand schon ihre eigenartige Nase im Weg. Aber sie hatte einen wachen Blick, und da sie nun keine äußeren Reize besaß, hatte sie mit den Jahren ihren Geist geschärft und war selten um eine Antwort verlegen. Jürgen erwies sich auch im weiteren Verlauf des Abends als charmanter Unterhalter, der nicht ausschließlich von sich erzählte. Was er erzählte, ließ auf eine glückliche Kindheit auf dem Land schließen, mit kauzigem Vater und wenig Geld. Judith fiel freilich auf, dass in Jürgens Geschichten nie eine Mutter vorkam, und es drängte sie, zu fragen, warum das so sei. Dass er es nicht selbst sagte, ließ sie indes vermuten, dass es Gründe gab, die zu tief und vielleicht zu traurig für eine heitere Unterhaltung waren.

Zweimal berührte er sie wie zufällig am Arm, und wenn

er ihr in die Augen sah, dann etwas länger, als ein Blick ohne verborgene Gedanken dauerte. Die dritte Berührung kam nicht zufällig daher. Er nahm ihre Hand in die seine. Jürgens Hand war warm und kräftig, aber weich. Judiths Armhärchen stellten sich auf.

»Ich finde, es ist ein großes Glück, dass wir uns heute Abend begegnet sind«, sagte er und drückte ihre Hand. Sie entgegnete den Druck. »Du bist was ganz Besonderes. Ich bin so einer Frau noch nie begegnet.«

Was meinte er? Etwas Besonderes sein war schon mal gut, ein großartiges Gefühl. Es gab natürlich auch Menschen, die besonders dumm, hässlich oder langweilig waren. Aber das meinte Jürgen sicher nicht. Vielleicht gab es ja Männer, die geistvollen Sätzen mehr Reiz abgewinnen konnten als Schlauchbootlippen. Jedenfalls drückte dieser Mann, der in Judiths Augen immer mehr Ähnlichkeit mit George Clooney bekam, ihre Hand, und sie merkte, dass sie kurzatmig wurde. Sie suchte nach dem Haken. Aber wo sollte der sein? Er musste sich nicht mit ihr abgeben. Andererseits – vielleicht war sie einfach die einzige erreichbare Frau an diesem Abend? Hatte er Notstand? Lieber die Hässliche als gar nicht vögeln?

»Was ist?«, fragte er. »Du siehst so abwesend aus.« Er ließ sanft ihre Hand los und trank einen Schluck.

»Entschuldige. Ich war in Gedanken.«

»Sollten deine Gedanken nicht bei unserer Unterhaltung sein?«

»Das sind sie.«

Er sah sie an. Und wartete auf nähere Erklärungen.

»Na gut. Wenn du wissen willst, was mich beschäftigt …«

Er zuckte mit den Schultern.

Sie überlegte einen Moment, vielleicht sollte sie jetzt besser den Mund halten und nicht alles kaputt machen. Aber sie hatte auch Angst. Wenn es falsch lief, würde es nicht nur wehtun. Es würde ihr Selbstvertrauen für lange Zeit auf die Bretter werfen. »Warum flirtest du mit mir?«

Jürgen legte sein Gesicht in Falten. Es waren die Falten für Ratlosigkeit, Erstaunen und Amüsiertheit. »Was meinst du?«

»Ich meine, eine Frau wie ich. Ich ... passe nicht zu dir. Jemand wie du flirtet mit anderen Frauen.«

»He, stopp!« Er zeigte ihr seine Handfläche. »Rede nicht so. Das bringt mich in Verlegenheit. Ich weiß nicht, was du für ein Bild von dir hast. Aber offenbar ist es ein anderes als das, was *ich* sehe.«

Es entstand eine Pause. Eine so lange Pause, dass es unangenehm wurde.

»Und was siehst du?«, fragte sie schließlich, um die Spannung zu beseitigen.

Er zuckte mit den Schultern, als würde jetzt etwas Nebensächliches folgen. »Ich versuch's mal nüchtern zu halten: die interessanteste Frau im Umkreis von mehreren Kilometern.« Er warf sich ein paar Erdnüsse in den Mund. »Und das meine ich ... auch optisch.«

»Wie bitte?« Würde er sie jetzt beleidigen oder sich über ihre Nase lustig machen? Oder gab es tatsächlich irgendetwas Ansehnliches an ihr, das sie und alle anderen noch nicht bemerkt hatten?

»Deine Nase.« Judith versteifte sich. »Ich hab deine Nase gesehen und gedacht, wow! Das ist eine Nase! Eine Charakternase, verstehst du? Nicht so eine Mininase, an der man rumgeschnibbelt hat, bis sie aussieht wie bei Michael Jackson. Tu dir den Gefallen und lass da nie ein Skalpell ran. Du würdest ein Kunstwerk zerstören.«

»Du spinnst. Niemand kann diese Nase gut finden.«

»Glaub mir, es gibt mehr Nasenliebhaber, als man denkt. Barbra Streisand, Telly Savalas oder Scarlett Johansson, bevor sie sie hat abschneiden lassen. Warum hat man diese Leute geliebt? Wegen ihrer Nasen!«

Judith wollte sich an die Nase fassen, ließ es aber. Verspottete er sie? Sein Blick ließ hoffen, dass er es ehrlich meinte. Sie spürte einen Druck auf der Blase. Drei Gläser Wein und die Aufregung. Eigentlich müsste sie längst im Bett sein. Aber das war jetzt egal. Er sah sie an, sagte aber nichts, lächelte nur. Sie hielt sich an ihrem Glas fest, spürte ein angenehmes Kribbeln unterhalb des Brustbeins.

Ein Schrei zersägte die Luft. »Jürgen! Das ist doch nicht wahr!«

Von hinten tauchte eine Frau auf, passierte Judith, umarmte Jürgen und küsste ihn auf die Wange. »Mein Gott, wie lang ist das her?« Die Frau sah Jürgen an, eine Hand auf seiner Schulter, und machte keine Anstalten, Judith auch nur zu bemerken.

Jürgen schob die Frau etwas zur Seite und deutete auf Judith. »Darf ich euch vorstellen, Judith Kellermann. Claudia Heltschacher. Claudia und ich haben uns mal auf einer Messe kennengelernt.«

»Und beim Feiern danach«, sagte Claudia lachend. Dabei ließ sie Jürgen auf merkwürdig besitzergreifende Weise los. Ihre Hand glitt langsam von seiner Schulter über den Arm, und als sie an Claudias Seite herabhing, berührte sie immer noch Jürgens Arm. Die Frau war vielleicht Ende zwanzig, Anfang dreißig, voller Mund, große Augen und lange dunkelbraune Haare, die sie hinten zusammengesteckt hatte, eine Strähne hing ihr ins Gesicht, sie schob sie immer wieder lustvoll hinters Ohr, wo sie aber nie lange blieb. Claudia trug ein teuer aussehendes, anthrazitfarbenes Businesskostüm. »Ich stör euch auch nicht lange«, sagte Claudia. »Wollte nur mal Hallo sagen.«

»Was machst du hier?«

»Wir hatten eine Infoveranstaltung mit Abendessen. Lauter Apotheker. Jetzt ist es Gott sei Dank vorbei.«

»Claudia arbeitet im Pharmavertrieb«, erklärte Jürgen. »Sie ist wirklich gut.«

Judith nickte. Ob Claudia Pharmazie studiert hatte? Bei ihrem Aussehen waren Fachkenntnisse wahrscheinlich nicht so wichtig. Wieder strich Claudia ihre ungezogene Haarsträhne hinters Ohr und lachte dabei über eine witzige Bemerkung von Jürgen. Der schöne Abend war vorbei, Judith kämpfte gegen aufsteigende Tränen. Claudia winkte dem Barkeeper und bestellte einen Weißwein. Jürgen bot ihr seinen Barhocker an, Claudia lehnte dankend ab. Judith schielte auf Claudias High Heels. Sie war eine dieser Frauen, die in solchen Schuhen anscheinend auf die Welt kamen. Sie bewegte sich darin wie andere in Birkenstocks. Nur sahen die Waden in High Heels knackiger aus. Judith fragte sich, was sie hier noch sollte. Seit Claudia aufgetaucht war, hatte Jürgen sie, Judith, nur einmal kurz angesehen, um sie vorzustellen. Die übrige Zeit hatte er auf Claudias unfassbar großen, ständig plappernden Mund gesehen, auf ihren Busen oder ihre Beine.

»Tja, ich werd mich dann mal verabschieden«, sagte Judith.

»Aber … wieso denn so plötzlich?« Jürgen schien tatsächlich unangenehm überrascht. Aber auch das gehörte vermutlich zu seinem Aufreißerrepertoire.

»Wird anstrengend morgen. Ich will nicht gleich am ersten Arbeitstag zerknittert auftauchen.«

»Bist du sicher?« Jürgens Blick bat sie, zu bleiben.

»Ich hoffe, es ist nicht wegen mir«, sagte Claudia und nahm ihren Weißwein entgegen. »Ich wollte wirklich nur kurz Hallo sagen. Ich bin gleich wieder weg.«

Sehr gut. Damit war die Sache erledigt. Was sollte Judith sagen? Okay, wenn das so ist, dann bleib ich? Sie gab dem Barkeeper ein Zeichen und wandte sich an Claudia. »Nein, nein, das hat überhaupt nichts mit dir zu tun. Ich muss einfach ins Bett.«

Als der Barkeeper kam, winkte Jürgen ab. »Ich übernehme das. Kann ich dich wirklich nicht umstimmen?«

Judith wich seinem Blick aus und versuchte zu lächeln. »Danke für die Einladung. Vielleicht sieht man sich beim Frühstück.«

Judith lag auf ihrem Kingsize-Hotelbett und wischte sich mit Toilettenpapier die Tränen aus den Augen. Tränen der Wut. Tränen der Verzweiflung. Darüber, dass ihr nie ein Märchentraum in Erfüllung ging. Nie. Never ever. Anderen passierte so was. Ihr nicht. War sie selbst schuld? Möglich. Sie hätte nicht gleich aufgeben dürfen. Vielleicht hätte sich Claudia tatsächlich verabschiedet. Vielleicht war Jürgen tatsächlich ein Mann, der intelligente Frauen mit markanten Nasen anziehend fand. Vielleicht wären sie sich tatsächlich nähergekommen und hätten orgiastischen Sex gehabt. Aber vielleicht hätten die beiden ihr in der nächsten halben Stunde höflich klargemacht, dass sie störte. Dann wäre die Demütigung noch schmachvoller ausgefallen, die Wut noch ohnmächtiger. Verdammt! Sie machte sich eindeutig zu viele Gedanken darüber, was sein könnte und was hätte gewesen sein können. Dieses Leben im Konjunktiv war nicht gut. Aber es war nun mal ihre Natur. Sie wünschte sich so sehr, einfach mal entspannt zu bleiben. Ein weiterer Schwall Tränen wollte nach draußen. Sie ließ sie laufen, achtete aber darauf, dass nichts auf die Bluse tropfte. Die wollte sie morgen noch anziehen, wenn sie ihre neue Stelle antrat.

Als der Tränenfluss gebändigt war, hängte Judith die Bluse in den Kleiderschrank, holte ein Fläschchen Wodka aus der Minibar und schaltete den Fernseher ein. An Schlaf war nicht zu denken. Bei einer Sendung über ungelöste Kriminalfälle blieb sie hängen. Das Foto auf dem Bildschirm faszinierte sie, die Frau, die als Opfer eines vor zwei Jahren begangenen Sexualmordes zu sehen war, erinnerte sie an Claudia. Junge Businessfrau, dunkle Haare, hübsches, kluges Gesicht. *Der Täter traf Carla Simoni-*

des gegen zweiundzwanzig Uhr in der Bar eines großen Frankfurter Hotels. Der Barkeeper wird später aussagen, er habe den Eindruck gehabt, dass sich die beiden kannten, sagte eine unheilschwangere Stimme, und eine nachgestellte Szene zeigte das Zusammentreffen, wobei die Schauspielerin etwas hübscher, aber nicht so intelligent aussah wie die Frau auf dem Foto. An den Mann konnte sich der Barkeeper später nicht mehr genau erinnern, so die Stimme. Nur dass er etwa Mitte dreißig und dunkelhaarig war und beim Begleichen der Rechnung sagte, dass er nicht im Hotel wohne. Zwei Tage später wurde Carla Simonides von Joggern am Mainufer entdeckt, vergewaltigt und mit einem Hammer erschlagen.

»Tja«, sagte Judith, während sie den Jägermeister aus der Minibar fischte. »Das ist mir zumindest erspart geblieben.« Sie prostete dem Bildschirm zu und kicherte. »Ich wünsch dir einen schönen Abend, Claudia!«

6

Mai 2017

Judith Kellermanns Vernehmung durch den Haftrichter fand am Tag nach ihrer Verhaftung statt. Es war ein Montag. Die Anhörung war nicht öffentlich und fand im Büro des Richters statt. Zuvor hatte Rachel mit Judith Kellermann ein kurzes Gespräch geführt, um sich auf die Verhandlung vorzubereiten. Sie wollte den Sachverhalt aus Kellermanns Sicht geschildert bekommen.

Hellgraue Aktenschränke, hellgrauer Schreibtisch mit etwas dunklerer, aber dennoch grauer Schreibauflage, sehr hellgrauer Computer und als Kontrast ein knallbuntes, gerahmtes Bild an der Wand, das zweifellos von einem durchschnittlich begabten, etwa vierjährigen Kind gefertigt worden war. Draußen war Sommer, und es wäre schön gewesen, hätte man eines der Fenster öffnen können. Aber das war wegen des starken Verkehrslärms unzweckmäßig. Die JVA Stadelheim lag an einer von Münchens großen Ausfallstraßen.

Außer Lorenz Kronbichler, dem Haftrichter, und einer Protokollführerin waren noch Sabine Wittmann, die Staatsanwältin, Kriminalhauptkommissar Mantell, Judith Kellermann und Rachel anwesend. Kronbichler war ein vordergründig freundlicher Mann, der trotz seiner ernsten Aufgabe gerne lächelte.

Rachel hatte sich gewundert, dass Oberstaatsanwalt Schwind nicht anwesend war, und Wittmann darauf angesprochen. Schwind übernahm zwar keine eigenen Fälle mehr, er war mit Verwaltungsaufgaben ausgelastet, aber wenn es einen interessanten Mord gab, war er aktiv dabei, auch wenn die eigentliche Arbeit von seinen untergebenen Staatsanwälten gemacht wurde. Es war eine Abwechslung zum administrativen Einerlei und bot bei aufsehenerregenden Fällen die Chance, vor die Kamera zu treten.

»Bis jetzt hat er noch kein Interesse bekundet«, antwortete Wittmann auf Rachels Frage. »Vielleicht liegt es daran, dass weder Opfer noch Verdächtige wirklich …« Sie suchte nach einer unverfänglichen Formulierung.

»… prominent sind?«, half Rachel.

»Das haben Sie jetzt gesagt. Aber in diese Richtung dürfte es gehen.« Sie wandte sich an Kellermann. »Nehmen Sie es nicht persönlich.«

»Ach wissen Sie, Frau Kellermann hat gerade andere Probleme«, klärte Rachel die Staatsanwältin auf. Wittmann hatte sich in den letzten zwei Jahren verändert. Sie war weniger verhuscht als früher, stand nicht mehr so im Schatten ihres Chefs und legte gelegentlich eine nachgerade hinterlistige Bissigkeit an den Tag, die Rachel gefiel. Damit konnte sie mehr anfangen als mit diesem gehetzten Opferblick, den sie früher vor sich hertrug. Da hatte sich Rachel kaum getraut, Wittmann mal ins Messer laufen zu lassen. Vor allem, nachdem Wittmann ihr das Leben gerettet hatte. Rachel wusste, dass es absurd und ungerecht war, aber im Grunde ihres Herzens nahm sie es der Staatsanwältin übel.

Wittmanns Job heute war es, dem Richter die Haftgründe darzulegen und schlüssig zu begründen, warum die Beschuldigte dringend des Mordes an Eike Sandner verdächtig war.

»Im Lauf der Ermittlungen verdichteten sich die Hinweise auf die Beschuldigte«, erläuterte Wittmann den Anwesenden. »Eike Sandner, das Opfer, war ihr Lebensgefährte. Es deutet alles auf eine Beziehungstat hin. Seit einiger

Zeit hatte Sandner offenbar eine heimliche Affäre mit einer anderen Frau, und die Beschuldigte hatte das herausgefunden.«

»Was heißt offenbar?«, schaltete sich Rachel schon relativ früh ein.

»Das heißt«, Wittmann war sichtlich verärgert, »dass es Zeugen gibt, die das aussagen.«

»Zum Beispiel die Frau, mit der das Opfer angeblich ein Verhältnis hatte?«

»Wir konnten sie noch nicht ausfindig machen.«

»Aber Sie wissen, wer es ist, nehme ich an.«

»Nein, das wissen wir noch nicht. Aber wir werden es herausfinden. Und jetzt würde ich gerne ein paar zusammenhängende Sätze reden. Wäre das möglich?«

»Ungern. Aber reden Sie.«

Wittmann war aus dem Konzept gebracht und musste in ihren Unterlagen nachsehen, wo sie stehen geblieben war.

»Es gibt mehrere Zeugen, die einem öffentlichen Streit zwischen der Beschuldigten und dem Opfer beigewohnt haben. Frau Kellermann hat Herrn Sandner während des Streits sogar geohrfeigt.«

»Und bei dem Streit ging es darum, dass Herr Sandner die Beschuldigte betrogen hat?«, fragte jetzt Kronbichler, da Rachel auf den Schwachpunkt von Wittmanns Argumentation aufmerksam gemacht hatte.

»Ganz offensichtlich.«

»Offensichtlich?«

Haftrichter Kronbichler fand augenscheinlich Gefallen daran, die Staatsanwältin zur Genauigkeit anzuhalten. Eben das hatte Rachel bezweckt. Von anderen Verfahren war ihr der Mann als eher träge und denkfaul bekannt. Aber wenn man ihm einen Weg aufzeigte, sich zu profilieren, dann nutzte er das dankbar.

»Sie haben die Protokolle in den Unterlagen«, sagte

Wittmann und blätterte hektisch in ihrer Akte, um dem Richter eigenes Lesen zu ersparen. »Hier haben wir es …« Sie überflog schnell die Seiten. »Die Zeugenaussage auf Blatt 54: *Sie hat gesagt, er wäre ein Verbrecher und einer, der sie ausgenutzt hat. So einem miesen Kerl wäre sie noch nie im Leben begegnet* und so weiter. Eine andere Zeugin, die auch bei der Filmpremiere dabei war, wo die Szene stattgefunden hat«, beim Reden blätterte sie hastig weiter, »Blatt 58, ich zitiere: *Du mieser Dreckskerl, hat Frau Kellermann gesagt, und er soll sie nicht anfassen. Sie wäre fertig mit ihm. Er hat noch versucht, sie zu beschwichtigen, aber sie ist einfach gegangen.* Oder der Zeuge …«

»Ja, ja«, unterbrach sie Kronbichler. »Aber bezeugt irgendwer, dass er gehört hat, dass die Beschuldigte gesagt hat: Du hast mich mit einer anderen betrogen?«

»Für mich ist das ziemlich offensichtlich.«

Der Richter sah zu Judith Kellermann. »Klären Sie uns doch auf.«

Bevor Kellermann etwas sagen konnte, hatte sie schon Rachels Hand auf ihrem Arm.

»Meine Mandantin gibt zu, dass es einen Streit zwischen ihr und Herrn Sandner gegeben hat. Hatten Sie schon mal Streit mit Ihrer Frau?«

»Allerdings. Meine Frau geht keinem Streit aus dem Weg.«

»Aber Sie leben noch«, sagte Rachel.

»Was uns beweist?«

»Dass Paare dauernd streiten, ohne dass jemand getötet wird.«

»Nun ja.« Kronbichler lächelte Rachel süffisant an. Er hatte heute anscheinend seinen guten Tag. »Würde meine Frau herausfinden, dass ich sie betrüge – rein hypothetisch –, ich weiß nicht, wie viel ich noch auf mein Leben wetten würde. Eifersucht ist seit Beginn der Menschheit eines der Top-Mordmotive.«

»Dann sollte die Staatsanwältin bitte Aussagen vorlegen, die beweisen, dass die Beschuldigte eifersüchtig war. Und nicht nur, dass es irgendeinen Streit zwischen Frau Kellermann und Herrn Sandner gegeben hat.«

»Wir werden es im Lauf der Ermittlungen noch präzisieren. In Anbetracht der erdrückenden faktischen Beweise wird es am Ende kaum darauf ankommen, warum die Beschuldigte mit dem Opfer gestritten hat. Und zu diesen faktischen Beweisen würde ich jetzt gerne kommen.«

Rachel war zufrieden. Offenbar hatte Wittmann das Mordmotiv zuerst angesprochen, weil sie dachte, es sei unstrittig. Damit hätte sie einen starken Anfangsverdacht etabliert – wenn's geklappt hätte.

»Zu diesen faktischen Beweisen gehört auch, dass das Opfer mehrfach eine unbekannte Handynummer angerufen hat, die wir noch nicht zuordnen konnten. Wir nehmen an, dass es sich dabei um die Frau handelt, mit der Herr Sandner ein heimliches Verhältnis hatte.«

»Kann man das nicht rausfinden, wem die Nummer gehört?«, wollte Kronbichler wissen.

»Im Prinzip ja. Aber die Nummer gehört zu einem im Ausland, wahrscheinlich in Osteuropa, erworbenen Prepaidhandy. Könnte also schwierig werden. Im Übrigen ist es auch nicht so wichtig, mit wem Eike Sandner ein Liebesverhältnis hatte, sondern dass er eins hatte.«

»Was Sie immer noch nicht bewiesen haben«, warf Rachel ein.

»Gut. Kommen wir zu einem anderen Thema.« Wittmann war bereits gehörig genervt und versuchte, ihre Sinne zusammenzubekommen, um wieder argumentativen Schwung aufzunehmen. »Der Tatort war eine Holzhütte in der Nähe von Straßlach. Holzhütte klingt nach einfacher Unterkunft. Tatsächlich handelt es sich um eine ehemalige, mit großem Aufwand renovierte Jagdhütte mit allen Annehmlichkeiten, einschließlich Sauna, die Sandner dauerhaft gemietet hatte und bewohnte, wenn er sich in München aufhielt. Die Hütte wurde, während sich Sandner darin aufhielt, mit mehreren Kilogramm Sprengstoff in die Luft gejagt. Der verwendete Plastiksprengstoff wird unter der Bezeichnung Semtex gehandelt. Er wurde in den Sechzigerjahren des vorigen Jahrhunderts von einem tschechischen Chemiker erfunden und …«

»Welche Bedeutung hat das noch mal für den Tatverdacht?« Kronbichler hatte heute auch seine ironische Ader entdeckt.

»Es war nur … der Vollständigkeit halber. Semtex wird unter anderem im Krieg und von Terroristen eingesetzt. Allerdings konnten einzelne Gegenstände geborgen werden, auf denen Fingerabdrücke waren. Darunter eine Designer-Damen-Baseballkappe aus Leder mit den Fingerabdrücken der Beschuldigten.

Des Weiteren haben wir eine Zeugenaussage, dass Frau Kellermann am Tag vor der Explosion ihren Wagen einige Hundert Meter von der Hütte entfernt geparkt und sich dann zu Fuß auf den Weg dorthin gemacht hat. Außerdem wusste der Zeuge, dass das Opfer an diesem Tag nicht zu Hause war, was die Ermittlungen bestätigt haben. Er hat sich in Köln aufgehalten. Der Zeuge gibt im Übrigen zu Protokoll, dass die Beschuldigte eine Baseballkappe aus Leder trug. Ein Foto der Kappe befindet sich in Anlage …«

»Schon gut. Ich hab's mir angesehen«, log Richter Kronbichler.

»Gut, also wie gesagt … wo war ich? Ach ja, die Beschuldigte ist nach der Aussage des Zeugen zur Hütte des Opfers gegangen und hatte eine große Umhängetasche dabei. In der man problemlos mehrere Kilogramm Sprengstoff hätte transportieren können. Gestern dann fanden wir bei einer Durchsuchung Spuren von Semtex im Haus der Beschuldigten. Aber vielleicht kann sie uns ja schlüssig erklären, wie die da hinkommen. Außerdem – und hier wird die Sache äußerst interessant – fanden wir ein Handy in der Mülltonne der Beschuldigten. Das Telefon ist mit unterdrückter Rufnummer und prepaid, vermutlich ebenfalls aus dem Ausland. Inzwischen konnten wir ermitteln, welche Anrufe von dem Gerät getätigt wurden. Es war nur ein einziger, und der wurde genau zu der Uhrzeit getätigt, zu der die Hütte des Opfers explodierte. Nach den bisherigen Erkenntnissen wurde der Sprengstoff ferngezündet, vermutlich mittels eines Handys. Ich kann diese Beweise nur dahingehend deuten, dass Judith Kellermann ihren Lebensgefährten Eike Sandner mit mehreren Kilogramm Plastiksprengstoff ermordet hat. Liegt sicher an meiner schwach ausgeprägten Fantasie. Aber vielleicht hören wir ja gleich eine glaubwürdige andere Erklärung, die ich bisher völlig übersehen habe.«

»Herr Mantell«, wandte sich der Richter an den Kommissar. »Wie ist Ihre Einschätzung?« Die Frage war eigentlich eine Unverschämtheit. Was erwartete Kronbichler? Dass Mantell der leitenden Staatsanwältin Inkompetenz bescheinigte?

»Frau Wittmann hat unsere gemeinsame Einschätzung der Ermittlungsergebnisse wiedergegeben. Die Beweislage gegen die Beschuldigte ist eindeutig. Wenn ich mich recht erinnere, sind Leute schon wegen weniger verurteilt worden. Frau Kellermann hatte ein starkes Motiv, war am Tatort, wir fanden Spuren von Sprengstoff bei ihr im Haus und ein Handy, das genau in der Sekunde benutzt wurde, als jemand den Sprengsatz gezündet hat. Ich lege mich nie voreilig auf einen Verdächtigen fest. Aber mal simpel gefragt: Was wollen Sie mehr als das, was die Staatsanwaltschaft vorgetragen hat?«

Kronbichler wandte sich an Kellermann und Rachel.

»Sind Sie mit der Darstellung der Staatsanwältin einverstanden?«

»Natürlich nicht«, sagte Rachel.

»Als wenn ich's geahnt hätte.« Kronbichler grinste verschmitzt. Er hatte heute wirklich einen Clown gefrühstückt. »Dann sind wir jetzt gespannt auf Ihre Erklärungen. Bitte sehr!«

»Was das Motiv anbelangt, ich will mich nicht ständig wiederholen, aber dazu gibt es nur Vermutungen. Und keinen einzigen direkten Zeugen. Weder die Dame selbst, mit der Eike Sandner ein Verhältnis gehabt haben soll, noch jemanden, der die beiden zusammen gesehen hat.«

»Wenn es nicht darum ging, worum ging der Streit denn dann?« Kronbichler schien ein wenig genervt von dem Thema.

»Vielleicht eine private Angelegenheit, die meine Mandantin nicht in der Öffentlichkeit breittreten möchte. Worum immer es ging – hier ist die Staatsanwaltschaft in der Beweispflicht. Und bewiesen hat sie bislang gar nichts.«

»Ja gut, so kann man das auch sehen.« Kronbichler schien sehr unzufrieden, fast beleidigt. Es hätte ihn ganz offensichtlich interessiert, wegen was gestritten worden war. Aber die Beschuldigte musste sich ja nicht äußern. Trotzdem würde das in der Gesamteinschätzung keine Pluspunkte bringen, darüber war sich Rachel im Klaren. Aber sie zögerte, einzuräumen, dass Kellermann von Sandner betrogen worden war. Was gewisse argumentative Nachteile mit sich brachte, wie sich gleich erweisen würde.

»Kommen wir zu den *faktischen Beweisen* der Staatsanwältin«, fuhr Rachel fort. »Frau Kellermann war am Tag vor der Explosion in der Hütte des Opfers? Ja. Zugestanden. Sie hatte einen Schlüssel. Herr Sandner hatte ihn ihr gegeben. Die beiden waren ein Paar. Da hat man den Schlüssel des anderen und geht auch mal in dessen Wohnung. Was ist daran so besonders?«

»Warum hat Ihre Mandantin den Wagen fünfhundert Meter vor der Hütte im Wald abgestellt?«, warf Wittmann ein.

»Ich wollte ein bisschen spazieren gehen«, mischte sich Kellermann überraschend in die Befragung ein. »Das Wetter war schön und warm. Da hab ich mir gedacht, komm, läufst du die paar Schritte.«

Rachel war überrascht von der Eigenmächtigkeit Kellermanns. Aber sie hatte das Spiel offenbar begriffen. Rachel wusste, warum Kellermann in Sandners Haus war. Aber sie durfte nicht lügen, Kellermann hingegen hatte als Beschuldigte jedes Recht zu lügen.

»Also, Sie waren in der Hütte und geben das zu, wenn ich Sie richtig verstehe?« Kronbichler machte sich eine Notiz.

Kellermann bestätigte die Frage. Rachel schwieg.

»Und was wollten Sie in Herrn Sandners Hütte? Er war an dem Tag doch gar nicht in München, oder?« Der Richter blickte fragend zu Wittmann. Die schüttelte den Kopf.

»Eike hatte mich gebeten, die Kaffeemaschine auszumachen. Er war da ziemlich neurotisch und dachte, die Maschine würde durchglühen und einen Brand auslösen, wenn man sie nicht abschaltet.«

»Oh, das kann ich verstehen«, sagte Kronbichler.

»Die Maschine war natürlich nicht eingeschaltet. Er hat sie immer ausgemacht.«

»Ich nehme an, Herr Sandner war froh zu hören, dass seine Hütte noch steht«, versuchte sich Wittmann mit einer kleinen List.

»Nein. Ich hab ihn deswegen nicht extra angerufen.«

Hätte Kellermann auf die Frage mit Ja geantwortet, hätte man anhand ihrer Telefondaten recherchieren können, ob zeitnah zu ihrem Hausbesuch ein Anruf bei Sandner erfolgte, und vermutlich herausgefunden, dass dem nicht so war. So lief die Frage ins Leere. Rachel registrierte das anerkennend. Kellermann war schlauer, als sie es ihr zugetraut hatte.

»Soso.« Kronbichler nickte, als wäge er Kellermanns Aussage sorgfältig ab. »Da sind Sie also nur in die Hütte, um die Kaffeemaschine auszuschalten. Nehmen wir mal an, das stimmt. Was ist dann mit den Sprengstoffspuren bei Ihnen im Haus? Und mit dem Anruf, der genau zu dem Zeitpunkt erfolgte, an dem der Sprengsatz ferngezündet wurde?« Er wandte sich an Wittmann und Mantell. »Das hab ich doch richtig verstanden?«

»Genau so haben wir es vorgetragen«, bestätigte Wittmann.

»Also, Frau Kellermann – welche Erklärung können Sie uns geben? Gibt es überhaupt eine?«

»Es gibt eine«, sagte Rachel. »Aber ich müsste mich vorher kurz mit meiner Mandantin beraten.«

»Ich denke, die Zeit sollten wir uns nehmen. Aber beeilen Sie sich bitte.«

Rachel und Kellermann wurden in ein anderes Zimmer geführt, vor der Tür ein Wachbeamter postiert. Rachel ging mit ihrer Mandantin noch einmal alles durch, was Kellermann ihr im Vorgespräch zum Thema Sprengstoff erzählt hatte. Es war hart an der Glaubwürdigkeitsgrenze, und Rachel wollte sich vergewissern, ob Kellermann ihr die Geschichte noch einmal identisch berichtete.

Bevor Rachel, inzwischen wieder in Kronbichlers Büro, ihre Erklärung abgab, fühlte sich der Haftrichter bemüßigt, einige mahnende Worte an sie zu richten.

»Frau Anwältin, ich sage es Ihnen ganz offen: Die Beweise, die die Staatsanwaltschaft vorgelegt hat, begründen bislang ohne Weiteres einen dringenden Tatverdacht. Allerdings haben wir Ihre Version noch nicht gehört. Vielleicht haben Sie ja eine einleuchtende Erklärung, wie man alle diese Verdachtsmomente in eine ich sag mal plausible Geschichte einbetten kann. Ich habe in diesem Büro freilich schon einiges an hanebüchenen Ausreden gehört. Das muss ich Ihnen als erfahrene Verteidigerin ja nicht erklären, was sich Straftäter alles ausdenken. Deshalb würde ich Sie bitten, mir nicht irgendetwas aufzutischen, bei dem ich das Gefühl haben müsste, Sie wollen mich für dumm verkaufen.« Er lächelte kurz und ließ eine gewährende Handbewegung folgen. »Bitte schön, Frau Anwältin.«

»Ich verstehe Ihre mahnenden Worte durchaus. Ja, ich habe auch schon abenteuerliche Einlassungen von Mandanten gehört, vieles davon dreist und bar jeder Logik. Und ehrlich gesagt – auch als Verteidigerin macht es keinen Spaß, wenn du so tun musst, als würdest du die Märchen deines Mandanten für bare Münze nehmen. Dennoch lehrt uns das Leben, dass immer wieder Dinge passieren, die so unglaublich sind, dass man sie in keinem Film erzählen könnte. Deshalb baue ich auf Ihre Fähigkeit, unvoreingenommen zuzuhören. Audiatur et altera pars, wie man uns beigebracht hat.«

»Jetzt bin ich aber sehr gespannt.« Kronbichler lehnte sich zurück. Rachel hatte seine ungeteilte Aufmerksamkeit.

»Vor etwa zwei Wochen lernte Frau Kellermann auf einer Premierenfeier einen etwa fünfzigjährigen Herrn kennen. Er nannte sich Boris, sprach mit leicht osteuropäischem Akzent und behauptete, in Deutschland Segeljachten kaufen zu wollen. In der Folgezeit begegneten sie sich zufällig wieder. Zumindest hatte es für Frau Kellermann den Anschein, es sei zufällig. Sie fanden sich sympathisch, und Boris – seinen Nachnamen hat er Frau Kellermann nie genannt – bemühte sich um Frau Kellermann. Irgendwie bekam der Mann mit, dass meine Mandantin Streit mit ihrem Freund hatte. Vor wenigen Tagen tauchte Boris plötzlich im Haus von Frau Kellermann auf.«

»Das Haus in Harlaching, das durchsucht wurde?«, unterbrach Kronbichler.

»In ebendiesem Haus. Und er machte Frau Kellermann

eine äußerst merkwürdige Offerte: Er bot an, Eike Sandner in die Luft zu sprengen, falls Frau Kellermann das wünschte. Und zum Zeichen der Ernsthaftigkeit seines Vorschlags hatte er gleich mehrere Kilogramm Plastiksprengstoff mitgebracht. Frau Kellermann hat das Ansinnen natürlich von sich gewiesen und Boris gefragt, wie er dazu komme, ihr so etwas vorzuschlagen. Er sagte, er wolle nur helfen und sie könne es sich ja bis zum nächsten Tag überlegen.«

»Hat er gesagt, wie er an den Sprengstoff gekommen ist?«, fragte Mantell dazwischen.

»Frau Kellermann hat dem Mann die Frage gestellt. Und er hat sie dahingehend beantwortet, dass er in den Neunzigerjahren im Jugoslawienkrieg als Soldat gekämpft hatte oder …« Sie sah zu ihrer Mandantin, die zuckte mit den Schultern. »… in die Kämpfe involviert war und aus jener Zeit noch Leute kenne, die mit Kriegswaffen handelten.«

Kronbichler nickte mit hochgezogenen Augenbrauen. »Söldner im Jugoslawienkrieg – die Geschichte bekommt langsam literarische Qualität.«

Rachel überhörte die Bemerkung.

»An diesem Tag aber, als er mit dem Sprengstoff in Frau Kellermanns Haus kam, gab er ihr ein Handy und sagte, sie solle ihn damit am nächsten Tag anrufen und ihm Bescheid geben, wie sie sich entschieden hätte. Die Nummer, die sie anrufen sollte, war die einzige, die im Adressbuch des Handys eingespeichert war. Zur Begründung gab er an, es sei sicherer für Frau Kellermann, wenn sie nicht auf ihrem eigenen Handy mit ihm über ein so brisantes Thema reden würde.«

»Ich nehme an, es ist das Zweithandy, das wir gestern beschlagnahmt haben?«, fragte Wittmann.

»Ja. Es ist das Zweithandy, das anonyme Prepaidhandy, mit dem nur ein einziger Anruf getätigt wurde.«

Wittmann sagte nur »Aha« in Richtung Kronbichler – Subtext: Verarschen kann ich mich selber.

»Nun, Frau Anwältin, eine interessante Geschichte. Aber Sie werden verstehen, dass sich hier niemand mit der Hand vor den Kopf schlägt und sagt, natürlich, wieso sind wir da nicht selber draufgekommen. Es würde die Glaubwürdigkeit fördern, wenn Sie mir noch erklären könnten, warum Herr Boris dieses absurde Theater veranstaltet haben sollte.«

»Offensichtlich hatte es der Mann darauf abgesehen, meiner Mandantin einen Mord in die Schuhe zu schieben, den er selbst begangen hat. In geschickter Ausnutzung ihres Streits mit Eike Sandner.«

»Was wäre in dem Fall sein Motiv für den Mord?«

»Es ist Aufgabe der Ermittlungsbehörden, das herauszufinden. Ich nehme an«, Rachel wandte sich an Wittmann und Mantell, »Sie haben sich mit dem Vorleben von Herrn Sandner beschäftigt. Gab es gar niemanden, der ein Motiv haben könnte, Sandner umzubringen?«

Wittmann gab dem Kommissar ein Zeichen, dass er antworten möge.

»Das Mordopfer war ein Geschäftsmann, der im Raum Köln seit Jahren diversen Aktivitäten nachging. Sonnenstudios, Fitnesscenter, Gastronomie, Filmbranche etc. Er hatte offenbar nicht immer eine glückliche Hand. Und tatsächlich gibt es einige Leute, denen er Geld schuldete. Teilweise auch viel Geld. Aber das sind alles keine Mafiapaten. Außerdem macht es als Gläubiger keinen Sinn, wenn ich meinen Schuldner umbringe. Dass einer von Sandners Gläubigern aus Osteuropa war oder sonst der Beschreibung der Beschuldigten entspricht, daran kann ich mich nicht erinnern. Aber ich lass es gerne noch mal checken. Wo ist denn Boris jetzt?«

»Wie Sie sicher schon vermutet haben, ist er nicht mehr zu erreichen.«

»Geben Sie mir irgendeine verwertbare Information, und wir suchen nach dem Mann. Gibt es Zeugen, die ihn gesehen haben?«

»Mein Mitgesellschafter Andreas Kimmel hat ihn mal kurz gesehen«, sagte Kellermann. »Und ich kann Ihnen natürlich eine Beschreibung geben. Aber ich wüsste niemanden, der Boris wirklich gekannt hat.«

»Was ist mit der Premierenfeier? Da waren doch sicher Hunderte von Leuten.«

»Es haben mich einige Bekannte auf ihn angesprochen. Aber die wollten alle wissen, wer das war. Gekannt hat ihn wie gesagt keiner.«

Kronbichler blickte schweigsam in die Runde.

»Tja ...«, sagte er. »Das sind nun zwei ziemlich unterschiedliche Geschichten. Und offen gesagt ...« Er sah mit skeptischer Miene zu Rachel.

»Wenn Sie Ihre Entscheidungen treffen, würde ich Sie bitten, folgende Überlegung mit einzubeziehen: Meiner Mandantin wird vorgeworfen, einen Sprengsatz mit Fernzündung gebaut zu haben, und der hat anscheinend äußerst präzise funktioniert. Ich denke, die Experten der Polizei werden bestätigen, dass es ein Profi nicht besser hätte machen können. Für so etwas braucht man Expertise. Woher sollte Frau Kellermann die haben? Es reicht ja nicht, sich Sprengstoff und ein anonymes Handy zu beschaffen. Was schwierig genug ist für einen Normalbürger.«

Während Kommissar Mantell dezent auf sein Handy blickte, meldete sich Staatsanwältin Wittmann zu Wort.

»Ob das so schwierig ist, eine funktionierende Bombe zu bauen, will ich mal offenlassen. Jeden Tag zündet jemand irgendwo auf der Welt einen selbst gebastelten Sprengsatz, und das Ergebnis ist meistens tödlich. Vielleicht hatte sich die Beschuldigte Hilfe geholt. Vielleicht jemanden beauftragt, den Sprengsatz zu bauen. Vielleicht gibt es den mysteriösen Herrn Boris tatsächlich, und die Beschuldigte hat sein Angebot angenommen.«

»Ich höre immer nur vielleicht«, ging Rachel dazwischen. »Im Grunde genommen wissen Sie also überhaupt nicht, was passiert ist. Wenn Sie es schon für möglich halten, dass Boris existiert, warum soll dann nicht auch der Rest von Frau Kellermanns Geschichte stimmen? Sie stochern völlig im Nebel, und auf dieser Grundlage wollen Sie Frau Kellermann inhaftieren – und damit ihre Existenz vernichten?«

Kronbichler nickte und stellte seine richterliche Nachdenklichkeit zur Schau. Schließlich sagte er: »Nun denn – ich habe Ihre Argumente gehört. Und ich habe eine Entscheidung getroffen …«

7

Judith Kellermann starrte die graue Tischplatte an, die Hände gefaltet, den Blick gesenkt, sodass Rachel ihre Augen nicht sehen konnte. Ein Tropfen fiel auf Kellermanns Hand, dann noch einer, sie wischte sich die restlichen Tränen mit dem Handrücken aus den Augen. Kronbichler hatte ihr kein Wort geglaubt, Boris für ein Produkt ihrer Fantasie gehalten, eine absurde Ausrede in dem Versuch, die erdrückenden Beweise zu entkräften. Rachel konnte es ihm nicht verdenken. Kronbichler wurde jeden Tag belogen, musste sich alberne Geschichten anhören, die seine Intelligenz beleidigten. Rachel selbst war nicht überzeugt von Boris und seinem angeblichen Treiben. Aber das musste sie auch nicht. Sie war die Verteidigerin. Sie musste nur den Zweifel an der Schuld ihrer Mandantin schüren.

Kellermann weinte und schluchzte stoßweise wie ein kleines Mädchen. Rachel schob ein Päckchen Tempotaschentücher über den Tisch. Kellermann riss wortlos und mit zitternden Fingern eins heraus, schnäuzte hinein, schluckte und ließ den Tränen freien Lauf. Vierundzwanzig Stunden hatte sie sich mit Fassung gegen den Sturm des Schicksals gestemmt. Jetzt waren ihre Kräfte aufgebraucht, der Damm gebrochen. Man hatte sie ins Gefängnis gesteckt. Jedenfalls bis ein Gericht über ihre Schuld befinden würde. Es sei denn, Rachel schaffte es, sie vorher herauszuholen. Aber das war mehr als zweifelhaft.

»Hast du Angst?«, fragte Rachel.

»Ich hab eine Scheißangst.«

»Das ist normal«, sagte Rachel, auch wenn es wenig tröstlich war. Es ging hier nicht um eine Operation, die, nachdem man sie überstanden hatte, vorbei war und alles würde gut werden.

»Vor einer Stunde hab ich noch gedacht: Das ist doch alles Unsinn, das klärt sich auf. Das gibt's doch nur im Film, dass einer wegen einem Mord eingesperrt wird, den er gar nicht begangen hat.« Die Tränen kamen zurück, sie drückte das zerknüllte Taschentuch gegen die Augen, ihr Gesicht verzerrte sich. »Das kann alles nicht wahr sein!«

Weitere Taschentücher wurden aus der Packung gerupft. Rachel wartete lange, bis Judith Kellermann wieder ansprechbar war.

»Darf ich dich was sehr Privates fragen?«

Kellermann sah Rachel etwas konsterniert an und nickte, unsicher, was jetzt kommen würde.

»Hast du ihn geliebt?«

In Kellermanns Gesicht arbeitete es. »Weiß nicht. Irgendwie schon.« Sie zuckte mit den Schultern. »Was heißt Liebe? Da gibt es viele Grade. Die eine, bedingungslose große Liebe – die war er nicht.« Sie sah verträumt zur Decke. »Die gibt es wohl nur einmal im Leben.« Ihre Lippen fingen an zu beben, aber sie riss sich am Riemen.

»Das klingt, als wäre sie dir schon begegnet.«

Judith Kellermann nickte und versank in Erinnerungen. Rachel meinte, zwischen all dem Schmerz ein flüchtiges Lächeln zu sehen, schwer fassbar, aber doch real. Wie Schlieren, die bei geschlossenen Augen an der Pupille vorbeiziehen und verschwinden, wenn man hinsieht.

»Wie geht es jetzt weiter?«, fragte Kellermann unvermittelt. In ihrem Blick lag Angst.

»Solange wir nichts wirklich Entlastendes vorbringen, wirst du in Untersuchungshaft bleiben.«

»Dann sollten wir wohl etwas Entlastendes finden.«

»Richtig.« Rachel räusperte sich. »Und nachdem die Polizei nicht mehr in andere Richtungen ermitteln wird, müssen wir es selber tun.«

»Ein Privatdetektiv?«

Rachel nickte. »Auch das wird dein Bruder übernehmen. Habe ich vorsorglich schon mit ihm geklärt.«

»Gut. Das ist gut.« Kellermanns Stimme war leise, aber die Frau war wieder zurück im Überlebensmodus.

»Ich kann dir nicht sagen, wie gut die Chancen stehen, dass ich dich hier wieder raushole. Wenn überhaupt, dann vielleicht erst in der Hauptverhandlung, das heißt frühestens in einem halben Jahr. Das heißt, wir sollten mal über deine Firma reden und was es für Auswirkungen hat, dass du im Gefängnis sitzt.«

Kellermanns Ausdruck zeigte wieder Konzentration. »Wenn ich freigesprochen werde – dann bekomme ich doch meinen Schaden vom Staat ersetzt?«

»Im Wesentlichen nur mein Honorar – nach Gebührenordnung. Meine Rechnung wird aber um einiges drüber liegen. Das weißt du. Kosten für einen Detektiv bekommst du nicht erstattet.«

»Das heißt, selbst wenn sie mich freisprechen, bin ich ruiniert.«

»Ganz so schlimm wird's nicht werden. Wir sind nicht in Amerika. Selbst wenn dich das Ganze hunderttausend Euro kostet, kannst du das irgendwann wieder reinholen.«

»Falls ich bis dahin nicht pleite bin.«

»Wie ich schon sagte: Lass uns über *Jumpcut* reden. Ihr produziert Filme?«

»Fernsehfilme. Aber das hört sich so an, als würden wir zwanzig Stück im Jahr machen.«

»Wie viele sind es tatsächlich?«

»Zwei, wenn wir Glück haben. Das läuft hauptsächlich über gute Beziehungen zu Redakteuren beim Sender. Unser derzeitiger Auftragsbestand lässt sich ziemlich einfach beschreiben: Im Herbst beginnen die Dreharbeiten für 11/18. Das hatte ich dir ja schon im Hirschgarten erzählt. Es geht um das Ende des Ersten Weltkriegs vor hundert Jahren und soll im November 2018 gesendet werden. Zweimal neunzig Minuten. Da lässt sich ganz ordentlich dran verdienen. Allerdings nur, wenn er gemacht wird. Andere Aufträge haben wir derzeit nicht.«

»Da habt ihr sicher schon einige Vorbereitungen getroffen?«

»Natürlich. Die Verträge mit Schauspielern, Regisseur, Filmcrew, Verträge für Studios und originale Locations – das ist fast alles unter Dach und Fach.«

»Ihr habt demzufolge die ersten Raten vom Sender bekommen?«

»Sollte man meinen. Aber da ist noch gar nichts geflossen. Wir haben schon ein paar Hunderttausend vorgestreckt und noch nicht mal einen unterschriebenen Vertrag.«

»Wie bitte?«

»Das ist absolut üblich. Die Sender können sich das leisten. Sie sitzen am längeren Hebel.«

»Was wird deine Verhaftung für eine Auswirkung haben?«

»Die Firma existiert ja noch. Das ist formal von meiner Person unabhängig. Außerdem gibt es meinen Partner Andreas Kimmel. Er kennt das Geschäft und könnte die Produktion zur Not allein durchführen.« Kellermann knüllte an ihrem feuchten Tempo herum.

»Aber?«

»Wir sind eben nicht die UFA. Wenn bei denen ein Geschäftsführer wegfällt, sind fünf andere da. Aber *Jumpcut* besteht quasi nur aus Andreas und mir. Das heißt, fünfzig Prozent der Firma sitzen im Gefängnis.«

»Aber wenn Andreas, wie du sagst, die Produktion auch allein durchziehen kann?«

»Das ist nicht der Punkt.«

»Was dann?«

»Wenn was schiefgeht, wird irgendjemand vom Sender

kommen und Fragen stellen: Wie gibt's das, dass wir so ein wichtiges Projekt mit einer kleinen Firma machen, deren Inhaberin wegen Mordes im Gefängnis sitzt? Das kann richtig Ärger geben. Und den will man sich nicht aufhalsen.«

»Was, glaubst du, wird passieren?«

»Die werden uns die Produktion wegnehmen und an eine große Firma geben. Wie gesagt – wir haben nicht mal einen Vertrag.«

»Siehst du irgendeine Lösung?«

»Man muss mit dem Sender und mit den Banken reden. Mit *man* meine ich dich und deinen Mann.«

Rachel machte sich Notizen im Laptop. »Ich kümmere mich drum.«

8

Rachel kam am späten Vormittag in die Kanzlei zurück. Inzwischen hatte die Staatsanwaltschaft die CD-ROM mit den Ermittlungsakten geschickt. Rachel war zwar neugierig darauf, glaubte aber nicht, dass sie darin allzu viel Neues finden würde. Außerdem fehlten noch Unterlagen. Etwa die Ergebnisse der Untersuchung von Kellermanns Computer.

Sascha hatte noch einen Termin vor dem Oberlandesgericht, würde aber in der nächsten Viertelstunde ebenfalls eintreffen. Rachel schickte ihm eine WhatsApp mit der dringenden Bitte, bei ihr vorbeizuschauen, sobald er wieder im Büro sei. Anschließend telefonierte sie mit Andreas Kimmel, dem Partner von Kellermann. Nachdem sie ihm versichert hatte, dass es Judith Kellermann den Umständen entsprechend gut ging und sie versuchen würde, einen Besuchstermin für Kimmel zu bekommen, informierte sie sich über den aktuellen Stand in der Firma.

Obwohl noch keine vierundzwanzig Stunden vergangen waren, hatte es sich in der Branche herumgesprochen, dass Judith Kellermann wegen Mordverdachts in U-Haft saß. Entsprechend aufgeregte Anrufe hatte Kimmel von seinen Ansprechpartnern beim Sender bekommen.

»Was haben Sie denen gesagt?«

»Dass wir alles perfekt vorbereitet haben, sodass ich die Produktion auch ohne Judith hinbekomme.«

»Konnten Sie die Senderleute überzeugen?«

»Ich fürchte, nein.« Kimmel klang nervös, und Rachel konnte hören, dass er sich unwohl fühlte. »Die werden versuchen, die Produktion einer anderen Firma zu geben.«

»Das ist der Grund, warum ich anrufe. Was halten Sie davon, wenn wir einen Termin mit dem Sender machen. Mein Mann Sascha ist Spezialist für Filmrecht. Vielleicht bekommen wir einen Deal hin, mit dem alle Beteiligten leben können.«

»Wir sollten es auf jeden Fall versuchen.«

»Gut. Dann schicken Sie uns bitte alles, was Sie an Verträgen, Vertragsentwürfen und Schriftwechsel zu dem Projekt haben. Und eine Liste von Leuten, die dabei sein sollten.«

Eigentlich hatte Rachel ein Mittagessen mit Sascha geplant, um über die Sache zu reden. Denn Sascha würde die wichtige Aufgabe zufallen, Kellermanns Firma vor der Pleite zu bewahren. Aber Sascha ging nicht ans Telefon. Stattdessen meldete sich Laura vom Empfang mit piepsiger Stimme.

»Sascha hat auf mich umgestellt, weil er heute mit einem Mandanten zum Mittagessen geht.«

»Ach verdammt!«, fiel es Rachel wieder ein. Der Termin mit dem Rabbi. »Wie lange ist Sascha schon weg?«

»Noch gar nicht. Er will gerade gehen.«

»Dann halt ihn auf! Ich muss kurz mit ihm reden!«

Sascha war schon etwas in Eile, hörte sich aber noch kurz an, was Rachel ihm über die Lage von Kellermanns Firma zu sagen hatte.

»Okay, ich mach das. Dafür brauche ich alle Unterlagen zu dem Projekt.«

»Sind unterwegs.«

»Gut. Ich seh's mir heute Abend an. Aber jetzt muss ich wirklich ...«

Eine Stunde später saß Rachel mit Oberstaatsanwalt Schwind und ihrem Verteidigerkollegen Geruda in der Bar Juve.

»Hat mich ein bisschen erstaunt«, sagte Geruda, »dass ausgerechnet Sie Frau Kellermann vertreten. Vielleicht täusch ich mich, aber wie Best Buddies Forever haben Sie nie gewirkt.« Er verzehrte einen Salat mit Rindfleischstreifen, obwohl das Spritzrisiko fast so hoch war wie bei Spaghetti. Geruda lief drei Marathons im Jahr und hielt auf Low-Carb-Kost. Die Serviette in den Kragen zu stecken kam aus Stilgründen nicht in Betracht und hätte ihm möglicherweise Lokalverbot eingebracht. Aber zumindest die Krawatte hatte er sicherheitshalber in die Innentasche seines Jacketts gesteckt.

»Wie kommen Sie denn darauf, dass wir uns nicht mögen?«

»Ich wurde mal Zeuge einer Begegnung zwischen Ihnen beiden beim Fernsehpreis. Frau Kellermann hat auf Sie eingeredet wie ein Maschinengewehr, und Sie sahen aus, als würden Sie sie gleich erwürgen.«

»Ja, sie ist ein bisschen plauschig. Aber ganz in Ordnung, wenn man sie näher kennt. Ich war unglücklicherweise dabei, als sie verhaftet wurde, und der einzige Anwalt weit und breit.«

»Wie war die Vorführung heute Morgen?«, fragte Schwind, der mit Sicherheit schon mit Wittmann gesprochen hatte.

»Sie wissen bestimmt, wie es gelaufen ist.«

»Sieht wohl ziemlich eindeutig aus. Aber man weiß ja nie.«

»Danke, dass Sie mir nicht jede Hoffnung nehmen. Sind eigentlich andere Spuren verfolgt worden?«

»Natürlich. Mantell ist kein Anfänger.«

»Besonders intensiv können seine Nachforschungen nicht gewesen sein.«

»Was erwarten Sie bei der Beweislage? Dass wir jeder abseitigen Möglichkeit nachgehen?«

»Vielleicht gibt es ja noch andere Leute, die ein Motiv

hatten, Sandner umzubringen. Scheint ja ein undurchsichtiger Charakter gewesen zu sein.«

»Bei den Ermittlungen ist nichts dergleichen herausgekommen. Das hätte mir Frau Wittmann gesagt.«

»Mein Eindruck ist, dass gar nicht nach anderen Verdächtigen gesucht wurde.« Rachel bestellte einen Espresso bei Emilio Scronti, dem Besitzer der Bar.

»Was wollen Sie von mir? Dass ich Frau Wittmann anweise, ihre Ermittlungen anders zu führen?«

Das wäre Rachel am liebsten gewesen. Aber dazu hatte Schwind offenbar keine Lust. Wittmann wusste, dass ihr Chef und Rachel öfter miteinander redeten und sich gut verstanden. Sie war deswegen ohnehin permanent misstrauisch, und Schwind wollte ihr nicht in den Rücken fallen.

»Es wäre möglicherweise von beiderseitigem Vorteil«, sagte Rachel, »wenn die Polizei ernsthaft anderen Spuren nachginge. Vielleicht kommt ja was Nützliches für meine Mandantin heraus. Und die Staatsanwaltschaft wäre vor Überraschungen sicher, falls *wir* etwas finden.«

»Oh, Sie wollen doch wohl nicht selbst ermitteln?«

»Was bleibt mir anderes übrig?« Rachel nahm ihren Espresso dankend von Scronti entgegen.

»Dann viel Glück, Frau Kollegin. Und sagen Sie mir rechtzeitig Bescheid, wenn Sie was finden.«

»Oh, nein! Sie hatten Ihre Chance. Wenn, dann werden Sie es im Gerichtssaal erfahren.«

»Touché!« Schwind lachte und bestellte sich ebenfalls einen Espresso.

Als sich der Oberstaatsanwalt etwas später auf die Toilette verabschiedet hatte, konnte Geruda seine Neugier nicht länger zügeln. »Was haben Sie vor? Wollen Sie Polizei spielen?«

»Wenn die ihren Job nicht machen …« Sie sah Geruda an, den offenbar ein Gedanke umtrieb. »Was ist?«

»Sie werden einen Detektiv brauchen. Haben Sie einen?«

»Wir haben mal mit einem gearbeitet. Das war aber keine Offenbarung. Können Sie einen empfehlen?«

»Schon möglich.«

9

Die Detektei Baum war ein echter Geheimtipp, denn sie machte keine Werbung für sich. Klient wurde man nur, wenn man von einem Kunden der Detektei empfohlen wurde und die Aufgabe, die man mitbrachte, interessant erschien. Die Firma verschwendete die beträchtlichen Talente ihrer Mitarbeiter nicht für die Observierung untreuer Ehemänner. Diesen Luxus konnte man sich leisten, weil man in über zwanzig Jahren einen makellosen Ruf erworben hatte. Axel Baum war in den Achtzigerjahren Mitarbeiter der Staatssicherheit gewesen, nach der Wende arbeitslos geworden und hatte daraufhin seine Fähigkeiten auf dem freien Markt angeboten. Die alten Beziehungen waren dabei durchaus von Nutzen gewesen und teilweise noch heute intakt.

Die erste Besprechung fand in den Räumen der Detektei statt, die in einem unscheinbaren Nachkriegsbau im Lehel residierte. Unauffälligkeit war gewissermaßen das Markenzeichen der Firma Baum. Da Rachel eine neue Klientin war, leitete Axel Baum persönlich die erste Besprechung. Was er zu hören bekam, war offenbar so interessant, dass er zwei Tage später auch zum zweiten Termin, dieses Mal in den Räumen der Kanzlei Eisenberg & Partner, selbst erschien, um die Strategie zu erläutern, die er sich überlegt hatte.

Baum war etwas über fünfzig, muskulös mit leichtem Bauchansatz, aber man konnte sehen, dass er Sport trieb. Er hatte keinen seiner Mitarbeiter dabei. Einer reichte für den Zweck. Baum war nicht eitel und brauchte keine Entourage, um seine Bedeutung zu unterstreichen. Außerdem bezahlte man auch für den müßig herumsitzenden Mitarbeiter, und das kam bei einigen Kunden nicht gut an. Baum trug einen grauen Anzug und ein blaugraues Hemd mit taubenblauer Krawatte. Nichts wirkte teuer oder extravagant. So konnte jemand auftreten, der niemandem mehr etwas beweisen musste.

Neben Rachel waren aufseiten der Kanzlei Sascha sowie Carsten Dillbröck anwesend. Sascha sollte sich um die zivilrechtliche Seite kümmern und wollte Informationen darüber, wie die Chancen für eine Verurteilung Kellermanns standen beziehungsweise welchen Hoffnungsschimmer es gab. Carsten, siebenunddreißig und damit kaum weniger erfahren als seine Chefs, würde Rachel bei der Verteidigung im Strafverfahren unterstützen. Carsten hatte eine heimliche Schwäche für Rachel, war aber in einer festen Beziehung mit einer Ärztin.

Axel Baum hielt nichts von PowerPoint-Präsentationen. Er hatte vier Fotos dabei, die er auf das Flipchart klebte. Sie zeigten Judith Kellermann und Eike Sandner sowie eine junge Frau und einen etwa fünfzig Jahre alten Mann. Die beiden letzten Fotos waren unscharf, sodass man keine genauen Gesichtszüge erkennen konnte.

»Die Polizei hat aus ihren Ermittlungsergebnissen einen Sachverhalt rekonstruiert«, begann Baum nach wenigen einleitenden Floskeln den materiellen Teil seiner Präsentation. »Und dieser Sachverhalt lautet: Judith Kellermann hat ihren Freund Eike Sandner in die Luft gesprengt. Das kann man aus den ermittelten Fakten durchaus schließen. Aber Frau Kellermann erzählt eine andere Geschichte. Eine Geschichte, die die Staatsanwaltschaft nicht glaubt. Nämlich, dass sie es nicht war und dass man den Mord so konstruiert hat, dass die Fakten auf sie hindeuten. Es ist jetzt an uns, Frau Kellermanns Version zu beweisen. Wenn wir als Arbeitshypothese unterstellen, dass Frau Kellermann die Wahrheit sagt, dann hat jemand anderer Eike Sandner ermordet. Dafür muss der Betreffende ein Motiv gehabt haben. Und dieses Motiv musste schon seit einiger

Zeit bestehen. Denn der Mord war genau geplant und wurde akribisch durchgeführt. Da hat jemand viel Zeit investiert. Folglich müssen wir uns mit der Person des Opfers beschäftigen. Eike Sandner!« Er deutete auf Sandners Foto auf dem Flipchart. »Was hat jemanden so gegen Sandner aufgebracht, dass er ihn umgebracht hat? Habgier, Eifersucht, Rache? Es ist meistens eins dieser drei Motive. Also suchen wir nach betrogenen Ehemännern, Menschen, die von Sandners Tod finanziell profitieren, und solchen, denen Sandner etwas angetan hat.«

»Was wissen wir denn überhaupt über Sandner?«, fragte Carsten Dillbröck.

»Wir haben schon mal ein bisschen recherchiert. Was man ohne viel Aufwand im Internet finden kann. Und wir haben auch ein paar Leute angerufen, die sich in der Kölner Szene auskennen.«

»Was sind das für Leute?«, wollte Carsten wissen. »Andere Detekteien?«

»Es sind – Leute.« Baum lächelte milde. Aber es war unmissverständlich, dass er nicht noch einmal nach seinen Quellen gefragt werden wollte.

»Ich wollte auch nicht ... ich dachte nur, falls Sie ... vergessen Sie die Frage einfach.« Carsten lehnte sich zurück und starrte auf das Foto von Sandner.

»Zu Eike Sandner komme ich gleich.« Baum trat einen Schritt zur Seite und legte einen Finger unter das Foto von Judith Kellermann. »Zuerst sollten wir uns mit Judith Kellermann befassen. Und zwar aus zwei Gründen. Erstens müssen wir für uns die Frage beantworten: Stimmt ihre Geschichte? Oder hat die Polizei recht?«

»Wir gehen davon aus, dass Frau Kellermann die Wahrheit sagt«, wandte Rachel ein. »Und wenn sie lügt, wäre es legitim und sinnvoll, etwas zu finden, was ein Gericht an ihrer Schuld zweifeln lässt. Es ist nicht unser Job, ihre Schuld zu beweisen.«

»Natürlich nicht«, sagte Baum. »Ich weiß nur gerne, woran ich bin. Sie nicht?«

»Als Verteidigerin ist es manchmal leichter, wenn ich's nicht weiß. Was ist der zweite Grund?«

»Wenn jemand Frau Kellermann den Mord in die Schuhe schieben will, dann kann es einen besonderen Grund dafür geben. Vielleicht war sie aber nur die beste Gelegenheit, weil sie gerade einen heftigen Streit mit Sandner hatte, sodass es sich angeboten hat, sie zur Täterin zu machen. Vielleicht kam es dem Täter aber auch darauf an, genau Judith Kellermann zu schaden oder sie aus dem Weg zu schaffen.«

»Also zwei Fliegen mit einer Klappe zu schlagen? Sandner und Kellermann beseitigen?« Carsten blickte etwas skeptisch drein.

»Wie gesagt, das ist eine von mehreren Möglichkeiten. Wenn wir bei unseren Recherchen auf jemanden stoßen, der für beides ein gutes Motiv hat – das wäre der Jackpot. Aber so weit sind wir noch nicht.«

»Gut«, sagte Rachel. »Ich hab's verstanden, warum wir uns auch für unsere Mandantin interessieren. Was haben Sie bis jetzt herausgefunden?«

»Judith Kellermann ist Jahrgang 1977, hat in Heidelberg und Berkeley studiert, dann bei mehreren Sendern gearbeitet, privat und öffentlich-rechtlich, hat es bis zur Programmchefin gebracht, dann die Gründung ihrer Produktionsfirma *Jumpcut* vor drei Jahren. 2015 ist dann Andreas Kimmel ihr Partner geworden. Das sind alles Informationen, die man im Internet finden kann. Sie kriegen noch einen schriftlichen Bericht. Kommen wir zu etwas, das nicht im Internet steht. Nämlich, dass Frau Kellermann im Jahr 2015 angeblich mit einem Messer auf einen Polizisten losgegangen ist.«

»Ihr Bruder hat es mal erwähnt. Was steckt dahinter?« Rachels Sitzhaltung versteifte sich etwas.

»Die Sachlage wurde nie genau geklärt. Die Beamten sind in ihre Küche eingedrungen und wollten jemanden verhaften, Frau Kellermann hat sich ihnen in den Weg gestellt, und der Mann, der verhaftet werden sollte, konnte entkommen. Es war dann nicht ganz klar, ob sie in dem Augenblick, als die Beamten hereinkamen, zufällig ein Messer in der Hand hatte – für irgendeine Tätigkeit in der Küche – oder ob sie das Messer an sich genommen hat, um die Beamten zu bedrohen. Mehr konnte ich noch nicht recherchieren. Vor allem nicht, was genau der Hintergrund für den Vorfall war.«

»Wieso hat die Staatsanwaltschaft das nicht bei Gericht vorgetragen?«

»Die Sache wurde wegen der unklaren Beweislage eingestellt.«

»Und woher wissen Sie dann ...?« Carsten verstummte. »Vergessen Sie's.«

»Sagt uns das etwas über Kellermanns Glaubwürdigkeit? Nicht unbedingt. Sie ist damals möglicherweise gewalttätig geworden oder war bereit, es zu werden. Aber spontan. Ein geplanter Mord wie der an Eike Sandner ist etwas vollkommen anderes.«

»Es ist in jedem Fall wichtig, dass wir davon wissen und im Prozess darauf vorbereitet sind«, sagte Rachel. »Ich werde Kellermann dazu befragen.«

»Kommen wir zum zweiten Punkt, wer könnte ein Motiv haben, Kellermann zu schaden? Oder wer hätte einen Vorteil, wenn sie im Gefängnis sitzt? Da müssten wir tiefer in ihre Lebensgeschichte einsteigen. Sie ...«, Baum sprach explizit Rachel an, »... sollten Ihre Mandantin beim nächsten Besuch danach fragen.«

»Mach ich.« Rachel notierte es in ihrem Laptop.

»Einzig sichtbarer Anhaltspunkt ist im Augenblick Andreas Kimmel. Könnte er einen Vorteil davon haben, wenn Kellermann ins Gefängnis muss?«

Sascha meldete sich zu Wort. »Wir kennen die gesellschaftsrechtliche Konstruktion der Firma noch nicht. Rein rechtlich hätte er vermutlich erst mal keinen Vorteil. Allerdings führt er jetzt allein die Geschäfte und kann natürlich Entscheidungen treffen, die ihm nützen. Vielleicht gibt es Absprachen mit Sendern, die erst in Kraft treten, wenn es die Gesellschaft nicht mehr gibt, etwa, dass dann Kimmel eine wichtige Produktion allein machen kann. Stand ist, dass wir versuchen sollen, *Jumpcut* zu retten. Kimmel ist anscheinend kooperativ.«

»Außerdem stellt sich die Frage: Warum musste Sandner sterben?« Rachel sah Baum zweifelnd an. »Nur damit Kellermann ins Gefängnis geht? Warum nicht einfach Kellermann umbringen, wenn er schon einen Mord begeht.«

»All das weiß ich noch nicht. Es sind die Fragen, mit denen wir uns in nächster Zeit beschäftigen werden.«

Baum deutete auf das Foto von Sandner.

»Eike Sandner. Das Mordopfer. Wenn Kellermann es nicht war, wer dann? Oder anders gesagt, wer hatte ein Motiv, Sandner umzubringen? Sandner ist Jahrgang 1982, also fünf Jahre jünger als seine Lebensgefährtin Judith Kellermann. Wenn man sich die beiden Fotos ansieht, fällt ein gewisses Ungleichgewicht auf. Schönheit ist natürlich subjektiv. Aber neun von zehn Menschen würden wohl sagen, dass Sandner bedeutend attraktiver aussieht als Kellermann. Nun gibt es sicher Menschen, die äußerliche Defizite durch andere Qualitäten wettmachen. In aller Regel trifft das auf unattraktive Männer zu, die ihr Handicap mit Geld oder Macht ausgleichen. Charisma, Charme, Persönlichkeit sind weitere Möglichkeiten. Trifft irgendwas davon auf Kellermann zu?«

Rachel zuckte mit den Schultern. »Viel Geld hat sie im Augenblick nicht und charismatisch …? Sie redet viel und kann manchmal witzig sein. Aber ich würde vermuten, das reicht nicht, um bei einem Typen wie Sandner zu punkten. Oder anders gesagt: Ich gebe Ihnen recht. Da ist ein gewisses Ungleichgewicht.«

»Gut. Damit stellt sich die Frage: Wieso waren die beiden zusammen? Natürlich gibt es immer wieder ungleiche Paare, die sich lieben, obwohl es für Außenstehende unverständlich ist. Aber das kommt nicht oft vor.«

»Was schließen Sie daraus?«

»Im Moment noch gar nichts. Aber es ist ein Punkt, der geklärt werden muss. Ob er etwas mit dem Mord an Sandner zu tun hat, werden wir sehen.« Baum wandte sich wieder dem Flipchart zu und deutete auf das Foto von Sandner. »Im Übrigen war Sandner eine ziemlich undurchsichtige Existenz. Er hat diverse Geschäfte in Köln betrieben. Vom Sonnenstudio bis zum Reiterhof war er in allen möglichen Bereichen unternehmerisch tätig und hat sich offenbar nicht nur Freunde gemacht. Vieles liegt noch im Dunkeln. Ich könnte mir aber vorstellen, dass wir da fündig werden, wenn wir Leute mit einem Mordmotiv suchen. Deswegen schlage ich vor, wir konzentrieren uns zunächst auf die Recherchen über Sandner und sein Umfeld.«

Die Anwälte nickten.

»Kommen wir zum nächsten Foto. Boris!« Baum deutete auf das Foto mit dem verschwommenen Männergesicht. »Wer immer sich hinter diesem Namen verbirgt. Frau Kellermann behauptet, er habe Sprengstoff besorgt. Und möglicherweise war er es, der Sandner in die Luft gesprengt hat. Falls wir den Mann finden, wird er kaum ein Geständnis ablegen oder uns sonst irgendwie helfen. Aber wenn wir noch ein paar Fakten dazulegen können, bringen wir die Polizei vielleicht dazu, sich den Burschen näher anzusehen.«

»Vielleicht ist es einer von den Kölner Leuten, die Sandner auf dem Kieker hatten«, sagte Carsten.

»Vielleicht. Aber wir müssten ihn erst einmal finden. Ihr Job wäre es …«, er sah Rachel an, »… aus Frau Kellermann alle Informationen herauszuholen, die sie über Boris hat. Sie sagten bei unserem ersten Gespräch, die beiden hätten Sandner und seine Geliebte in einem Segelclub am Starnberger See gesehen. Wir müssen wissen, wann genau das war, mit Uhrzeit.« Er blickte in die Runde. »Haben Sie Bekannte, die in diesem Segelclub verkehren?«

Sascha nickte und sah Rachel an. »Tine und Ralf haben da ein Boot, oder? Und Leo Koretzka.«

»Dann fragen Sie doch bitte Ihre Bekannten, ob sie zu der angegebenen Zeit da waren und falls ja, ob sie Kellermann, Boris, Sandner oder die Frau in seiner Begleitung bemerkt haben. Und ob sie an jenem Tag Fotos im Segelclub gemacht haben. Mit ein bisschen Glück ist da irgendetwas drauf, das uns weiterhilft.«

»Dieser mysteriöse Mann – Boris – war doch angeblich im Jugoslawienkrieg. Ist das kein Anhaltspunkt?«, warf Carsten ein.

»Das ist durchaus ein Anhaltspunkt«, sagte Baum. »Es gibt Soldaten, die nach dem Krieg Söldner oder Profikiller geworden sind. Wir checken das gerade. Aber es wäre natürlich hilfreich, wenn wir ein Foto hätten oder ein paar Fakten, damit wir den Kreis der Verdächtigen eingrenzen können.«

»Was haben Sie für einen Eindruck?« Rachels Frage richtete sich an Baum. »Gibt es Boris, oder hat Judith Kellermann ihn erfunden?«

»Es ist nicht ausgeschlossen, dass sie die Wahrheit sagt. Aber die Beschreibung enthält nicht genug originelle Details, dass man sagen könnte, so was kann sich keiner ausdenken. Es gibt Leute, die erfinden ganz andere Geschichten.«

Baum deutete auf das letzte Foto, die unscharfe Frau.

»Kommen wir nun zu Sandners Geliebter – natürlich

auch nur ein Dummie. Keiner hat sie gesehen, außer Kellermann und Boris. Keiner weiß, wer sie ist und wie sie heißt. Allerdings hat nicht Kellermann, sondern die Staatsanwaltschaft die Figur ins Spiel gebracht. Sie soll der Grund für Kellermanns Eifersucht sein. Es ist also eher im Interesse der Gegenseite, sie zu finden. Dennoch wäre es vielleicht von Vorteil, wenn wir zuerst mit ihr reden. Es spricht einiges dafür, dass mit der Frau etwas nicht stimmt. Auffällig ist schon mal, dass sie ein offenbar anonymes Handy benutzt hat, dass sie verschwunden ist und sich auch nicht gemeldet hat, nachdem Sandner ermordet wurde.«

»Ich glaub nicht, dass man davon außerhalb von München Kenntnis genommen hat«, sagte Carsten.

»Das ist nicht der Punkt. Wenn die beiden ein Liebespaar waren, muss sie doch versucht haben, ihn zu erreichen.«

»Wir wissen ja nicht, wie sie auseinandergegangen sind. Vielleicht erwartet sie seinen Anruf und ist zu stolz, um sich ihrerseits zu melden.« Sascha blickte fragend in die Runde. »Oder sie ist verheiratet und hat keine Lust, als Geliebte des Mordopfers durch die Medien gezerrt zu werden.«

»Das wäre allerdings möglich«, konzedierte Baum.

»Vielleicht hat sie ja nach dem Mord versucht, Sandner anzurufen.« Rachel scrollte nachdenklich durch die Akten, die sie von der Staatsanwaltschaft zur Einsicht bekommen hatte. »Erwähnt hat die Polizei es allerdings nicht. Die müssten das ja an den Telefondaten oder Mails sehen. Ich denke, dann wären sie auch schon weiter bei der Suche nach der Frau.«

»Ja, es sieht alles so aus, als *wollte* die Frau nicht gefunden werden.« Baum betrachtete nachdenklich das Foto. »Vielleicht ist sie wirklich verheiratet. Vielleicht hat sie aber auch Dreck am Stecken.«

Auf Rachels Handy erschien die Meldung, dass eine Mail eingegangen war. Sie stammte von Andreas Kimmel. Rachel öffnete sie.

Liebe Frau Dr. Eisenberg,

anliegend wie vereinbart die Unterlagen für das Projekt »11/18«. Ich hab gerade mit Daniel Uhlbrünner gesprochen, dem zuständigen Redakteur. Er will Freitag, 11:00 Uhr, eine Besprechung und klang ziemlich nervös. Geht das bei Ihnen? Sagen Sie mir bitte baldmöglichst Bescheid.

Herzliche Grüße
Andreas Kimmel

PS: Ich fürchte, das wird ziemlich heftig werden.

10

Februar 2012

Sie trafen sich nicht beim Frühstück. Jürgen war nirgends zu sehen, und Judith wusste nicht einmal sicher, ob er im Hotel wohnte. Sie hatte eine unruhige Nacht verbracht. Zum einen, weil sie am nächsten Tag eine neue Stelle antreten musste und aufgeregt war, zum anderen, weil sie sich über den Abend in der Hotelbar geärgert hatte. Bevor sie sich endgültig auf den Weg ins Büro machte, trank sie drei Tassen Kaffee und duschte noch einmal kalt.

Judiths neuer Arbeitgeber MMC, die Munich Media Company, war eine Holding für mehrere private Fernsehsender. Die Sender bildeten eine Familie und stimmten ihr Programm so ab, dass sie unterschiedliche Zielgruppen abdeckten und sich möglichst wenig Konkurrenz machten. Judiths Aufgabe war die Entwicklung neuer Fiction-Programme. Ihr Vorgesetzter Boris Lanzmann, Anfang vierzig, war Geschäftsführer der MMC. Er begrüßte sie, erklärte, dass sich in der Firma alle duzten, und führte sie durch sämtliche Abteilungen.

Nach einer Stunde war der Rundgang beendet, und sie kehrten in Boris Lanzmanns Büro zurück.

»Du hast jetzt eine Stunde Zeit, dich in deinem Büro einzurichten. Um elf haben wir eine Key-Account-Sitzung. Du solltest dabei sein, denn du musst dich auch mit den programmlichen Bedürfnissen unserer Kunden vertraut machen.«

Die Key Accounts waren die wichtigsten Kunden des

Unternehmens. In diesem Fall handelte es sich um einen führenden Food-Hersteller in Europa, der jedes Jahr einen dreistelligen Millionenbetrag in Fernsehwerbung investierte.

Von ihrer Assistentin bekam Judith ein Briefing mit den wichtigsten Fakten über den Kunden. Außerdem eine Liste mit den Teilnehmern der Sitzung. Neben einem Vertreter des Kunden waren auch drei Mitarbeiter der Media-Agentur dabei, die seinen Werbeetat betreuten.

Die Gäste wurden bereits im Besprechungszimmer mit Kaffee und Schnittchen umsorgt, als Lanzmann, Judith und der Rest der MMC-Crew dazustießen. Es folgte allgemeines Händeschütteln, und Judith wurde der Runde als neue Programmentwicklerin vorgestellt. Zuerst bemerkte sie ihn nicht in dem Wust neuer Gesichter, und vielleicht lag es auch daran, dass er vor dem Fenster im Gegenlicht saß. Die Möglichkeit einer Begegnung an diesem Ort war für Judith so abwegig, dass sie Jürgen erst erkannte, als sie ihm die Hand gab.

»Das ist Jürgen Milsky von der TKP«, stellte Lanzmann ihn vor. TKP war die Media-Agentur.

»Freut mich sehr«, sagte Jürgen. Er lächelte und zog eine Augenbraue hoch, um seine Überraschung über diesen amüsanten Zufall zu bekunden.

»Hallo …« Mehr brachte Judith nicht hervor. Jürgens Anblick traf sie unvorbereitet wie der Stromschlag eines Weidezauns, den man versehentlich berührt. Ein Lächeln gelang so weit, dass niemand ihre Konfusion bemerkte. Auch deshalb nicht, weil sich in diesem Augenblick alle auf ihre Plätze begaben und subtilere Vorgänge im allgemeinen Stühlerücken untergingen.

Die folgenden zwei Stunden versuchte Judith, nicht zu Jürgen zu sehen und sich auf die Agenda der Sitzung zu konzentrieren. Die unzähligen Male, die sie dennoch verstohlen über den Tisch blickte, sah auch Jürgen meist in ihre Richtung. Auch ihm fiel es sichtlich schwer, dem Sitzungsgeschehen zu folgen. Judith rätselte, was der Grund war. Fürchtete er sich vor dem Ende der Sitzung, dass sie ihn ansprechen und zur Rede stellen würde? Nein, das war absurd. Wieso sollte sie ihn zur Rede stellen? Sie selbst hatte sich gestern zurückgezogen, und er hatte höflich versucht, sie umzustimmen. Oder hatte er Angst, dass sie etwas von ihm wollte? Noch so ein absurder Gedanke. Sie hatten ja nicht miteinander geschlafen, sondern lediglich eine Stunde geplaudert. Ein Mann wie Jürgen würde da keine Sekunde etwas hineininterpretieren. Das machte nur eine überspannte, von Minderwertigkeitskomplexen geplagte Frau wie sie. *Bei den Wiederholungsschaltungen ist sicher noch Luft nach oben,* hörte sie Lanzmann in weiter Ferne sagen. Jürgen sah weg, als ihr Blick wieder über den Tisch wanderte. Er war nervös. Ohne Zweifel. Warum?

Die Verabschiedung war geschäftsmäßig, höflich, ein bisschen kühl. Doch bevor er ging, drehte sich Jürgen noch einmal um und raunte ihr ins Ohr: »Ich melde mich. Bald.«

Am Nachmittag hatte Judith einiges zu erledigen. Gespräche mit Redakteuren und Programmplanern standen an. Gegen halb sieben saß sie wieder in ihrem Büro. Draußen war es dunkel, und sie telefonierte mit dem Vermieter ihrer neuen Wohnung, um zu erfahren, wie die Renovierungsarbeiten vorankamen. Nächste Woche, sagte er, würde sie einziehen können. Sie legte auf und lehnte sich in ihrem Bürosessel zurück. Durch ihr Fenster sah sie auf zahllose erleuchtete Bürofenster. Hier in Unterföhring, der Medienvorstadt, arbeiteten die meisten Angestellten um diese Tageszeit noch. Judith fühlte sich müde. Die letzte Nacht steckte ihr in den Knochen. Trotzdem nahm sie einen Aktenordner zur Hand, um sich auf den nächsten Tag vorzubereiten. Da klingelte das Telefon. Die Nummer sagte ihr nichts, nur, dass es kein interner Anruf war.

»Kellermann«, sagte Judith, als sie abnahm, und war mit einem Schlag hellwach. Der Anrufer war Jürgen.

»Hallo, wie geht's?«, sagte er.

»Gut. Ein bisschen müde. Ich hätte gestern früher ins Bett gehen sollen.«

»So spät war's doch gar nicht, als du gegangen bist.«

»Ich hab schlecht geschlafen.«

»Verstehe.« Jürgen machte eine Pause. Dann lachte er. »Was für ein Zufall, dass wir uns heute beruflich begegnen. Vielleicht eher Schicksal.«

»Ich denke, es ist Zufall. Reiner Zufall. So was passiert ständig.«

»Ja. München ist ein Dorf, heißt es immer. Ständig begegnest du in dieser Stadt Leuten, die du kennst.«

»Ist das so?«

»Ja. München ist wirklich ein Dorf.« Wieder entstand eine kleine Pause. Schließlich sagte Jürgen: »Es tut mir leid, das mit Claudia gestern.«

»Das muss dir nicht leidtun. Ich wollte eh ins Bett.«

»Irgendwie war die Stimmung mit einem Mal weg, als sie aufgetaucht ist. Findest du nicht?«

»Weiß nicht ...«

»Komm – du wärst nicht ins Bett gegangen, wenn sie nicht aufgetaucht wäre. Gib's zu.«

Judith zögerte. Was interessierte Jürgen das alles? Hatte er doch Interesse an ihr? »Okay, vielleicht nicht.«

»Siehst du, jetzt kommen wir der Wahrheit näher. Es wäre nämlich ein supernetter Abend geworden. Und wer weiß ...«, er ließ eine aufreizende Pause, »... wo er uns noch hingeführt hätte.«

Judith schluckte. »Na ja ...«

»Bring ich dich in Verlegenheit? Das will ich nicht. Ich quatsch nur. Denk dir nichts dabei.«

»Ja. Im Quatschen bist du gut. Und okay – ich denk mir nichts dabei. Zufrieden?«

»Ich hab den Eindruck, ich renne gegen eine Mauer. Eine Mauer aus Eis.«

»Du, ich bin nur ziemlich müde.«

»Judith – ich spüre, wenn ich abgelehnt werde. Ich bin bei Weitem nicht so unsensibel, wie ich tue. Du lehnst mich ab, und das …« Er zögerte einen Moment, als wollte er sich korrigieren, sagte dann aber: »… doch, Judith, das macht mir was aus.«

Sie schwieg. Was sollte sie noch sagen?

»Ich kann dich verstehen. Diese Frau gestern kommt einfach dazu, und ich schick sie nicht weg. Ich hätte sagen sollen: Du, Claudia, sei mir nicht böse, aber wir haben was Geschäftliches zu besprechen, Frau Kellermann und ich.«

»Ich nehme an, der Abend mit Claudia war auch nicht so furchtbar.« Judith hätte sich auf die Zunge beißen können. Die Bemerkung hätte nebenbei und souverän kommen sollen, klang aber unsäglich eifersüchtig und beleidigt.

»Wir haben ausgetrunken und dann das Hotel verlassen. Mehr war nicht. Sie hat ein Taxi genommen, ich bin zu Fuß nach Hause.«

»Du wohnst in der Gegend?«

»Ein paar Straßen weiter. Warum?«

»Ich dachte, du bist auch im Hotel.«

»Nein. Ich geh manchmal abends in die Hotelbar und nehm noch einen Drink. Ich finde es sehr angenehm da.«

Judith fand, irgendetwas war merkwürdig daran, konnte aber nicht genau sagen, was eigentlich.

»Wie lange bist du noch im Hilton?«, fragte er dann.

»Bis nächste Woche.«

»Schön. Sehr schön …« Stille. Keine unangenehme Lücke, mehr ein wohliges Ausklingen.

»Ja, es ist ganz okay da?«, sagte sie schließlich.

»Ich meinte etwas anderes.«

»Was denn?«

Er nahm sich Zeit, seine Worte zu wählen. »Ich meinte wirklich: *schön*. Schön, dass du da wohnst. Schön, dass es eine Chance gibt, dich dort anzutreffen. *Dieses* »schön«, verstehst du? Gehst du öfter in die Hotelbar?«

Sie lachte. »Kommt drauf an ...«

»Worauf denn?«

»Wer da noch verkehrt – zum Beispiel.«

»Ja, verstehe.« Jürgen räusperte sich. »Wenn ... wenn ich heute Abend um neun wieder da wäre ... könntest du dir vorstellen – auch da zu sein?«

»Mit viel Fantasie könnte ich mir das vielleicht vorstellen.« Judith versuchte, sich ihre Aufregung nicht anmerken zu lassen. Ihr Atem ging schneller. War das jetzt real? Sie hatte das Gefühl, in einem Film mitzuspielen. Gleich würde der Regisseur *Cut!* schreien und sagen, das sei schon ziemlich gut gewesen. Im nächsten Take ein bisschen mehr Emotion, dann wär's perfekt. Aber niemand schrie.

»Ich freu mich drauf«, sagte Jürgens angenehme Stimme, so geradeheraus, so aufrichtig, wie eine Stimme in einem Telefonhörer nur klingen konnte.

Sie hatte ein Date mit George Clooney.

München im Winter war dunkel, kalt und feucht. Aber Judith sah nur die funkelnden Lichter der Autos und Neonreklamen, die sie zurück ins Hotel geleiteten. München war kleiner als Hamburg, viel kleiner. Und die Straßen waren enger und verstopfter, zumal an einem Februarabend um acht. Aber Judith war dieser Stadt bereits verfallen.

Als sie die überfüllte Rosenheimer Straße Richtung Isar fuhr, meldete ein Lokalsender: »Heute am späten Nachmittag wurde in der Nähe des Müller'schen Volksbades die Leiche einer etwa dreißig Jahre alten Frau gefunden. Nach Angaben der Polizei ...« Mehr bekam Judith nicht zu hören, denn sie fuhr in die Tiefgarage des Hilton ein, und der Empfang riss ab. Doch die bruchstückhafte Meldung beschäftigte sie weiter, denn sie erinnerte Judith an die Fernsehsendung von gestern Nacht. Am Empfang erkundigte sie sich nach Briefen. Sie hatte das Hotel als Adresse in einem Nachsendeauftrag angegeben. Es war jedoch noch nichts für sie eingetroffen. Als sie sich in Richtung Aufzüge abwandte, fiel ihr noch etwas ein.

»Sagen Sie«, fragte sie die Rezeptionistin, »das Müller'sche Volksbad – wissen Sie, wo das ist?«

Die junge Frau deutete in Richtung Innenstadt. »Gleich hier unten an der Isar. Fünf Minuten zu Fuß.«

11

Juni 2017

Sie haben Neuigkeiten über Sandner?«, fragte Rachel Eisenbergs Stimme aus dem Hörer.

Baum war gerade aus dem zwanzigminütigen Mittagsschlaf erwacht, den er regelmäßig hielt. Eigens zu diesem Zweck hatte er ein IKEA-Sofa mit harter Matratze in sein Büro stellen lassen. Nach solch einem Power Nap war man frisch und ausgeruht und konnte den Herausforderungen des Nachmittags energiegeladen ins Auge sehen – so die Theorie. Tatsächlich aber war Baum vollkommen erschlagen, wenn er nach zwanzig Minuten von seinem Handy geweckt wurde. Die Vernunft hätte geboten, es bleiben zu lassen mit dem Mittagsschlaf. Aber zu köstlich war das Schweben im Halbreich zwischen Wachen und Träumen, es streichelte die Stirn sanft von innen und versetzte die Glieder in eine spannungslose, warme Ruhe, von der Baum hoffte, dass sie ihn eines Tages auch ins Reich der Toten geleiten würde.

»Sandner? Ah ja, kleinen Moment …« Baum fuhr sich mit der Hand über die Augen, trank den kalten Kaffeerest aus und versuchte, seine Gedanken zu sammeln. »Bevor ich es vergesse, haben Sie mit Judith Kellermann geredet? Über diese Messerattacke und ob sie Feinde hat?«

»Sie kann sich nicht vorstellen, dass jemand ihr schaden will. Sie ist sich jedenfalls nicht bewusst, irgendjemandem etwas Schlimmes angetan zu haben. Und die Messerattacke – sie sagt, die Polizei sei einfach in ihre Wohnung eingedrungen und sie hätte ein Brotmesser in der Hand gehabt, als sie kamen.«

»Und warum ist die Polizei bei ihr eingedrungen?«

»Sie wollten ihren damaligen Freund verhaften. Er hatte wohl Probleme mit der Polizei. Mehr wollte sie darüber nicht sagen. Aber es hätte mit Sicherheit nichts mit dem Tod von Sandner zu tun.«

»Hoffen wir's mal.«

»Was haben Sie über Sandner herausgefunden?«

»Wir haben uns in Köln umgehört. Sandner hat eine ziemliche Blutspur hinterlassen. Die meisten Firmen, an denen er beteiligt war, wurden insolvent. Trotzdem hat er es immer wieder geschafft, auf die Beine zu kommen. Nicht zuletzt, weil er Frauen auftreiben konnte, die ihm Geld gegeben haben. Die meisten dieser Damen sind ebenfalls nicht gut auf Sandner zu sprechen. Wer von all den Geschädigten so kriminell veranlagt ist, Sandner aus Rache umzubringen, ist natürlich schwer zu beurteilen. Wir müssten alle überprüfen.«

»Wie viele Personen sind das ungefähr?«

»Zwölf, fünfzehn, vielleicht mehr.«

»Oh ...«

»Ja, das ist das Problem. Wir sind nicht die Polizei mit dreißig Mann in der Soko. Ich denke, das Recherche-Budget ist begrenzt.«

»Wir haben keine Obergrenze. Aber es muss natürlich im Rahmen bleiben. Was schlagen Sie vor?«

»Es gibt eine Frau namens Tatjana Rommerskirchen. Sie war die Erste, die Sandner über den Tisch gezogen hat. Sagt Ihnen der Name etwas?«

»Hat sie eine Galerie?«

»Ja. Eine der führenden Galeristinnen in Köln.«

»Mein Mann vertritt auch einige bildende Künstler. Er hatte öfter mit Frau Rommerskirchen zu tun. Warum ist sie für uns interessant?«

»Unseren Informationen nach gibt es kaum jemanden, der Sandner so gehasst hat wie diese Frau.«

»Das wird der Staatsanwältin nicht reichen.«

»Ich glaube nicht, dass sie hinter dem Mord steckt. Das ist eine, die mit ihrem Hass hausieren geht und Sandner bei jeder sich bietenden Gelegenheit schlechtgemacht hat. So jemand greift selten zu physischer Gewalt. Außerdem ist es schon vier Jahre her, dass Sandner mit ihr Schluss gemacht hat. Warum sollte sie ihn jetzt auf einmal umbringen?«

»Was wollen Sie dann von ihr?«

»Sie hat Sandners weiteren Weg verfolgt, ist ihm nachgegangen bis an die Grenze zum Stalking und hat ihn, soweit man hört, nie aus den Augen gelassen. Vielleicht hat sie einen Tipp, wer brutal und wütend genug war, um Sandner in die Luft zu sprengen.«

»Gut. Dann reden wir mit der Frau.«

»Wir?« Baum klang leicht besorgt.

»Ja, ich komme mit nach Köln. Spricht was dagegen?«

»Nein, nein. Nur – Sie müssten den Aufwand nicht treiben. Es sei denn, Sie …«, er schien nach einer unverfänglichen Formulierung zu suchen, »… sehen einen Vorteil darin.«

»Ich will Ihnen nicht zu nahe treten, aber ich bin in der Welt von Frau Rommerskirchen vielleicht eher zu Hause als Sie. Es sei denn, Sie verkehren in der Galeristenszene.«

»Nicht sehr intensiv. Na gut. Kommen Sie mit. Aber ich muss Sie vorher briefen.«

»Aber selbstverständlich«, sagte Rachel. »Wir haben den ganzen Flug dafür.«

Ja, Rachel und Baum hätten den ganzen Flug Zeit fürs Briefing gehabt – hätten sie nebeneinandergesessen. Jedoch flog Baum Economy-, Rachel hingegen Businessclass. Rachel fürchtete, weiter hinten neben einem betrunkenen Fußballfan platziert zu werden. Außerdem hatte sie mal gelesen, dass die Plätze in der Nähe des Hecks im Fall eines Absturzes die unsichersten seien. Die Angst vor dem Absturz flog bei Rachel immer mit. Nachdem man die Sicherheitsgurte freigegeben hatte, kam Baum nach vorn und sagte, neben ihm sei noch ein Platz frei. Während er es sagte, plumpste die Maschine in ein kleines Luftloch, Baum musste sich am Gepäckfach festhalten. Rachel blickte ihn mit Leichenblässe im Gesicht an, zog den Gurt straff und sagte: »Bis zur Landung werde ich dieses Ding auf keinen Fall mehr öffnen. Außerdem kann ich mich gerade schwer auf Ihr Briefing konzentrieren.« Ein neuerliches Rumpeln ging durch den Flieger. Rachel fingerte aus dem Fach in der Rückenlehne vor ihr hektisch eine Kotztüte heraus und nahm sie in Gebrauch.

»Frau Rommerskirchen soll im Umgang etwas schwierig sein. Wir müssen uns auf Widerstand einstellen.«

Rachel, immer noch blass um die Nase, hörte Baums Ausführungen schweigend zu, während das Taxi sie über die Autobahn in die Kölner Innenstadt brachte.

»Wir müssen austesten, worauf sie anspringt. Ihr Part wäre es, falls erforderlich, an Frau Rommerskirchens weibliche Solidarität zu appellieren. Ich gebe Ihnen einen diskreten Hinweis, wenn es so weit ist.«

»Das heißt, in der Hauptsache führen Sie das Gespräch?«

»Richtig. Das hat nichts damit zu tun, dass ich's Ihnen nicht zutraue. Aber ich mache den Job seit einem Vierteljahrhundert. Einen kleinen Erfahrungsvorsprung werden Sie mir da hoffentlich zubilligen.«

»Absolut. Ich habe keine Ahnung, wie ich mit jemandem reden soll, der nicht unter Eid steht.«

Sie wurden von Anselm Olivier begrüßt, einem etwa vierzigjährigen Herrn mit angenehmen Manieren und exquisiter Garderobe. Dunkelblauer Anzug, dezente Paisley-

Weste, schneeweißes Hemd ohne Krawatte, nur die Schuhe sahen nach Design aus. Aber irgendwie konnte das Outfit nicht verleugnen, dass es teuer war, und alles wirkte, als wäre es vor fünf Minuten von einem Zalando für Fashion Victims geliefert und gleich angezogen worden. Kein Sitzfältchen, kein Stäubchen war zu erblicken, und mit der Bügelfalte hätte man Tomaten schneiden können. Rachel fragte sich, warum Hetero-Männer es nie schafften, so auszusehen.

»Schade, dass ich Ihnen nicht weiterhelfen kann«, sagte Olivier freundlich und ohne Kränkung im Ton, nachdem Baum darauf bestanden hatte, mit Frau Rommerskirchen persönlich zu sprechen.

»Ich schau mal, was ich für Sie tun kann.« Er verschwand hinter einer Rigipswand, an der ein großformatiges Gemälde hing. Eine Minute später tauchte er mit seiner Chefin wieder auf.

Tatjana Rommerskirchen, eine gepflegte Vierzigerin, blonder Pferdeschwanz, warf, während sie zur Begrüßung breit lächelte, einen Blick auf ihre Besucher. Rachel entsprach in ihrem Designer-Kostüm zu hundert Prozent der Kunstkäuferin, die Rommerskirchen gerne im Laden hatte. Baums Kleidung hingegen war blass, unauffällig und vermutlich auch nicht sehr teuer. Sie konnte sich keinen Reim auf ihn machen. Aber er war ihr immer noch lieber als Neureiche in albern glänzenden Seidenanzügen für fünftausend Euro.

»Was kann ich für Sie tun? Interessieren Sie sich für Attila Bor?« Rommerskirchen ließ ihre Hand dezent durch den Raum schweben. Anscheinend stammten die Gemälde von diesem Künstler.

»Jetzt, wo ich die Bilder sehe, bin ich sehr am Überlegen«, sagte Rachel. »Aber lassen Sie uns später darüber reden. Wir kommen in einer anderen Angelegenheit und würden uns gerne mit Ihnen unterhalten.«

Rommerskirchens Augenbrauen wanderten Richtung Haaransatz. »Worüber?«

»Eike Sandner«, sagte Baum.

Rommerskirchens Gesicht wurde zu Stein. Aber sie sagte nichts.

»Sie haben vielleicht mitbekommen, dass er vor Kurzem gestorben ist.«

»Jemand hat ihn in die Luft gejagt. Gut, dass Sie mich erinnern. Ich schulde der Dame noch ein Dankschreiben.«

»Das können Sie mir mitgeben. Ich bin ihre Verteidigerin. Rachel Eisenberg.« Rachel reichte Rommerskirchen eine Visitenkarte. »Das ist Herr Baum. Er ist Privatdetektiv.«

Baum lächelte verkrampft. Er schien nicht glücklich, dass Rachel die Wortführerschaft an sich gerissen hatte.

»Keine Karte?«, fragte Rommerskirchen.

»Bedaure. Wir haben keine.«

Rommerskirchen staunte. »Wie das? Haben Sie es nicht nötig?«

Auch dazu lächelte Baum, aber diesmal war es ein selbstbewusstes Lächeln.

Rommerskirchen nickte, obwohl ihr kaum klar sein konnte, was es mit Baums Lächeln auf sich hatte. Dann wandte sie sich an Rachel, die sie wohl für die Anführerin der Delegation hielt. »Was kann ich für Sie tun?«

»Frau Kellermann, die Frau, die wegen des Mordes an Herrn Sandner verhaftet wurde, behauptet, sie sei unschuldig. Tatsächlich spricht einiges dafür, dass man sie in eine Falle gelockt hat. Uns interessiert, wer sonst noch ein Interesse an Sandners Tod hatte.«

»Da nehmen wir doch gleich mal mich. Ich habe ihn aus ganzem Herzen gehasst. Wie kann ich zu den Ermittlungen gegen mich beitragen?«

»Sie stehen offen gesagt ganz unten auf der Liste der

Verdächtigen«, sagte Rachel. »Vor allem, weil Ihre Beziehung mit Sandner schon einige Zeit zurückliegt. Aber es hieß, Sie hätten einen guten Überblick, welchen Leuten Sandner geschadet hat.«

»Den habe ich. Aber ich sehe keine Veranlassung, mein Wissen mit Ihnen zu teilen.«

»Bedenken Sie bitte«, mischte sich Baum ein, »auch Frau Kellermann wurde von Sandner betrogen. Es wäre ein Akt der Solidarität, wenn Sie ihr helfen würden.«

»Solidarität? Welche Solidarität meinen Sie?«

»Nun ... unter Frauen. Unter Frauen, die ein ähnliches Schicksal teilen.« Baum wirkte unsicher, was Rachel bei ihm noch nie beobachtet hatte.

»Ach ja? Hat er Frau Kellermann auch um eine halbe Million erleichtert?«

»Finanziell ist kein Schaden entstanden. Aber er hat sie übel hintergangen.«

»Kein finanzieller Schaden? Sind Sie sicher, dass Sie von Eike Sandner reden?« Rommerskirchen sah zu der schlichten Bahnhofsuhr, die über der Eingangstür hing. Offenbar wollte man die Aufmerksamkeit der Besucher durch nichts von den Kunstwerken ablenken. »Ich kann Ihnen nicht helfen. Und jetzt entschuldigen Sie mich bitte.« Sie winkte ihrem Angestellten. »Falls Sie Interesse an den Bildern haben – Herr Olivier wird Sie gerne beraten. Und sein Espresso ist vorzüglich.«

»Frau Rommerskirchen!« Baum unternahm einen letzten Versuch. »Die Frau geht unschuldig ins Gefängnis, wenn Sie uns nicht helfen.«

»Das klingt irgendwie nach Erpressung. Aber wissen Sie was? Ich habe großes Vertrauen in unsere Justiz. Schönen Tag noch.«

Rommerskirchen verschwand hinter der Rigipswand. Olivier hielt dezent Abstand, unsicher, ob die Besucher von Rommerskirchens Angebot Gebrauch machen würden. Rachel und Baum konnten somit reden, ohne dass Olivier sie verstand.

»Die hasst Kellermann, weil Sandner ihr kein Geld abgenommen hat, ihr aber schon«, flüsterte Rachel.

»Kann man vorher nicht wissen.«

»Und jetzt?«

»Vielleicht kann man ihr etwas anbieten.«

Rachel sah sich nach Olivier um. Der stand weit entfernt am Counter und beschäftigte sich mit seinem Computer. »Was wollen Sie ihr denn anbieten?«

»Müsste ich noch überlegen.«

Rachel ließ Baum stehen, ging zu Olivier und lächelte ihn an.

»Können Sie mir ein bisschen was über Attila Bor erzählen?«

»Selbstverständlich. Espresso?«

»Gerne.«

»Attila ist ein Kölner Künstler. Frau Rommerskirchen hat ihn vor etwa fünf Jahren entdeckt.« Olivier steckte eine Kapsel in die Espressomaschine und schaltete sie ein. »Inzwischen ist er ein international beachteter Maler. Auf der letzten Art Basel wurden schon höhere fünfstellige Beträge bezahlt. Und das ist sicher nicht das Ende seiner Möglichkeiten. Wir denken, er wird jetzt erst richtig durchstarten, wie man so schön sagt.«

Rachel betrachtete die großformatigen Gemälde, eine interessante Mischung aus abstrakter Malerei und Fotorealismus, teils mit Collageelementen.

»Wer kauft so was?«, fragte sie.

Olivier stellte den Espresso auf den Tisch und sah Baum fragend an. Baum winkte ab.

»Privatleute aus aller Welt. Sammler …«, beantwortete Olivier Rachels Frage. »Zwei Bilder sind nach Japan gegangen, eins in eine Kunstsammlung nach Dubai. Das schönste an einen unbekannten Käufer. *Rot auf Braun* –

ein unglaubliches Bild. Wir haben es nur ungern hergegeben. Aber so ist das, sie verkaufen, was sie lieben. Schön und traurig zugleich.«

»Ja, da haben Sie recht.«

Rommerskirchen steckte den Kopf hinter der Rigipswand hervor.

»Oh – Sie sind noch da?«

»Ja. Die Bilder haben es mir angetan. Ich hatte das Gefühl, ich hätte sie schon einmal gesehen. Nicht diese hier. Aber Bilder von Attila Bor.«

»Ja. Der Stil ist unverwechselbar.« Rommerskirchen stellte sich neben Rachel, und sie betrachteten gemeinsam eins der Gemälde.

»Kann es sein, dass Sandner sie gesammelt hat?« Rachel drehte sich zu Rommerskirchen und hob defensiv die Hände. »Entschuldigen Sie. Ich wollte nicht wieder damit anfangen.«

»Nein. Kein Problem.« Sie vertiefte sich in den Anblick des Gemäldes, und ihre Gesichtszüge bekamen etwas Mildes. »Er mochte Attila sehr.«

»Muss wohl so sein. Er hat Judith Kellermann einen Bor geschenkt.«

»Tatsächlich!« Rommerskirchens Interesse schien jetzt aufs Äußerste geweckt. Sie wandte sich an Olivier, der noch an der Espressomaschine stand. »Anselm – du kannst jetzt Mittag machen.«

Olivier zögerte, verstand es als Rauswurf, was es auch war. Rachel vermutete, dass die Galeristin es bevorzugte, nicht in Oliviers Gegenwart von Sandner zu sprechen. Sie ahnte den Grund.

Als Olivier endlich aus dem Laden war, nahm Rommerskirchen den Gesprächsfaden wieder auf. »Er hat dieser Frau tatsächlich einen Bor geschenkt? Können Sie sich erinnern, wie er aussieht?«

»So in Rot und Braun, würde ich sagen.«

»Rot und Braun?« Rommerskirchen schien sehr erstaunt. »Es gibt ein Bild, das heißt *Rot auf Braun,* ist aber in Blautönen gehalten. Der Titel ist ironisch gemeint.«

»Ja genau. *Rot auf Braun.*«

»Das gibt's ja nicht.« Rommerskirchen schüttelte fassungslos den Kopf.

»Was ist daran so besonders?«

»Das Bild wurde anonym gekauft. Ich hatte keine Ahnung, dass Eike dahintersteckt.« Sie atmete tief durch und schien schwer Luft zu bekommen. »Das muss ich erst mal verarbeiten.«

»Er schien übrigens viel über Sie geredet zu haben. Nach dem, was Frau Kellermann sagt. So sind wir überhaupt auf Sie gekommen.«

»Geredet? Was ... was sollte er schon über mich reden? Die Sache ist vier Jahre her. Das hatte er wahrscheinlich längst vergessen.« Sie lachte und versuchte auf jämmerliche Weise, uninteressiert zu wirken.

Rachel spürte förmlich, wie Rommerskirchen an ihren Lippen klebte. Sie drehte sich zu Baum, der etwas konsterniert wirkte. »Wollten Sie nicht jemanden anrufen?«

Baum nickte und verabschiedete sich hastig. Beim Hinausgehen murmelte er: »Ich glaub's einfach nicht!«

Als er draußen war, drehten sich die Frauen wieder dem Gemälde zu, betrachteten es nebeneinanderstehend wie Besucher im Museum.

»Was hat Sandner über mich erzählt? Nicht dass es mich wirklich interessiert. Ich find's nur erstaunlich, dass er überhaupt über mich gesprochen hat.«

»Im Einzelnen kann ich Ihnen das nicht sagen. Ich war nicht dabei. Aber was Frau Kellermann so erzählt hat ... nun ja, die Zeit mit Ihnen hat ihn irgendwie beeindruckt.« Rachel sah sich um. »Es hat ihn, wie es scheint, in seiner persönlichen Entwicklung weitergebracht. Kunst war vorher nicht seine Welt.«

»Typisch. Mir hat er erzählt, er hätte ein paar Semester Kunstgeschichte studiert.«

»Ja«, lachte Rachel. »Das klingt ganz nach Sandner.«

»Absolut. So war er.« Wehmut und Melancholie hatten Rommerskirchen ergriffen, und wohl auch ein paar schöne Erinnerungen – sie lächelte. »Da hab ich ihm also was beigebracht, wie?«

»Ja, er hat sich bis zum Schluss viel mit Malerei beschäftigt.«

»Und wissen Sie«, Rommerskirchen biss sich auf die Lippe, »wenn er etwas zu den Bildern gesagt hat, dann war das immer auf den Punkt. Er war ein Schwein. Aber er war unglaublich klug. Und natürlich charmant.« Sie verschränkte die Hände vor der Brust. »Dass wir auch immer wieder auf diese Kerle reinfallen.« Sie lachte, schüttelte den Kopf und wischte ein Tränchen weg.

Rachel war noch nie auf jemanden wie Sandner reingefallen. Dazu musste man ein bestimmter Typ Frau sein. Trotzdem sagte sie: »Ist halt so. Wenn sie dich anlächeln, bist du wehrlos.«

Rommerskirchen nickte nachdenklich. Es war eine delikate Mischung aus warm-goldener Erinnerung an verliebte Tage, Kränkung und der Trauer darüber, dass ihr Geliebter sterben musste.

»Was wollen Sie von mir wissen? Wer außer mir Eike Sandner gehasst hat?«, fragte Rommerskirchen unvermittelt.

»Da haben wir einen ganz guten Überblick«, sagte Rachel. »Von Ihnen würden wir gerne wissen, wer von diesen Leuten die kriminelle Energie hätte, Sandner zu ermorden.«

»Schwierig. Man sieht den Leuten den Mörder nicht an. Aber ich hätte einen guten Tipp.«

»Wer?«

»Keine Ahnung, wie er heißt.«

Rachel sah Rommerskirchen irritiert an.

»Vor zwei Jahren wurde Eike nachts zusammengeschlagen. Von Rockern. Und zwar ziemlich übel. Er lag drei Wochen im Krankenhaus. Es hätte auch tödlich ausgehen können.«

»Was hatten die Rocker gegen Sandner?«

»Nichts. Das war ein Auftragsjob. Wurde jedenfalls gemunkelt. Und Gerüchte sind recht zuverlässig in Köln. Wir haben den Klüngel schließlich erfunden.«

»Was wurde über den Auftraggeber gemunkelt?«

»Nur Vermutungen, nichts Konkretes. Angeblich jemand aus der Medienbranche. Warum schicken Sie nicht Ihren Detektiv zu den Rockern? Vielleicht erzählen sie's ihm.«

12

Sie saßen in einem der zahlreichen japanischen Lokale in der Kölner Innenstadt, und Baum steckte sich lustlos Sushi-Happen in den Mund.

»Ich kann's immer noch nicht fassen«, murmelte er und schüttelte den Kopf. »Ich hab gedacht, die hasst den Kerl.«

»Tut sie auch.«

»Warum kriegt sie dann feuchte Augen, nur weil er ein Bild von ihrem Lieblingsmaler gekauft hat?«

»Sie liebt ihn immer noch.«

»Aha … kann es sein, dass es zwischen Ihren beiden Aussagen einen Widerspruch gibt?«

Rachel dachte zum Schein einen Augenblick nach, dann sagte sie »Nein« und rührte noch etwas Wasabi-Paste in die Sojasoße.

»Bin ja immer dankbar, wenn ich noch was dazulernen darf.« Baum sah wehmütig aus dem Fenster. Auf der anderen Straßenseite war ein Dönerladen.

»Schmeckt's Ihnen nicht?«

»Roher Fisch ist nicht so mein Ding.«

»Dafür sind Sie recht geschickt mit den Stäbchen.«

Baum zuckte mit den Schultern. »Meine Freundin hat mich mal zu einem Kurs mitgenommen. Damit ich ein bisschen Stil kriege. Stil ist aber auch nicht mein Ding.«

»Das kann man ändern. Ein neuer Anzug zum Beispiel wirkt Wunder. Wir gehen nachher in den Laden da an der Ecke und schauen, ob wir was Hübsches für Sie finden.«

»Schwule Klamotten sind erst recht nicht mein Ding. Ich trage diese grauen Anzüge ja nicht zum Spaß. Sondern um unauffällig zu sein.«

»Das kriegen Sie allerdings großartig hin.«

Baums Handy klingelte. Er nahm das Gespräch an, entschuldigte sich und ging vors Lokal. Nach weniger als fünf Minuten kam Baum wieder an den Tisch zurück mit der Information, dass ein Mann namens Hans Mangelsdorfer, wegen seiner rechtsrheinischen Herkunft in Fachkreisen auch Schäl Sick Hennes genannt, Eike Sandner überfallen und übel zugerichtet habe. Daraufhin hatte Axel Baum einen seiner Kontaktleute, deren Identität er geheim hielt wie die Coca-Cola-Rezeptur, angerufen und gefragt, ob der ihm eine Verbindung mit jemandem herstellen könne. Ganz wohl war ihm nicht gewesen bei der Sache, denn die Gang um Mangelsdorfer galt als gefährlich.

»Haben wir zweitausend Euro?«

»Für einen Informanten?«

»Einer von Mangelsdorfers Leuten ist anscheinend bereit, uns was zu erzählen. Bedingung ist, dass sein Name aus dem Spiel bleibt. Und vor Gericht wird er natürlich auch nicht aussagen.«

»Aber wir hätten dann eine interessante Spur, und Sie könnten weiterrecherchieren?«

»Wenn er keinen Mist redet.«

»Zweitausend Euro?«

»Kann man sicher noch runterhandeln.«

»Und wie soll ich das abrechnen? Unterposten Schmiergeld?«

»Wir schreiben beide ein paar Stunden mehr auf.«

Rachel überschlug im Kopf, wie viele Stunden das bei Baum und bei ihr waren. Die Fahrt nach Köln rechnete sie allerdings nicht mit fünfhundert Euro die Stunde ab. Das wäre dann doch etwas teuer.

»Na gut. Sagen Sie, er kriegt tausend.«

Baum führte ein weiteres Telefonat. Man einigte sich schließlich auf zwölfhundert Euro.

Währenddessen rief Rachel Oberstaatsanwalt Schwind

an. Er hatte, obwohl eingefleischter Bayer, ein paar Jahre als Staatsanwalt im Bereich Organisierte Kriminalität in Leverkusen gearbeitet und unterhielt vermutlich noch Kontakte in die dortige Ermittlerszene.

»Frau Kollegin, was verschafft mir die Ehre?« Schwind saß gerade beim Mittagessen in der Bar Juve.

»Ich möchte Ihnen einen Vorschlag machen«, sagte Rachel.

»Wenn Sie einen Deal wollen, müssen Sie mit Frau Wittmann reden.«

»Ich brauche jemanden, der sich in Köln auskennt.«

»Die Polizei in Köln hat bereits alles Erforderliche recherchiert.«

»Das sehe ich, wie Sie wissen, anders. Und unsere bisherigen Nachforschungen geben uns recht. Möchten Sie Bescheid wissen, wenn wir etwas finden, was Ihnen den Prozess verhageln könnte?«

»Ich dachte, die Chance hätte ich ein für alle Mal vertan.«

»Wenn Sie uns bei den Recherchen behilflich sind, hätten Sie Anspruch auf ein paar Brosamen der Erkenntnis, die ich vielleicht vom Tisch fallen lasse.«

Schwind lachte und wurde in dem Augenblick von Scronti, dem Wirt der Bar, angesprochen, was in der Bestellung eines Espresso endete. »Entschuldigung. Scronti ist heute sehr hektisch. Er ist der Letzte, der Ancelotti noch die Stange hält.« Er wechselte die Stimmlage. »Ich kann also durch tätige Mitarbeit verhindern, dass Sie uns bei dem Kellermann-Prozess den Dolch in den Rücken stoßen?«

»Und Sie müssen nicht einmal viel dafür tun. Ein paar unverfängliche Auskünfte reichen.«

»Was wollen Sie wissen?«

Eine Viertelstunde später hatte Rachel die wichtigsten Informationen über Mangelsdorfer und die Aktivitäten der Kölner und Leverkusener Staatsanwaltschaft. Natürlich nur, soweit das ohnehin öffentlich zugängliches Wissen war – mit ein paar interessanten Ausnahmen. Schäl Sick Hennes beschäftigte die Ermittlungsbehörden seit drei Jahrzehnten und war auf dem Weg zum Mythos.

Der Informant, den Rachel und Baum treffen wollten, hörte auf den Namen Dennis. Auch Baums Kontaktmann wusste nicht, wie der junge Mann mit bürgerlichem Nachnamen hieß. Schwind versprach, bei seinen Kölner Kollegen nachzufragen.

Das Treffen sollte abends um neun auf einem Schrottplatz stattfinden, zu dem Dennis einen Schlüssel hatte.

»Was hat das für einen Zweck? Außer dass Sie mich begrapschen können?«

»Das ist zugegebenermaßen ein Vorzug dieses Geräts.« Baum zog ein Kabel durch Rachels Jackett und stöpselte es an ein kleines Kästchen in der Innentasche. »Außerdem weiß man nicht, was bei so einem Treffen passiert. Kann nicht schaden, wenn wir ein paar Aufnahmen machen.«

Baum montierte gerade eine Bodycam bei Rachel. Die Kamera war als kleine Brosche am Revers getarnt.

»Überlegen Sie bitte noch mal genau, ob Sie mitkommen wollen. Das kann ungemütlich werden.«

»Ich will nicht alles aus zweiter Hand erfahren. Und ich hab großes Vertrauen, dass Sie die Situation im Griff haben.«

»Darf ich ehrlich sein? Das Vertrauen habe ich bei Ihnen nicht. Wollen Sie wirklich in diesen Schuhen gehen?«

Rachel trug Pumps mit acht Zentimeter hohen Absätzen.

»Andere hab ich nicht dabei. Ich laufe wunderbar darin.«

»Wir gehen auf einen Schrottplatz.«

»Steigen wir auf Autowracks herum?«

Baum gab seufzend auf und nestelte an den Kabeln, bis er zufrieden war. Er trug Jeans und eine Schimanski-Jacke, die er seit den Neunzigerjahren besaß.

»Und, Q? Sind die Bastelarbeiten beendet?«

»Technik ist das A und O in unserem Metier. Rettet Ihnen vielleicht das Leben.«

»Kann man mit dem Teil auch schießen?«

Baum murmelte Unverständliches und steckte zwei etwa zehn Zentimeter lange, zylinderförmige Gegenstände mit Löchern und einer Art Hebel an den Seiten in seine Jacke.

»Sind das Handgranaten?«, fragte Rachel beunruhigt.

»Irritationswurfkörper.« Baum lächelte. »Na ja, man kann auch Blendgranaten sagen. Nur für alle Fälle.«

Ein Handy klingelte. Der Klingelton kam aus Rachels Handtasche. Die Nummer auf dem Display sagte Rachel nichts. Sie sah zu Baum, und ihr Herz schlug schneller. Baum nickte, sie nahm das Gespräch an.

»Eisenberg?«

»Hallo. Hier ist Dennis. Wir sind verabredet.« Der Mann klang souverän und ruhig. Rachel hatte eine unreife Stimme mit nervösem Einschlag erwartet. Ein junger Kleinkrimineller, der sich das Geld für die neue Lederjacke verdienen wollte.

»Schönen guten Abend, Dennis. Sie müssten uns noch die Adresse des Treffpunkts verraten.« Baum wedelte mit der Hand. »Ich geb Sie mal weiter.«

»Ich möchte mit *Ihnen* reden.« Dennis klang sehr bestimmt.

»Okay ...« Rachel wandte sich verunsichert an Baum. »Er will mit mir reden.«

Baum signalisierte sein Einverständnis. Glücklich war er darüber nicht.

»Okay«, sagte Rachel. »Ich brauch nur was zum Schreiben.«

»Stellen Sie auf laut«, sagte Baum.

»Kann ich auf laut stellen?«, fragte Rachel ins Handy.

»Wie viele Leute sind denn noch da?«

»Außer mir ist nur Herr Baum …«

»War ein Scherz. Und jetzt im Ernst. Sie reden, ich höre, ich rede, Sie hören – und sonst niemand.«

»Na gut …« Sie sah zu Baum. Der nahm Dennis' Ablehnung, auch ohne dass es Rachel erklären musste, zur Kenntnis und reichte ihr Block und Stift. »Dann sagen Sie mir jetzt die Adresse?«

»Sie fahren über die Mülheimer Brücke, dann links auf den Clevischen Ring Richtung Norden, dann rechts in die Berliner Straße, und da halten Sie, sobald es geht.«

»Da ist ein Schrottplatz?«

»Da bekommen Sie meinen nächsten Anruf.«

»Wann rufen Sie an?«

»Wenn Sie da sind.«

»Das kann aber dauern. Vielleicht sollten wir besser einen festen Zeitpunkt …« Dennis hatte aufgelegt.

Die Fahrt mit dem Mietwagen durch die Kölner Innenstadt war verwirrend. Rachel hatte den Eindruck, dass Baum planlos hin und her fuhr. Aber die Lage der Einbahnstraßen erzwang die Route. Rachel wäre jetzt doch lieber im Hotel geblieben. Nur – die Option gab es nicht mehr. Dennis wollte mit *ihr* reden. Baum gefiel das alles nicht, und er bot an, die Operation abzubrechen. Fast hätte Rachel eingewilligt. Aber jetzt, wo sie so nah dran waren an einer heißen Spur, wollte sie nicht aufgeben.

»Warum sagt er uns nicht einfach die Adresse?« Rachel entdeckte im Vorbeifahren das 4711-Haus zwischen anderen beleuchteten Geschäften.

»Als Vorsichtsmaßnahme. So kann er sehen, ob uns jemand folgt. Wenn er nur die Adresse angibt, weiß er nicht, welche Route wir nehmen und ob wir nicht die Polizei mitbringen. Zum anderen ist das eine Machtdemonstration. Dennis ist ein kleines Licht und will mal den großen Gangster spielen. So tun, als hätte er eine große Gang im Rücken. Immerhin hat er Ihre Handynummer rausgefunden. Oder steht die auf der Kanzlei-Homepage?«

»Meine Mandanten sind Schwerverbrecher. Glauben Sie, denen gebe ich meine Handynummer?«

»Dann ist der Junge gar nicht ungeschickt. Ein Grund mehr, vorsichtig zu sein.«

In der Berliner Straße stellten sie sich in die nächste Hofeinfahrt. Kaum hatte Baum den Motor ausgeschaltet, klingelte Rachels Handy.

»Sie lassen das Handy jetzt an und fahren, wie ich es Ihnen sage.«

Rachel gab die Instruktion an Baum weiter, der den Wagen startete.

Die Route führte sie durch leere Straßen mit Büro- und Fabrikationsgebäuden, die jetzt, am Abend, verlassen waren. Nur bei einigen Bordellen zeigte in Rot gehaltene Beleuchtung an, dass man auf Kundenverkehr eingestellt war. Nach einiger Zeit wurden die Bürogebäude seltener, die Areale größer, die meisten von Mauern umgeben. Am Ende einer Sackstraße tauchte ein elektrisches Schiebetor auf. Es verschloss die Einfahrt zu einem Gelände, das von außen nicht einsehbar war, denn das Tor war mit blickdichten Aluminiumplatten verkleidet worden. Über den stacheldrahtbewehrten Betonmauern blinkten die Spitzen von Metallbergen im Scheinwerferlicht, sie sahen eigenartige Dinge, zum Teil lackiert, zum Teil verrostet, zum Teil beides. Für Rachel wirkten sie wie die Innereien von industriellen Großanlagen – Raffinerien, Walzstraßen, Hochöfen, abgerissen, ausgeschlachtet und im Wartestand in dunkler Nacht auf einer Station im ewigen Kreislauf des Stahls.

»Sie sind jetzt da und werden mich finden«, beendete Dennis das Gespräch.

»Ich check mal die Lage«, sagte Baum und stieg aus.

Der Wagen stand etwas neben dem Schiebetor. Baum ließ eine große Taschenlampe kreisen. Der Platz war fast vollständig von Betonmauern umgeben, auf der gegenüberliegenden Seite war eine alte Lagerhalle aus Backstein mit eingeschlagenen Fenstern. Baum war jetzt beim Einfahrtstor angelangt. Es stand etwa einen halben Meter weit offen.

»Ich hatte den Eindruck, es war zu, als wir gekommen sind. Können Sie sich erinnern?«

Rachel, die inzwischen zu Baum aufgeschlossen hatte, zuckte mit den Schultern.

»Ich hätte auch gesagt, es war zu. Aber bei dem schlechten Licht …«

Hinter dem Tor war es vollkommen dunkel, bis auf einen Lichtstreifen, der durch die Öffnung zur Straße fiel, und etwas Streulicht von den Laternen außerhalb des Grundstücks. Bereits nach wenigen Schritten stolperte Rachel über ein herumliegendes Auspuffrohr und musste Baums stützende Hand in Anspruch nehmen. Bei der nächsten Dienstreise mit dem Detektiv würde sie Sneakers mitnehmen.

Baum schwenkte den Kegel seiner großen Maglite über den Boden. Das Auspuffrohr war nicht die einzige Gefahrenquelle. Es gab Schlaglöcher im Asphalt, und immer wieder lagen kleinere Metallteile herum, die anscheinend beim Transport heruntergefallen waren.

»Bleiben Sie dicht hinter mir und schauen Sie auf den Boden.«

»Oh, das werde ich tun«, sagte Rachel und schaltete die Taschenlampenfunktion ihres Handys ein.

Baum ging bis zur nächsten Wegkreuzung und leuchtete in die Seitenwege hinein. Es war niemand zu sehen.

»Warum zeigt er sich nicht?«, fragte Rachel leise.

»Wahrscheinlich irgendein Machtspielchen.« Baum lauschte in die Nacht. Von fern kamen Verkehrsgeräusche. Auch Rachel lauschte und fragte sich, ob sie jemand in eine Falle gelockt hatte.

Mit einem Mal trug der Wind ein dumpfes, gepresstes Ächzen herbei. Dann war wieder Ruhe.

»Haben Sie das gehört?« Rachel blickte Baum besorgt an. »Das klang furchtbar. Was war das?«

»Ich weiß es nicht.«

Beide schwiegen und warteten, dass sich das Ächzen wiederholte.

»Vielleicht hat sich ein Metallteil verschoben«, sagte Baum schließlich. »Die machen manchmal solche Geräusche.«

Rachel nickte, war aber nicht wirklich beruhigt. Sie nahm ihr Smartphone zur Hand. »Ich ruf ihn an und frag, ob sich was geändert hat.«

Baum ließ sie gewähren und leuchtete, während sie wählte, mit seiner Taschenlampe die Gegend ab.

»Nur die Box.« Rachel steckte das Handy weg und verschränkte die Arme. Sie fröstelte.

»Wenn Sie wollen, brechen wir ab.«

Rachel schüttelte den Kopf und sah sich ängstlich um. In diesem Moment hörten sie wieder ein Stöhnen.

»Es kam von dahinten.« Baum setzte sich in Bewegung.

Sie gingen durch Berge von rostigen Tanks, Wärmetauschern und Lkw-Skeletten hindurch. In die nächste Quergasse bog Baum ein – und hielt an. Auch Rachel stoppte.

»Da vorn ist was. Können Sie das sehen?«

Baum deutete die Gasse hinunter. Dort war ein sehr schwacher Lichtfleck. Wenn man länger hinsah, flackerte er ein wenig und war auf der rechten Seite senkrecht abgeschnitten.

»Was ist das?«

Baum machte seine Maglite aus, Rachel ihre Handylampe.

Nachdem er eine Weile angestrengt in Richtung des Lichtstrahls gestarrt hatte, sagte Baum: »Würde sagen, fünfzig Meter voraus steht ein alter Bus, von uns aus hinter dem Bus ist eine schwache Lichtquelle, vielleicht eine Kerze.«

Rachel räusperte sich. Ihr Herz schlug heftig.

»Aufgeregt?« Baum sah sie besorgt an.

»Sie nicht?«

»Geht so.« Er griff in seine Jackentasche, zog eine Pistole hervor und entsicherte sie.

»Glauben Sie, die ist nötig?«, flüsterte Rachel.

»Ich glaube gar nichts. Ich will sie nur dabeihaben.« Er sah sich um und schien nichts Verdächtiges zu entdecken. »Bleiben Sie zwei Schritte hinter mir.«

Baum ging zügig und doch vorsichtig-umsichtig auf die Lichtquelle zu. Ein Motorrad heulte weit entfernt auf, sonst war es still. Rachel hörte ihre Absätze auf dem Teerboden klackern und fühlte sich schuldig, die nächtliche Stille zu stören. Baum hatte Kreppsohlen.

Es war das Heck eines alten Reisebusses, der das Ende der Gasse markierte. Geradeaus lag ein Teil der Betonmauer, die das Areal umgab. Der Schrottwall rechter Hand reichte bis dorthin. Links hingegen war freier Raum bis zur Mauer, an die nur eine Sammlung alter Aluminiumleitern angelehnt war. Baum sah vorsichtig um das Heck des Busses herum. Das Flackerlicht schien in der Tat von einer Kerze zu kommen. Auf die Wand mit den Leitern fiel ein Schatten. Ein riesiger Stuhl wurde in ihrer ganzen Höhe auf die Wand projiziert. Auf dem Stuhl saß jemand.

»Dennis?«, flüsterte Rachel.

Baum nahm die Waffe in beide Hände. Dann ging er

langsam aus der Deckung des Busses. Als er sah, was den Schatten verursachte, blieb er stehen und ließ die Pistole sinken. Nach ein paar Sekunden drehte er sich zu Rachel um und sagte: »Bleiben Sie am besten, wo Sie sind.«

13

Der Mann war mit Panzerband an einen Gartenstuhl gefesselt, sein Gesicht grün, blau und schwarz geschlagen und so geschwollen, dass man seine Gesichtszüge nur erahnen konnte. Aus mehreren Risswunden am Kopf war Blut ausgetreten, teils feucht glänzend, teils getrocknet. Rachel hatte kurz gezögert und dann Baums Empfehlung ignoriert. Der Anblick, obgleich auf Schlimmes vorbereitet, hatte sie für Sekunden gelähmt.

»Rufen Sie einen Krankenwagen und die Polizei«, hatte Baum gesagt. Diese Aufgabe hatte ihr etwas Fassung zurückgegeben. Nachdem der Anruf getätigt war, trat sie zu Baum, der den Mann jetzt ansprach. Er lebte, schüttelte aber nur kraftlos den Kopf.

»Sollten wir ihn nicht losmachen?«, fragte Rachel.

»Das soll der Notarzt entscheiden. Vielleicht ganz gut so, sonst kippt er auf den Boden.«

Die wenigen Minuten bis zum Eintreffen des Rettungswagens zogen sich wie Stunden. Rachel kniete neben ihm, hatte die Hand auf seinem blutverschmierten Arm und wiederholte unablässig, dass gleich der Arzt kommen würde. Aber das schien den Mann nicht zu interessieren.

»Sind Sie Dennis?«, fragte irgendwann Baum.

Der Mann stöhnte und hustete etwas Blut. Es war offensichtlich, dass er keine Silbe mit ihnen reden würde. Dann fiel ihm der Kopf auf die Brust, und er begann zu zittern. Baum legte dem Mann seine Schimanski-Jacke über die Schultern.

Der Krankenhausflur war in Lindgrün gehalten, die Sitzbänke in Beige, beides wirkte im Neonlicht der Deckenlampen bei Weitem nicht so beruhigend, wie sich der Innenarchitekt der Klinik das wohl vorgestellt hatte. Rachel blickte nach unten auf ihre Pumps, die schwarz auf hellgrünem Linoleum standen, ziemlich zerkratzt, an einer Stelle war das Leder eingerissen. Es widerstrebte ihr, Schuhe für sechshundert Euro wegzuwerfen. Aber was sollte man damit sonst machen? Sie hatte sie zweimal getragen. *Das nächste Mal Sneakers* ging ihr nicht zum ersten Mal an diesem Abend durch den Kopf.

Die Polizisten, die fast gleichzeitig mit dem Notarztwagen eingetroffen waren, hatten Fragen gestellt. Baum hatte das Reden Rachel überlassen. Normalerweise war das sein Job, wenn er mit einem Klienten vor der Polizei stand. Das galt offenbar nicht, wenn der Klient Strafverteidigerin war.

»Wir waren mit dem Mann verabredet«, hatte Rachel erklärt. »Jedenfalls denken wir, dass er das war.«

»Hier draußen?« Der Polizist hatte etwas irritiert die Umgebung betrachtet.

»Ja. Er wollte uns Informationen zu einem Überfall auf einen Mann namens Eike Sandner liefern. Liegt schon ein paar Jahre zurück. Den Überfall haben vermutlich die Leute von Hennes Mangelsdorfer verübt. Ist Ihnen sicher bekannt.«

»Wer kennt ihn nicht.«

»Wir interessieren uns für den Auftraggeber dieses Überfalls. Das scheint aber jemandem nicht zu gefallen.«

»Mangelsdorfer?«

»Möglich.«

»Warum gehen Sie mit Ihrem Verdacht nicht zur Polizei?«, hatte sich der Kollege des Polizisten eingemischt.

»Fragen Sie Ihre Münchner Kollegen, die im Mordfall Sandner ermitteln.«

»Dieser Sandner wurde bei dem Überfall getötet?«

»Nein, das sind zwei verschiedene Taten. Der Mord liegt erst zwei Wochen zurück. Die Kölner Kripo hat auf Ersuchen der Münchner Kripo in dem Mordfall ermittelt, sieht aber offenbar keine Notwendigkeit für weitere Nachforschungen.«

»Und Sie sind?«

»Rachel Eisenberg, die Verteidigerin der Beschuldigten. Das ist Herr Baum. Er arbeitet für mich.«

Der Polizist hatte sich murmelnd die Namen Sandner und Mangelsdorfer notiert. Dann fragte er, wie genau sie den Verletzten gefunden hatten. Rachel übergab an Baum, der den Polizisten beschrieb, was sich abgespielt hatte.

»Sie müssen nicht hier warten«, sagte Baum.

Man hatte den jungen Mann ins Krankenhaus gefahren. Die Kopfverletzungen waren das kleinste Problem. Er hatte Knochenbrüche und innere Blutungen.

»Weiß nicht«, sagte Rachel und knetete den Plastikbecher mit dem Kamillentee, den ihr Baum besorgt hatte. »Ich hab ihn hierhergebracht.«

»Mangelnde Vorsicht und Geldgier haben ihn hergebracht. Wenn du dich mit Gangstern einlässt, weißt du, dass du eines Tages so enden kannst – oder schlimmer.«

»Kaum vorstellbar.«

»Es geht schlimmer. Glauben Sie mir.«

Sie hingen eine Weile ihren Gedanken nach. Ein Arzt ging an ihnen vorbei.

»Was wissen Sie über mich?«, fragte Rachel plötzlich, als habe sie diese Frage die ganze Zeit über beschäftigt.

»Was meinen Sie?«

»Sie sind ausgesprochen gründlich. Sie haben sich doch über mich erkundigt, oder?«

»Nun ja, das gehört zum Geschäft. Ich muss wissen, mit wem ich es zu tun habe.«

»Also, was wissen Sie über mich?«

»Sie sind erfolgreiche Strafverteidigerin. Sie betreiben Ihre Kanzlei zusammen mit Ihrem Mann, von dem Sie getrennt leben, haben eine Tochter …«

»Das meine ich nicht«, unterbrach sie ihn.

»Was meinen Sie dann?«

Rachel sah ihn lange an, unsicher, ob sie die Frage stellen sollte. Aber es war ein Test, und das Ergebnis würde interessant sein.

»Haben Sie Geheimnisse entdeckt?«

»Kommt drauf an, was Sie unter Geheimnis verstehen.«

»Etwas, das andere nicht über mich wissen.«

»Wenn ich es wüsste, wäre es kein Geheimnis mehr.«

»Sie wissen, was ich meine.«

»Nun ja …« Baum räusperte sich und schien ein wenig verlegen. »Sie haben mit dreizehn einige Zeit in einer psychiatrischen Einrichtung verbracht.«

»Warum war ich da?«

»Das haben wir nicht herausbekommen. Es gibt Recherchegrenzen, die ich nur überschreite, wenn es sich lohnt. Ich vermute aber, es hängt mit dem Tod Ihrer Schwester Hannah zusammen.«

»Sie sind Ihr Geld wert.« Rachel starrte auf die gegenüberliegende Wand in Lindgrün und sagte lange nichts mehr.

Baum nahm es zur Kenntnis. Rachel vermutete, dass er sich seine Gedanken gemacht hatte und gerne gewusst hätte, was damals vorgefallen war. Neugier war Teil seiner DNA. Oder hatte er es herausgefunden, sagte es aber nicht? Sie überlegte, wer von der Sache heute noch wusste und wen Baum anzapfen könnte. Fast alle, die es wussten, waren beruflich zur Verschwiegenheit verpflichtet oder tot. Ja, vielleicht hatte Baum es wirklich nicht herausbekommen. Mit Sarah und Sascha war Baum jetzt der dritte Mensch in kurzer Zeit, der sich für Ereignisse interessierte, die Rachel am liebsten vergessen hätte. Manchmal gab es Zeichen, und wenn sie diese Zeichen richtig deutete, dann würde die Vergangenheit demnächst aus ihrem zubetonierten Grab hervorbrechen.

Am Ende des Ganges regte sich etwas, eine Frau kam durch die Milchglastür. Sie war in Rachels Alter, trug Jeans und ein Jackett und Sportschuhe, keine teure Markenware, aber Ausdruck des Bemühens, einen gepflegten Eindruck zu machen. Neben der Frau ein junges Mädchen, vielleicht zwölf Jahre alt. Sie gingen mit schnellen Schritten, ihre Gesichter waren angespannt, angstvoll und blass. Als sie Rachel und Baum passiert hatten, blieben die beiden stehen und sahen sich nach medizinischem Personal um. Es war aber im Augenblick niemand auf dem Gang. War das Dennis' Mutter? Sah so die Mutter eines Gangmitglieds aus?

»Wissen Sie, wo die Ärzte sind?« Die Frau war vor Rachels Bank getreten. Ihre Gesichtsfarbe sah grauenhaft aus in dem grünen Neonlicht, das von den Wänden reflektiert wurde. Sie war erschöpft und würde bald weinen.

»Ab und zu kommt einer vorbei«, sagte Rachel.

Wie zur Bestätigung öffnete sich im gleichen Moment eine Glastür, und ein Arzt kam auf den Gang.

»Sind Sie Angehörige von Dennis Malewski?«, fragte er in die Runde von Frau, Tochter, Rachel und Baum, die gerade eine Gruppe bildeten.

»Ich bin die Mutter«, antwortete die Frau und wagte nicht, sich nach dem Befinden ihres Sohnes zu erkundigen.

»Ah so!« Der Arzt war überrascht und sah Rachel an. »Sie … sind nicht …?«

»Nein«, sagte Rachel, »wir sind keine Verwandten. Ich denke, wir gehen dann.«

Baum stand stumm nickend von der Bank auf, und sie verabschiedeten sich leise murmelnd von den anderen. Als sie die Stationstür am Ende des Ganges erreichten, drehte sich Rachel noch einmal um. Die Frau hatte ihre Tochter, die weinte, in den Arm genommen, der Arzt blickte angespannt und betroffen aus tief liegenden Augen.

Baum ließ sich an der Pforte mit der Unfallchirurgie verbinden, gab sich als Kripobeamter aus und fragte, ob Dennis Malewski schon vernehmungsfähig sei. Der Arzt klärte ihn auf, dass man den jungen Mann in ein künstliches Koma versetzt hatte, und es sei ungewiss, ob man ihn überhaupt noch einmal würde befragen können.

Auf dem Weg ins Hotel schwiegen sie. Sie wünschten sich wortkarg gute Nacht vor den Hotelzimmern und verschwanden hinter ihren Türen.

Rachel verharrte einen Augenblick im dunklen Zimmer, ohne die Plastikkarte in den Schlitz neben der Tür zu stecken. Laternenlicht kam von draußen, gedämpft wie der Straßenlärm. Der Couchtisch aus Glas und Chrom glänzte dünn in der Dunkelheit, es war still. Rachel war allein mit ihren Gedanken. Ein junger Mann war ins Koma geprügelt worden. Wegen ihr. Wahrscheinlich ein dummer Junge, der nicht abschätzen konnte, auf was er sich einlassen würde. Es fiel ihr schwer, sich von jeder Schuld freizusprechen. Und dann war da noch jemand, der die Macht und die Brutalität hatte, so etwas zu befehlen. Er hatte nicht nur Dennis fast totschlagen lassen, er hatte sich auch viel Mühe mit der Inszenierung gegeben und gezeigt, dass er die Kontrolle besaß – über sie, Rachel. Auch das war ausgesprochen beunruhigend. Was hielt ihn davon ab, auch ihr etwas anzutun? War sie in ihrem Hotelzimmer sicher?

Sie steckte die Karte in den Schlitz, und das Licht ging an. Rachel blieb für einen Augenblick die Luft weg, als sie sich von der Tür wieder ins Zimmer drehte. In dem cremefarbenen Sessel an der Wand saß ein Mann.

14

Die beringten Hände fielen locker über das Ende der Armlehnen, der linke Fuß ruhte auf dem rechten Knie. Der Mann trug einen schwarzen Anzug mit nachtblauem Hemd, die schwarzen Haare waren nach hinten gegelt und fielen in fettigen Löckchen über den Hemdkragen. Das Kinn war weniger ausgeprägt, als man es bei einem Gewaltverbrecher erwarten würde.

»Guten Abend, Frau Dr. Eisenberg. Sie waren lange unterwegs.«

Rachel versuchte fieberhaft, die vielen Gedanken zu ordnen, die in ihrem Kopf umherschossen wie Flipperkugeln.

»Sie sind Hans Mangelsdorfer?«, fragte sie schließlich.

»Oh … hab ich mich nicht vorgestellt? Ich bitte um Entschuldigung. Im Gefängnis verkümmern die letzten Reste von Erziehung. Ja, mein Name ist Mangelsdorfer. Was führt Sie nach Köln?«

»Was führt Sie in mein Hotelzimmer?«

»Hab mich in der Tür geirrt.« Mangelsdorfer legte seine Stirn in Falten.

Rachel überlegte, wie Mangelsdorfer wohl hier eingebrochen war. Aber es dürfte für jemanden wie ihn kein Problem sein, an eine Universalkarte zu kommen. Jedes Zimmermädchen hatte eine.

»Ihr Junge liegt im Koma, falls Sie es noch nicht wissen.«

»Ich hab keine Kinder.«

»Dennis Malewski. Dennis.«

»Oje! Stimmt, er war heute Abend gar nicht da. Oder?« Mangelsdorfer blickte an Rachel vorbei.

Im Augenwinkel nahm sie eine Bewegung wahr. Hinter ihr an der Badezimmertür stand der Adlatus des Gangleaders, ebenfalls in Schwarz, allerdings weniger förmlich in Jeans und Lederjacke.

»Nä, de Dennis war heut nit da.« Im Gegensatz zu seinem Chef kam der Mann hörbar vom Niederrhein. Rachel überlegte, wer von den beiden der Mann am Telefon gewesen war.

»Der Junge ist leider sehr unvorsichtig. Was ist denn passiert?« Mangelsdorfer verharrte weiterhin regungslos in seiner Haltung auf dem Sessel.

»Sie wissen, was passiert ist.« Sie sah kurz zu seinem Adlatus. »Im Übrigen muss ich Sie jetzt bitten zu gehen. Mit zwei fremden Herren allein im Hotelzimmer – das schickt sich nicht für eine Dame.«

»Ja, natürlich. Aber vorher müssen wir reden.«

»Wir haben nichts zu bereden. Wenn Sie nicht gehen, gehe ich.«

Rachel drehte sich zur Tür. Der Mann in der Lederjacke war schneller und versperrte ihr den Weg.

»Gehen Sie aus dem Weg!«

»Ich kann stehen, wo ich will«, sagte der Mann vom Niederrhein.

»Sie sind in mein Zimmer eingedrungen. Gehen Sie oder lassen Sie mich vorbei.«

Der Mann rührte sich nicht. Rachel sah zu Mangelsdorfer. Seine Haltung hatte sich verändert. Er stützte die Ellbogen auf die Sessellehnen, und die Fingerspitzen lagen aneinander.

»Warum schnüffeln Sie mir hinterher?«

Rachel zog ihr Handy aus ihrer Jacke und begann eine Nummer zu wählen.

»Lassen Sie das!« Mangelsdorfer war lauter geworden und sandte einen Blick zum Lederjackenmann, der bereits herangeeilt war, Rachels Arm packte und ihr das Handy entreißen wollte. Aber Rachel hielt es eisern umklammert. Es entspann sich ein Gerangel.

»Jetzt nimm ihr endlich das Scheißhandy weg«, sagte Mangelsdorfer verärgert über das zaghafte Vorgehen seines Untergebenen. Der schlug Rachel schließlich mit der Faust ins Gesicht. Der Schmerz traf Rachel unvorbereitet. Sie hatte mit dem Schlag gerechnet, aber nicht damit, dass er so wehtun würde. Die Wucht fegte sie von den Füßen. Ihr Kopf prallte auf den Teppichboden, unter dem sich betonharter Estrich befand. Mangelsdorfer zog sie gewaltsam wieder hoch. Sie schob mit zitternden Händen ihre schief sitzende Brille wieder zurecht.

»So, Schätzelchen. Jetzt hören wir mal auf mit dem Gekasper. Ich will wissen, was hier läuft und was du in Köln zu suchen hast.«

Rachel sah verzweifelt zur Tür. Vielleicht hatte Baum, der im Zimmer nebenan logierte, etwas gehört. Aber die Tür blieb zu. Sie spürte, wie Mangelsdorfer ihr in die Haare griff.

»Los, mach's Maul auf, sonst poliert dir mein Freund hier deine gepflegte Visage.«

In diesem Moment explodierte etwas vor dem Fenster. Es war unglaublich hell und laut, wie ein Böller. Alle drei sahen unwillkürlich zur Balkontür, Rauchschwaden wehten in die Nacht. Die Ursache der Detonation lag rauchend auf dem Boden, soweit man das bei der nächtlichen Dunkelheit sehen konnte. Es sah für Rachel aus wie eins der Teile, die sich Baum bei der Vorbereitung auf die Aktion in die Schimanski-Jacke gesteckt hatte.

»Was zum Teufel war das?« Mangelsdorfer sah beunruhigt nach draußen.

»Ich war das.« Baum stand mit gezogener Waffe in der Tür. Er besaß eine Karte zu Rachels Zimmer. Baum war routinemäßig vorsichtig und dachte an alle Eventualitäten. »Sie sollten jetzt gehen, bevor wir die Polizei rufen.«

Mangelsdorfer knirschte wütend mit den Kiefern und

gab seinem Adlatus ein Zeichen. Als sie schon fast aus der Tür waren, sprach Rachel sie noch einmal an.

»Warten Sie.«

Mangelsdorfer sah sie fragend an.

»Na kommen Sie wieder rein. Wir müssen reden.«

Mangelsdorfer war so erstaunt, dass er tatsächlich wieder ins Zimmer kam.

»Ich sag Ihnen, was ich in Köln suche. Jemanden, der einen Grund hatte, Eike Sandner zu ermorden.«

»Mich hat er nicht beschissen.«

»Nein. Aber Ihre Leute haben ihn verprügelt. Dass die gut darin sind, haben wir ja heute gesehen.«

»Ich weiß nicht, wer so was verbreitet. Aber es sind Lügen. Schönen Abend noch.« Er drehte in Richtung Tür.

»Moment, wir sind noch nicht fertig.« Rachel wandte sich an Baum. »Wie sind die Aufnahmen geworden?«

»Einen Oscar kriegen Sie nicht für die Kameraführung. Aber das Material ist gerichtsverwertbar. Die Aufnahmen gehen online direkt auf unseren Server in München.«

Mangelsdorfer war beim letzten Satzwechsel hellhörig geworden und starrte auf Rachels Jackett, das sie jetzt öffnete. Ein Kabel kam zum Vorschein, sie griff in die Innentasche und zog ein kleines elektronisches Kästchen hervor.

»Mir war eingefallen, dass Sie vermutlich die Bodycam nicht ausgeschaltet hatten«, sagte Baum. »Die Aussicht, Ihnen beim Insbettgehen zuzusehen, war verlockend. Ich mach also den Computer an und sehe: Das Ding ist tatsächlich noch an. Und dann er hier.« Baum deutete auf Mangelsdorfer. »Da dachte ich, ich komm mal rüber.«

»Und?« Mangelsdorfer blickte zwischen Baum und Rachel hin und her.

»Nun, was man auf den Videoaufnahmen sieht, erfüllt einige Straftatbestände: Hausfriedensbruch, Freiheitsberaubung, Nötigung, was noch ...?« Sie sah zu Baum.

»Raub.«

»Raub?« Mangelsdorfer zog ein ungläubiges Gesicht.

»Das Handy. Er hat es mit Gewalt an sich genommen, und Sie haben ihn angestiftet. *Jetzt nimm ihr endlich das Scheißhandy weg.* Das haben Sie gesagt. Soll ich's Ihnen vorspielen?« Baum winkte Mangelsdorfer zu sich her. »Jetzt bitte die Arme hinter den Kopf.« Er gab Rachel ein Zeichen. Die schien nicht so recht zu wissen, was er meinte. »Schauen Sie in seinem Jackett nach.«

Rachel tat wie von ihr erbeten und förderte ein Klappmesser aus der Anzugjacke zutage.

»Bewaffnet. Also schwerer Raub«, kommentierte Baum den Fund. »Gibt mindestens was?«

»Drei, eher fünf Jahre. Bei dem Vorleben von Herrn Mangelsdorfer würde ich mal sagen, sieben bis acht«, konstatierte Rachel.

»Was soll der Scheiß. Ich hab die falsche Tür erwischt, und wir haben uns unterhalten. Das mit dem Handy war ein Versehen.«

»Versehen?«, fragte Baum.

»Ich dachte, sie hat eine Waffe.«

»Nehmen Sie die Hände wieder runter und hören Sie zu.« Rachel steckte das konfiszierte Messer in die eigene Jacke. »Ich werde hier kein juristisches Seminar abhalten. Wir können das Videomaterial an die Kölner Staatsanwaltschaft übergeben und die dann entscheiden lassen, wie sie das strafrechtlich beurteilen. Ich denke allerdings, dass die eher auf unserer Linie liegen. Und wenn ich richtig informiert bin, kann das jetzt ausgesprochen unangenehm für Sie werden. Haben Sie noch eine Bewährung am Laufen?«

Mangelsdorfer versuchte, Rachel gelangweilt anzusehen, konnte aber nicht verbergen, dass er pissed war, und zwar gründlich.

»Da hat man Sie zwei Jahre vorher rausgelassen und

darauf vertraut, dass Sie sich ordentlich führen. Und was machen Sie?« Blick zu Baum. »Ich denke, Sie haben recht. Das war schwerer Raub.«

»Hören Sie auf zu quatschen. Was wollen Sie?«

»Ich will erst mal unsere gegenseitige Interessenlage klären. Damit wir wissen, auf welcher Grundlage wir uns unterhalten. Wir dürfen mal als gesichert unterstellen, dass Sie einfahren, wenn unser kleines Video in die richtigen Hände gelangt. Ist zwar nicht das erste Mal bei Ihnen. Im Augenblick käme es aber schon sehr ungelegen, wenn stimmt, was gemunkelt wird.« Oberstaatsanwalt Schwind hatte Rachel erzählt, dass in Mangelsdorfers Gang gerade ein Machtkampf schwelte. Während des letzten Gefängnisaufenthalts hatte Mangelsdorfers Stellvertreter und Statthalter offenbar Gefallen an der Chefrolle gefunden und Ambitionen, sie sich bei nächster Gelegenheit zurückzuholen. Würde also Mangelsdorfer jetzt einige Zeit ins Gefängnis gehen, wäre er erledigt.

»Es wird viel Scheiße erzählt. Unser Gespräch beginnt mich zu langweilen.«

»Tut mir leid. Ich dachte, es interessiert Sie ein bisschen. Na dann – gute Nacht. Und packen Sie schon mal die Zahnbürste.«

Es gärte in Mangelsdorfer. Er war Rachel ausgeliefert. Wenn sie Ernst machte – und was sollte sie abhalten –, würde er morgen um seine Existenz kämpfen. Und vermutlich verlieren.

»Jetzt erzählen Sie schon, was Sie auf dem Herzen haben. Ich hab grad nichts anderes zu tun und hör's mir mal an.«

»Ich bin froh, dass Sie das sagen. Wissen Sie, ich bin Strafverteidigerin. Es ist wirklich nicht mein Job, Leute bei der Polizei anzuschwärzen. Aber nehmen Sie doch Platz.«

Rachel deutete auf den Sessel, in dem Mangelsdorfer

am Anfang gesessen hatte. Sichtlich genervt setzte er sich. Der Adlatus wurde von Baum gebeten, die Tür von außen zu schließen.

»Eike Sandner, wie?« Mangelsdorfer lachte. »Ist die Kamera eigentlich aus?«

Rachel nahm die Brosche vom Revers ihres Jacketts und warf sie mitsamt dem anhängenden Technikequipment aufs Bett.

»Richtig. Eike Sandner. Ist vor ein paar Jahren schlimm verprügelt worden. Ich will von Ihnen gar nicht hören, dass Sie es waren. Sagen wir doch mal so, wenn jemand den Auftrag dazu gegeben hätte, wer hätte das denn sein können?«

»Ja, das hört sich doch schon ganz anders an. Tja ... wer könnte so was beauftragt haben?« Er kraulte sich am Kinn. »Ich geh davon aus, dass unsere Unterhaltung vertraulich bleibt. Das sind gefährliche Leute, mit denen wir es hier zu tun haben. Nicht dass es mir geht wie Sandner.«

»Oder wie Dennis. Sie können gefahrlos reden. Die wahren Täter werden Ihnen nichts tun.«

»Gut. Allerdings kann ich Ihnen nicht mehr als eine Vermutung mitteilen.«

»Hatte ich mir gedacht«, sagte Rachel. »Aber das reicht mir. Und wenn Ihre Vermutung richtig ist, sind die Videoaufnahmen in Sicherheit.«

Mangelsdorfer nickte mit säuerlicher Miene.

»Also, ich höre.«

»Na ja, wer immer den Auftrag gegeben hat, der wird kaum seinen Ausweis vorgelegt haben. Aber wenn man so einen Job macht, fragt man ein bisschen rum. Ich schätze, das haben die Leute, die Sandner vermöbelt haben, auch gemacht.«

»Und was könnte da rausgekommen sein?«

»Zu der Zeit ist eine von Sandners Firmen pleitegegangen. Es hieß, der Kompagnon wollte sich rächen. Hat wohl ziemlich Geld verloren.«

»Welche Firma war das?«

»Den Namen weiß ich nicht mehr. Aber es war ein Verleih für Filmequipment. Kennen Sie Leute aus dem Filmgeschäft?«

»Ja.«

»Dann sollten Sie unschwer rausfinden, wer das war.«

»Und wenn nicht, müssen wir noch mal nachsitzen.« Rachel lächelte ihr zuckersüßestes Lächeln.

»Überzieh's nicht, Schätzelchen.«

Mangelsdorfer wollte gerade das Hotelzimmer verlassen, als Rachel ihm hinterherrief: »Nur dass Klarheit herrscht, unsere Vereinbarung zur Diskretion bezieht sich ausschließlich auf die Vorfälle in diesem Hotelzimmer. Was die Sache mit Dennis angeht, werde ich der Polizei helfen, so gut es mir möglich ist.«

»Ja, tun Sie das bitte«, erwiderte Mangelsdorfer, jetzt wieder deutlich entspannter. »Auch mir liegt viel daran, dass diese Dreckskerle hinter Gitter kommen. Aber machen Sie sich nicht zu viele Hoffnungen. Das waren Profis. Und ob der arme Junge eine brauchbare Aussage machen kann …« Er entfernte sich mit einer Geste großen Bedauerns.

15

Am nächsten Morgen nahmen Rachel und Baum eine frühe Maschine nach München. Baum hatte in Rachels Hotelzimmer auf der Couch geschlafen. Wer wusste schon, ob Herr Mangelsdorfer nicht noch einmal Gebrauch von seiner Universalkarte machen würde. Rachels Kopf schmerzte noch an der Stelle, wo sie auf den Hotelzimmerboden geprallt war. Zum Glück war der blaue Fleck unter den Haaren verborgen. Im Übrigen hatte der Faustschlag einen blasslila Fleck unter dem Auge hinterlassen. Den konnte Rachel fast wegschminken, und den Rest verdeckte der Brillenrand.

Vom Flughafen rief Rachel Sascha an und berichtete, was sie von Mangelsdorfer erfahren hatte. Sascha betreute etliche Mandanten in der Filmbranche und versprach herauszufinden, um welche Firma es damals gegangen war.

Für den Nachmittag war eine Besprechung mit Kimmel und dem zuständigen Redakteur des Senders angesetzt. Sascha und Rachel mussten versuchen, den Produktionsauftrag zu retten. Wenn er *Jumpcut* entzogen würde, wäre es das Ende für die Firma, und Judith Kellermann müsste Privatinsolvenz anmelden. Das war im Augenblick vielleicht nicht ihr allerdringendstes Problem angesichts einer drohenden Mordanklage. Doch die Aussicht, selbst nach einem Freispruch wirtschaftlich ruiniert zu sein, war auch nicht erbaulich.

Nach der Landung hatte Rachel eine SMS von Sascha auf dem Handy, er sei erfolgreich gewesen. Rachel rief ihn auf der Fahrt nach München an.

»Ein langjähriger Mandant von mir konnte sich an die Sache erinnern. Er ist Filmproduzent und sagte, die Firma damals hätte *Sandner Set Equipment* geheißen. War wohl eine GmbH & Co. KG. Eine Komplementär-GmbH mit Sandner als Alleingesellschafter, und dann gab es noch einen Kommanditisten, der bei der Sache seine Einlage verloren hat. Ich hab Carsten gebeten, das Handelsregister zu checken. Mein Informant meinte, die Firma wäre in Fachkreisen auch aus anderen Gründen in Verruf geraten. Ist scheint's durch zweifelhafte Praktiken an Aufträge gekommen. Aber was da genau war, wusste er nicht.«

»Bin gespannt, ob wir da einen Namen entdecken, der uns was sagt.«

»Was vermutest du denn? Dass der Geschädigte von damals Sandner jetzt in die Luft gejagt hat?«

»Der Geschädigte hat Sandner so zusammenschlagen lassen, dass er drei Wochen im Krankenhaus lag. Vielleicht hat er die Sache jetzt zu Ende gebracht.«

»Warum erst nach so vielen Jahren?«

»Keine Ahnung. Ist nur eine Möglichkeit. Und leider die einzige im Augenblick. Wie sieht es für heute Nachmittag aus?«

»Schwierig. Ich hab mal im Vorfeld mit Herrn Uhlbrünner telefoniert. Das ist der Redakteur. Er sagt natürlich das Übliche: schwierige Lage, die Entscheidung hängt nicht von ihm ab und so weiter. Einen Produktionsvertrag gibt es ja noch nicht. Allerdings kann der Sender nach den Vorleistungen von *Jumpcut* nicht einfach eine andere Firma beauftragen. Es sei denn, es liegt ein wichtiger Grund vor. Ich schätze, die werden bereits eine andere Produktionsfirma im Auge haben.«

»Was für Druckmittel haben wir?«

»Keine.«

Daniel Uhlbrünner war ein Mann in den Vierzigern mit Bauchansatz und Sorgenfalten auf der Stirn. Er trug Jackett und Jeans, dazu Halbschuhe aus Wildleder. Andreas

Kimmel war etwa im gleichen Alter, aber größer und dünner mit schütteren Haaren. Den besorgten Blick hatten sie gemeinsam. Die beiden Männer kannten sich aus früheren Produktionen und duzten sich, was in der Fernsehbranche nicht unüblich war. Sascha leitete die Besprechung, bei der großzügig belegte Brote, Kaffee und ein Tablett mit diversen Softdrinks gereicht wurden. Ausreichend, aber nicht zu üppig, das wäre für eine angeschlagene Firma wie *Jumpcut* unangemessen gewesen.

»Dann lassen Sie uns doch mal zum eigentlichen Thema kommen«, sagte Sascha nach dem üblichen Small Talk am Beginn der Sitzung. »Wie Sie wissen, befindet sich Frau Kellermann derzeit in Untersuchungshaft. Das ist bedauerlich, und meine Frau«, er deutete auf Rachel, »ist zuversichtlich, dass sie da nicht bleiben wird. Aber im Moment steht Frau Kellermann nicht zur Verfügung. Die Produktion von 11/18 kann natürlich auch ohne sie stattfinden. Die Vorbereitungen sind im Wesentlichen abgeschlossen. Allerdings wüssten Herr Kimmel und Frau Kellermann gerne, wie der Sender das sieht.«

»Wir hatten ja schon kurz am Telefon gesprochen.« Uhlbrünner rückte seine Brille zurecht und legte die Ellbogen auf den Tisch. »Ich persönlich habe keine Zweifel, dass *Jumpcut* einen hochklassigen Film abliefern wird.« Er wandte sich an Kimmel. »Ich kenn dich ja und weiß, du bist erfahren, zuverlässig und ein absolutes Organisationsgenie. Von mir aus können wir das durchziehen, auch wenn Frau Kellermann im Augenblick verhindert ist. Aber ich kann das natürlich nicht allein entscheiden. Und im Sender fürchtet man, das sag ich ganz offen, dass die Produktion unter den derzeitigen Umständen an die Wand gefahren wird. Bei kleineren Firmen wie *Jumpcut* ist das Vertrauen sehr personenabhängig.«

»Das kann ich verstehen«, sagte Sascha. »Aber die Dinge, für die in der internen Arbeitsteilung Frau Kellermann zuständig ist, sind doch im Wesentlichen erledigt, oder?« Er sah Kimmel an.

»Judith ist für die kreative Seite zuständig: Bucharbeit, Casting, welchen Regisseur nimmt man und solche Sachen. Das ist alles in trockenen Tüchern. Der Rest ist eher technischer Natur und meine Aufgabe: die Produktion auf die Beine stellen und sich drum kümmern, wenn was schiefläuft.«

»Andreas, das weiß ich alles. Aber erklär das mal unseren Controllern. Die sind einfach nervös. Ich meine, was ist mit den Banken? Wenn die euch den Hahn zudrehen, war's das.«

»Mit der Bank haben wir gesprochen.« Sascha sah kurz zu Kimmel, um sich zu vergewissern, dass nicht er zu dem Thema sprechen wollte, Kimmel war für die Finanzen der Firma zuständig. Aber Kimmel nickte nur. »Die Bank hat kein Problem mit der Situation, solange es den Auftrag für 11/18 gibt und die Kredite bedient werden.« Dass die Bank kein Problem mit Kellermanns Inhaftierung hatte, war glatt gelogen. Nur blieb ihr nichts anderes übrig, als weiterzumachen. Wenn sie *Jumpcut* den Geldhahn zudrehte, würde die Firma pleitegehen, und die Bank müsste die Kredite abschreiben. Zwar gab es Sicherheiten, aber die bestanden hauptsächlich in den Forderungen von *Jumpcut* gegen den Sender, waren also nichts wert, wenn die Produktion von 11/18 nicht zustande kam.

»Das mag ja sein.« Die Sorgenfalten auf Uhlbrünners Stirn wurden tiefer. »Aber ob das auch in einem Monat noch gilt? Sie wissen es nicht, und ich weiß es auch nicht. Letztendlich muss ich meinen Kopf dafür hinhalten, dass bei dieser Produktion nichts schiefgeht.« Er sah zu Kimmel. »Und dazu bin ich auch bereit. Aber – ich muss meinen Vorgesetzten Argumente liefern. Ich bin nur Redakteur. Und das würde ich auch gerne bleiben.«

»Das ist doch klar, Daniel. Wir verlangen ja auch nicht,

dass du Kopf und Kragen riskierst.« Kimmel beugte sich zu Uhlbrünner vor. »Wir haben einen Vorschlag, mit dem, glaube ich, beide Seiten gut leben können.«

»Ich hör's mir gerne an. Dafür sind wir ja zusammengekommen.«

»Herr Dr. Eisenberg hat mal einen Vorschlag für eine Vereinbarung ausgearbeitet.«

Sascha entnahm einer Mappe, die vor ihm auf dem Tisch lag, ein zweiseitiges Dokument und reichte es Uhlbrünner, die anderen am Tisch hatten bereits je ein Exemplar.

»Sollte es tatsächlich zum Äußersten kommen, dann würde die Herstellung ja an eine andere Firma gehen. Wir bieten an, dass jemand von dieser Firma – die der Sender bestimmt – von *Jumpcut* auf eigene Kosten in das Projekt eingearbeitet wird. Sollte es wider Erwarten zum Entzug des Projektes durch den Sender kommen, wäre ein nahtloser Übergang gewährleistet.«

Uhlbrünner betrachtete das Papier und wiegte etwas skeptisch den Kopf.

»Wo ist das Risiko für den Sender?«, fragte Kimmel.

»Wie gesagt: Ich habe ja kein Problem damit. Ich muss es halt hausintern verkaufen.« Er wandte sich an Rachel, die bis jetzt wenig gesagt hatte. »Was glauben Sie denn? Wird Frau Kellermann aus der Haft wieder entlassen?«

»Wir arbeiten dran. Die Anklage hat wenig in der Hand. Es gibt nur Indizien, keine wirklichen Beweise. Wir verfolgen gerade eine Spur, und es könnte sein, dass der Haftbefehl wieder aufgehoben wird.«

»Das würde die Sache für alle Beteiligten sehr erleichtern. Was schätzen Sie denn, wie viel Zeit Sie brauchen – wenn es überhaupt klappt? Nur dass ich eine Vorstellung habe.«

»Kann ich nicht sagen. Wenn wir Glück haben, in den nächsten Wochen.«

Uhlbrünner kratzte sich am Kinn und blickte auf seinen Handykalender. »Im Oktober ist Produktionsbeginn. Die Zeit wird knapp. Es wäre gut, wenn Sie Frau Kellermann bald freibekommen.«

»Glaubst du, Uhlbrünner kann seine Leute im Sender überzeugen?« Rachel und Sascha saßen nach der Besprechung in Saschas Büro und tranken Kaffee. Die Teilchen, die Laura vom Bäcker besorgt hatte, wollten aber keinem so recht schmecken. Die Stimmung war gedämpft.

»Ich glaube nicht, dass er es überhaupt versucht.« Sascha überlegte, ob er Zucker in den Kaffee schütten sollte, entschied sich dann aber dagegen. »Damit setzt er sich nur in die Nesseln. Wenn irgendwas schiefläuft, ist er fällig. Nein, er wird sagen, er hat alles versucht. Aber leider, leider war's nicht vermittelbar.«

»Und sonst haben wir keine Argumente?«

»Bei diesem Spiel hat immer der Sender alle Argumente.«

Saschas Handy klingelte, es war Carsten.

»Hallo! Wie ist eure Besprechung gelaufen?«

»Kacha, kacha«, sagte Sascha. Es war Hebräisch für so lala und wurde mittlerweile von jedem in der Kanzlei verwendet, weil's irgendwie lustig klang. »Der Redakteur redet mit seinen Juristen, und dann werden wir sehen. Wo bist du? Ich stell mal laut, Rachel sitzt neben mir.«

»Ich bin im Archiv eines ehemaligen Studienkollegen. Er ist Insolvenzverwalter und hat damals die Insolvenz der Sandner-Firma abgewickelt.«

»In Köln?«

»Nein, die Firma war im Handelsregister München eingetragen. Ist aber inzwischen gelöscht. Aber sie haben die Unterlagen noch.«

»Hast du rausgefunden, wer die Gesellschafter waren?«

»Das war die einfachste Übung. Eine GmbH, die Sandner gehörte, war persönlich haftende Gesellschafterin, und dann gab es noch einen Kommanditisten, einen Mann namens Guido Martin. Im Internet habe ich wenig über ihn gefunden, und außerhalb dieser Firma ist er nirgendwo aufgetaucht in der Fernsehbranche. Und da taucht jeder in den einschlägigen Webseiten auf, auch wenn er noch so unbedeutend ist.«

»Du vermutest, Herr Martin war nur Strohmann?«

»Hab jedenfalls das starke Gefühl. Und deswegen dachte ich, schaust du mal in den Unterlagen nach, ob sich irgendein Hinweis findet. Zum Beispiel in der Bilanz. Und siehe da – was glaubst du, muss ich da sehen?«

»Mach's nicht so spannend.«

»Beratungskosten in erstaunlicher Höhe. Keine Steuerberaterkosten. Nein, Wischiwaschi-Beraterkosten. Nix Konkretes. Ich hab also mal in die Verträge reingeschaut und hab tatsächlich einen Beratervertrag gefunden.«

»Und?«

»Ihr dürft noch mal raten, mit wem der abgeschlossen wurde ...«

16

Sascha war irritiert und wusste ebenso wenig, was er von Carstens Erkenntnis halten sollte, wie Rachel.

»Um was für eine Art Beratung geht es denn in dem Vertrag?«

»Unternehmensberatung. Aber das kann alles heißen«, sagte Carsten. »Und ihr glaubt ja wohl nicht, dass er dafür irgendeine Leistung erbracht hat.«

Rachel lehnte sich jetzt nach vorn, um besser ins Telefon sprechen zu können. »Vielleicht war Uhlbrünner ja damals Unternehmensberater. Für Firmen in der Fernsehbranche.«

»Ich schau's gerade nach.« Sascha saß jetzt vor seinem Computer und tippte etwas ein. »Hab's schon. Also, Uhlbrünner ist seit 2004 beim Sender. Wann ist die Sandner-Firma pleitegegangen?«

»2015«, sagte Carsten. »Ich würde sagen, Herrn Uhlbrünners Unternehmensberatung bestand darin, der *Sandner Set Equipment GmbH* Aufträge zu verschaffen. Wenn wir checken, wer die Kunden der SSE waren, werden wir feststellen, dass das ziemlich viele Produktionsfirmen sind, die Filme für Uhlbrünner gedreht haben.«

»Ich versuch, das mal rauszukriegen. Vielen Dank einstweilen.«

Nachdem sich auch Rachel verabschiedet hatte, legte Sascha auf. Sie sahen sich an, als wären sie gerade auf einen altägyptischen Schatz gestoßen, von dem sie nicht sagen konnten, ob er mit einem schlimmen Fluch belegt war.

»Gut«, sagte Rachel. »Uhlbrünner hat da also Geld abgegriffen. Das kann vielleicht noch nützlich werden. Und mit der Firmenpleite ist eine Verdienstquelle ausgetrocknet. Aber ist das ein ausreichendes Motiv, um Sandner umzubringen?«

»Ich glaube nicht, dass du damit irgendein Gericht überzeugst. Aber versuchen wir doch mal zu klären, ob Uhlbrünner was mit dem Kommanditisten der Firma zu tun hat. Das müsste doch möglich sein.«

»Ich ruf Baum an«, sagte Rachel und verließ Saschas Büro.

Doch dann steckte Rachel den Kopf noch einmal herein. »Ich bin den Rest des Nachmittags weg.«

»Was treibst du?«

»Ich fahr nach Straubing. Mandantenbesuch.«

»Doch nicht Heiko Gerlach?« Sascha war ziemlich überrascht.

Rachel machte die Tür von außen zu.

Von Weitem sah die JVA Straubing aus wie ein bayerisches Barockschloss, bei näherer Betrachtung freilich verblasste das feudale Bild. Stacheldraht, Wachtürme und vergitterte Fenster beherrschten die Wahrnehmung.

Heiko Gerlach wog einige Kilo weniger als vor zwei Jahren. Da hatten sie sich das letzte Mal gesehen. Und schon damals war er hager gewesen. Ausgesprochen unterschiedliche Erinnerungen verbanden Rachel mit ihm. Vor zwanzig Jahren war Gerlach charismatischer Physikprofessor und die Liebe ihres Lebens gewesen. Dann hatten sich ihre Wege getrennt. Vor zwei Jahren waren sie sich wiederbegegnet, als er obdachlos und wegen Mordes angeklagt war. Rachel hatte seinen Freispruch erwirkt, um danach mit Schrecken zu erkennen, dass Gerlach durchaus der Psychopath war, den die Anklage in ihm gesehen hatte. Den Mord, weswegen er angeklagt gewesen war, hatte Gerlach zwar nicht begangen, dafür hatte er mehrere andere Menschen umgebracht und war dafür in einem späteren Verfahren zu lebenslanger Haft verurteilt worden. Rachel wäre fast sein letztes Opfer geworden. Die beiden verband also eine wechselvolle Geschichte. Verständlicherweise mied Rachel weiteren Kontakt mit Gerlach. Aus dem Gefängnis hatte er ihr vor zwei Jahren einen Brief geschrieben, den sie seitdem aufbewahrte.

Liebe Rachel,

nach allem, was passiert ist, verstehe ich natürlich, wenn Du mich eine Weile nicht sehen willst. Akzeptiert. Andererseits: Wir haben Zeit. Viel Zeit. Ich mehr als Du. Aber auch Du wirst den einen oder anderen müßigen Moment finden, um über Folgendes nachzudenken.
Kann es sein, dass wir uns ähnlicher sind, als es den Anschein hat? Was ich meine, ist: Vor über fünfundzwanzig Jahren starb Deine Schwester in der Blüte ihrer Jugend. Als ich nach unserer Trennung davon erfuhr (ich habe damals Erkundigungen über Dich eingeholt; das war kleinmütig, ich gebe es zu), da war mein Interesse geweckt. Und zwar vor allem, weil Du während der zwei Jahre, in denen Du mich angeblich liebtest, nicht ein einziges Wort über Hannah verloren hast. Ich wusste nicht einmal, dass es sie gegeben hatte. Warum? Weil sie so unwichtig war für Dich? Ich denke, nein. Den 28. Mai, ihren Todestag, habe ich zweimal in meinen Aufzeichnungen vermerkt. Das erste Mal: »Rachel gereizt, will nicht mit ins Kino. Legt unterm Telefonat einfach auf. Das hat sie noch nie gemacht. Habe ich ihr was getan?« Im Jahr darauf war ich zu der Zeit auf einer Tagung in San Francisco. Der Eintrag vom 27. Mai (Abflugtag): »Rachel träumt seit Jahren von San Francisco. Und jetzt will sie nicht mitkommen. Frauen!!« An sich harmlose Beobachtungen. Im Lichte meines jet-

zigen Wissens vermute ich dafür aber einen ganz und gar nicht harmlosen Hintergrund. Um es freiheraus zu sagen: Es gibt Leute, die behaupten, Du hättest damals mit dem Tod Deiner Schwester ganz wesentlich zu tun gehabt. Und dass Du nach ihrem Tod zwei Monate verschwunden warst, wird auch erzählt. Was haben wir denn da für ein schmutziges kleines Geheimnis? Ich werde mich wohl noch ein bisschen gedulden müssen. Aber sei gewiss: Ich warte gespannt darauf, aus Deinem Mund zu erfahren, was sich abgespielt hat.
Bevor Du diesen Brief zerknüllst, bedenke bitte: Wenn Du nicht mit mir redest, beraubst Du Dich des wahrscheinlich einzigartigen Vergnügens, Deine Geschichte mit jemandem zu teilen, der Dich wirklich versteht. Lass Dir Zeit. Du weißt, wo Du mich findest.

In überraschend tiefer Verbundenheit

Heiko

Zwei Jahre später hatte jemand Sarah eine WhatsApp-Nachricht geschickt und sie auf das merkwürdige Benehmen ihrer Mutter an jedem 28. Mai aufmerksam gemacht. Der Absender war anonym. Aber für Rachel gab es keinen Zweifel: Es konnte nur Gerlach gewesen sein. Die Aussicht, ihn wiederzutreffen, war erschreckend. Aber Rachel musste herausbekommen, was er wirklich wusste und welchen Schaden er noch anrichten konnte. Die Anwaltsvollmacht für Rachel hatte Gerlach nie widerrufen. Dieses Papier berechtigte sie, ihn zu besuchen, um juristische Angelegenheiten zu besprechen. Ein wenig hatte Gerlach sie warten lassen, bevor er in das Treffen einwilligte. Aber Rachel hatte mit so etwas gerechnet. Es waren Spielchen, die er spielte, um zu demonstrieren, dass er noch Macht über sie hatte – oder weil ihm langweilig war in seiner Zelle.

»Sehr häufig besuchst du mich ja nicht«, sagte Gerlach, nachdem er an dem kleinen Resopaltisch Platz genommen hatte.

»Liegt vielleicht daran, dass du mich umbringen wolltest. Aber ich bin nicht hier, um Vorwürfe mit dir auszutauschen.«

»Das ist gar nicht sicher, dass ich dich umgebracht hätte. Ich bin ein sentimentaler Knochen, und wir hatten eine schöne Zeit miteinander.«

»Keine Sekunde hättest du gezögert.«

Er lachte. »Ach, Rachel, Kleines. Du kennst mich einfach zu gut.« Er nahm einen Arm hinter die Rückenlehne seines Stuhls und blickte sie entspannt an. »Was führt dich zu mir?«

»Ich denke, das weißt du selbst. Aber ich zeig's dir gerne noch mal.« Sie legte einen Ausdruck der WhatsApp, die Sarah bekommen hatte, vor Gerlach auf den Tisch.

Er zog bedächtig eine Lesebrille aus der Brusttasche seiner Gefängnisjacke und studierte den Ausdruck mit Interesse und scheinbar überrascht.

»Ist ja 'n Ding. Wer schreibt denn so was an Sarah?«

»Du!«

»Ich? Ich wusste gar nicht, dass man im Gefängnis ein Handy besitzen darf. Ich werde mir gleich morgen eins schicken lassen.«

»Natürlich.« Rachel sammelte den Ausdruck wieder ein. Selbstredend durfte Gerlach kein Handy besitzen. Aber es gab illegale Handys in Gefängnissen. Oder vielleicht hatte er einen Besucher gebeten, den Text zu verschicken. Letztlich war es Rachel egal.

»Wie bist du an Sarahs Handynummer gekommen?«

»Während deiner sogenannten Entführung war ich – wie du weißt – für einige Zeit im Besitz deines Handys.

Da hab ich mir deine Kontakte runtergeladen. Man weiß ja nie.«

Rachel überlegte, was er noch alles mit ihren Kontakten anstellen konnte. Aber das würde sie ohnehin nicht verhindern können, und so wechselte sie das Thema. »Hast du eigentlich noch Geld?« Aus irgendeinem Grund interessierte sie diese Frage jetzt. Vielleicht, weil es einen Aufschub bot, bevor sie zu den schmerzlichen Dingen kam.

»O ja. Von Helens Million ist noch was übrig.« Seine Frau Helen hatte sich vor etlichen Jahren von Gerlach getrennt und damit eine schwere seelische Krise mit Abstieg in die Obdachlosigkeit bei ihm ausgelöst. Nach dem Freispruch vor zwei Jahren hatte sie ihm zur Beruhigung ihres Gewissens eine Million Euro als Abfindung geschenkt. Sie war ausgesprochen vermögend.

»Das Anwaltshonorar hattest du damals bezahlt, oder?«

»Eine Akontozahlung. Du hast nie eine Rechnung gestellt, was ich dir übrigens empfehlen würde. Und wegen dieser anderen Geschichte, bei der ich dich angeblich umbringen wollte – ich glaube, da kannst du Schmerzensgeld verlangen. Du müsstest mich allerdings verklagen.«

Rachel sah Gerlach konsterniert an. Was redete er da? So etwas wie Reue oder auch nur Bedauern war in keinem seiner Sätze zu spüren.

»Ich würde es dir natürlich auch freiwillig bezahlen. Aber wenn du mich verklagst, hätten wir mehr Spaß. Wir würden uns vor Gericht sehen, und die ganze Geschichte von damals würde in allen Einzelheiten aufgearbeitet. Wir könnten in Erinnerungen schwelgen.« Er strahlte sie an.

Rachel hatte viele Anstrengungen unternommen, um zu vergessen, dass Gerlach sie entführt und gefesselt hatte und mit einem Armeemesser umgebracht und ihr die Hände abgeschnitten hätte, wäre er nicht rechtzeitig von Sascha daran gehindert worden. Noch jemand außer Wittmann, der ihr das Leben gerettet hatte, fiel es Rachel ein. Aber das rechnete sie mit der Referendarin gegen, mit der sie Sascha betrogen hatte.

»Ich verstehe, dass dir langweilig ist. Aber lass Sarah in Ruhe. Sie hat dir nichts getan.«

»Ich quäle nicht Sarah, sondern dich.« Er deutete auf den Ausdruck. »Das ist in erster Linie dein Problem. Und wenn du ein bisschen drüber nachdenkst, wirst du mir recht geben: Sarah hat einen Anspruch darauf zu erfahren, was damals passiert ist.«

»Das kannst du überhaupt nicht beurteilen.« Rachel lehnte sich nach vorn. »Weil du nicht die leiseste Ahnung hast, was passiert ist.«

»Wenn ich deine Reaktion sehe, weiß ich, dass ich richtigliege.« Auch Gerlach lehnte sich jetzt nach vorn, und ihre Gesichter berührten sich fast. »Aber du hast natürlich auch recht. Wie kann ich beurteilen, ob Sarah es erfahren sollte, wenn ich gar nicht weiß, worum es geht. Bist du deswegen gekommen?«

Rachel schwieg.

»Um mir zu sagen, wie das damals war bei Hannahs Tod? Mal ernsthaft: Du solltest wirklich drüber reden. Wenn schon nicht mit deiner Tochter, dann wenigstens mit mir. Ist nicht gut, alles in sich reinzufressen. Oder warum bist du hier?«

»Ich wollte mich vergewissern, dass die Nachricht von dir ist. Das habe ich hiermit. Und ich wollte wissen, was du weißt. Aber erfreulicherweise weißt du gar nichts. Ich werde also Sarah darüber aufklären, wer ihr den Unsinn geschickt hat und dass du dich schlicht an mir rächen willst. Es wäre nett, wenn du uns nicht zwingst, Sarahs Handynummer zu ändern.«

Gerlach nickte und lächelte in sich hinein. »Ist schön, mal wieder mit einem intelligenten Menschen zu reden.

Die meisten hier sind dumpfe Schlagetots mit verkorksten Frontallappen. Einen Intelligenten haben wir hier. Leider ein Soziopath.« Er sah sie an, und sein Gesichtsausdruck wurde ernst. »Rachel – ich kann dich verstehen. An deiner Stelle würde ich gar nicht mehr mit mir reden nach dem, was passiert ist. Aber ich werde den Rest meiner Tage hier verbringen. Mein Leben ist zu Ende. Alles, was mir noch bleibt, ist, ab und zu mit einem richtigen Menschen zu reden. Und wenn's nur alle zwei Jahre ist.«

»Erwartest du Mitleid?«

»Nein. Das Mitleid, das ich brauche, habe ich selbst mit mir. Ich hatte auf deine Gabe gehofft, als Verteidigerin das Gute im Menschen zu sehen. Selbst bei den schlimmsten Verbrechern findest du noch Dinge, die sie in einem besseren Licht erscheinen lassen. Du weißt, dass kein Mensch nur schwarz oder weiß ist.« Er sah sie mit gerunzelter Stirn und dunklen Augen an. »Gibt's gar nichts Gutes an mir?«

Rachel betrachtete ihn. Er wirkte einsam und hilfebedürftig. Zwei Jahre war er schon an diesem kalten Ort, und er würde vermutlich nie mehr von hier wegkommen. Ja, es gab Gutes an ihm. Er hatte sie geliebt und hatte ihr sein Herz anvertraut ohne Wenn und Aber. Wie keiner vor und nach ihm. Wahrscheinlich hätte er sein Leben für ihres gegeben. Doch sie hatte es damals nicht ausgehalten. Es hatte sie erdrückt, so geliebt – und besessen – zu werden. Sie hatte seine Liebe nicht ertragen. Und ja, seine Liebe zu ihr war etwas Gutes, Leuchtendes an ihm gewesen. Und auf seine Weise liebte er sie immer noch, auch wenn er es nicht mehr zulassen wollte. Sie hatte ihn verstoßen. Jetzt wappnete er sich mit Zynismus gegen erneute Verletzungen. War der verletzliche Mann mit dem großen Herzen ein anderer Mensch als der Mann, der sie umbringen wollte? Sie wusste es nicht.

»Vielleicht reden wir eines Tages miteinander. Aber ich bin noch nicht so weit.«

Er presste die Lippen zusammen und nickte kaum merklich. Seine dunklen Augen sahen sie an wie damals, als sie ihm gesagt hatte, dass sie ihn verlassen würde. Auch das hier war ein Abschied. Keiner wusste, für wie lang. Vielleicht für immer. Sie fasste seine Hand und drückte sie kurz, er erwiderte den Druck nicht, starrte nur an ihr vorbei auf die kahle Wand. Rachel stand auf und klopfte an die Tür.

Es war halb zehn und noch hell, als Rachel nach Hause kam. Sarah saß im Garten und war mit ihrem Handy zugange.

»Hallo, Schatz«, sagte Rachel. Sie hatte Sarah eine SMS geschrieben, dass es später werden würde. Ein Pizzakarton lag auf dem Gartentisch. »Tut mir leid. Ich musste noch einen Mandanten im Gefängnis besuchen.«

»Haben die so lange Besuchszeit?«

»Das war in Straubing.«

Rachel ging ins Haus, holte die angebrochene Rotweinflasche vom Vortag und setzte sich zu Sarah.

»Ich war bei Heiko Gerlach.«

Sarah sah sie überrascht an. Die Nacht vor zwei Jahren, als ihre Mutter von Gerlach entführt worden war, hatte sie noch gut in Erinnerung.

»Gerlach hat dir die WhatsApp geschrieben. Wegen dem 28. Mai.«

»Oh. Krass.« Sarah schien einen Augenblick lang verwirrt und legte ihr iPhone weg. »Ich brauch jetzt auch Alkohol.« Sie schob Rachel ihr Wasserglas hin. »Hat der ein Handy?«

»Irgendwer hat immer ein Handy im Knast. Vielleicht hat er auch jemanden gebeten, es dir zu schicken.«

»Warum weiß der solche Dinge von dir?«

»Weil wir zwei Jahre zusammen waren und Heiko jemand ist, der dich genau beobachtet. Es war nur zweimal.

Aber es ist ihm aufgefallen, dass ich mich jedes Mal am 28. Mai seltsam verhalten habe. Und er hat nachgeforscht.«

Sarah nahm einen großen Schluck und atmete durch. »Und?«

»Bis ich dreizehn war, hatte ich eine Schwester. Hannah.«

Sarah sah ihre Mutter ungläubig an. »Du hattest eine Schwester? Was ist mit ihr passiert?«

»Hannah war drei Jahre älter als ich und ein unglaublich hübsches Mädchen. Du siehst ihr ähnlich. Vor allem jetzt, wo du in dem Alter bist, als sie …« Rachel stockte.

»Sie ist gestorben?«

»Ja.« Rachel dachte nach.

»Ja, und?«, sagte Sarah, nachdem ihre Mutter nichts mehr sagte. »Ich meine, das war sicher schlimm. Aber hey … das zieht dich doch nicht wirklich noch runter nach dreißig Jahren.«

»Der Grund, warum es mich nicht loslässt, ist, dass ich … wie soll ich sagen. Ich war nicht unbeteiligt an ihrem Tod.«

Sarah sah Rachel mit großen Augen an. Sagte aber nichts.

»Wir hatten unsere Zimmer oben im ersten Stock.«

»In dem Haus von Oma und Opa?«

Rachel nickte. »Hannah ist eines Morgens aufgestanden und wollte nach unten in die Küche gehen. Dabei ist sie über ein Skateboard gestolpert oder draufgetreten, so genau ließ sich das nicht mehr rekonstruieren. Infolgedessen ist sie die Treppe hinuntergestürzt und hat sich das Genick gebrochen.« Rachel drehte an ihrem Rotweinglas, den Blick in sich gekehrt. Schließlich sah sie Sarah an. »Es war mein Skateboard. Meine Mutter hatte mir hundertmal gesagt, ich solle es aufräumen, *sonst bricht sich noch jemand den Hals*. Ich hab den Sturz gehört und bin aus meinem Zimmer gelaufen. Oben an der Treppe bin ich stehen geblieben. Sie lag unten am Treppenabsatz, den Kopf seltsam verdreht. Alles war still im Haus. Mein Vater war schon weg, weil er einen frühen Geschäftstermin hatte, meine Mutter war im Garten. Ich stand oben an der Treppe und schaute zu Hannah runter. Und ich wusste – das hatte ich getan. Das Skateboard lag einen halben Meter vor Hannah auf der Treppe. Und dann ist die Zeit auf einmal stehen geblieben. Das ist keine Phrase. Es war wirklich so. Ich stand da, sah hinunter, und die Welt um mich herum löste sich auf. Da war so ein glitzernder Nebel, der uns umgab, Hannahs Leiche und mich. Vielleicht stand ich zehn Sekunden da, vielleicht auch eine halbe Stunde. Ich kann es nicht mehr sagen. Bis mich ein gellender Schrei geweckt hat. Meine Mutter kam angerannt, mit dreckigen Gummistiefeln und Handschuhen, hat sich neben Hannah gekniet und mit dieser grellen Stimme immer wieder ihren Namen geschrien und hilflos versucht, ihr ein Lebenszeichen zu entlocken. Irgendwann hat sie begriffen, dass Hannah tot ist, und hat geheult und am ganzen Körper gezittert. Ganz langsam hat sie den Kopf gedreht, hat erst das Skateboard gesehen und dann mich. Als ich den Hass in ihren Augen gesehen habe, musste ich mich übergeben.«

»Aber du warst dreizehn.«

»Ich war dreizehn. Aber ich hatte sie umgebracht. Mit dreizehn bist du alt genug, um zu wissen, dass dein Handeln Folgen hat.«

»Du hast dein Skateboard rumliegen lassen wie jeder Teenager. Du hast sie nicht umgebracht.« Sarah zog die Augenbrauen zusammen. »Fahren wir deshalb so selten zu Oma und Opa?«

Rachel presste die Lippen zusammen und nickte. »Ich denke, sie haben es mir bis heute nicht verziehen.«

»Das heißt, wir fahren nur wegen mir zu ihnen?«

»Du hast ein Recht darauf, deine Großeltern zu sehen.«

Sarah schüttelte den Kopf, lachte kurz auf und leerte ihr Glas. »Ich hab mich manchmal gefragt, warum es bei ihnen so anders ist als in Papas Familie. Ich hab gedacht, *so what* – die sind halt ein bisschen steif.« Sie schüttelte noch einmal den Kopf. »Sie hassen dich immer noch?«

»Ich hab ihr Leben zerstört.«

»Das ist nicht fair. Sie können nicht eine Dreizehnjährige hassen, weil sie mal einen kleinen Fehler gemacht hat. Kann ich mit ihnen drüber reden?«

»Auf gar keinen Fall. Es wäre auch sinnlos. Sie haben seit dreißig Jahren nicht mehr über Hannah gesprochen und werden es auch mit dir nicht tun. Und ich will es auch nicht. Ehrlich gesagt ist es mir inzwischen auch egal, ob sie mich hassen oder nicht. Mein Problem ist, dass ich's mir selbst nicht verzeihen kann.«

Sarah nahm die Hand ihrer Mutter. »Mama – hör auf damit. Du warst ein Kind. Du hast deine Schwester nicht umgebracht. Du hast dein blödes Skateboard nicht aufgeräumt. Das machen jeden Tag Millionen Teenager. Sind die alle Mörder?«

»Solange nichts passiert, kannst du dein Skateboard liegen lassen, wo du willst. Ich war der eine Teenager unter Millionen, dem es dann doch passiert ist. Pech. Aber ich kann's nicht wieder rückgängig machen. Deine Schwester umbringen zählt zu den wenigen Dingen, für die du keine zweite Chance kriegst.«

»Mama – hör auf, dich kaputtzumachen.« Sarah nahm Rachel in den Arm. »Mach 'ne Therapie. Du musst von diesem furchtbaren Trip runterkommen.«

Rachel atmete schwer in Sarahs T-Shirt aus. »Ich denk drüber nach.«

Als Sarah auf ihrem Zimmer war, rief Rachel Reza an. Seit zwei Jahren gingen sie miteinander aus, besuchten sich gegenseitig, aßen gelegentlich mit ihren Kindern zu Abend und schliefen miteinander. Aber irgendwie wagte es keiner, klar auszusprechen, dass sie ein Paar waren und zusammengehörten. Oder beide wollten es nicht. Sie sahen sich nicht jeden Tag. Aber sie telefonierten an den meisten Abenden und erzählten sich, was tagsüber gewesen war. Rachel sprach heute über ihren Besuch bei Gerlach. Reza hatte den Fall damals am Rande mitbekommen. Dann erzählte sie ihm, was sie Sarah über den Tod von Hannah gesagt hatte.

»Rachel – du spinnst«, sagte Reza. »Ich weiß, dass einen so etwas ziemlich mitnimmt. Einem Cousin von mir ist als Kind was Ähnliches passiert. Aber nach dreißig Jahren musst du damit abschließen. Akzeptier endlich, dass du einfach Pech hattest. Du hast dich verhalten wie jeder Teenager, nur hat es bei dir leider eine Katastrophe gegeben. Das ist gottverdammtes Pech – keine Schuld, die man den Rest seines Lebens büßen muss. Jetzt hast du es Sarah gesagt. Das ist schon ein wichtiger Schritt. Mach den nächsten und befrei dich.«

»Reza, das Problem ist …« Rachel fing an zu weinen und brauchte eine Weile, bis sie sprechen konnte. »Das Problem ist – ich habe Sarah angelogen …«

17

Am nächsten Morgen, kurz nachdem Rachel in der Kanzlei angekommen war, meldete sich Axel Baum, um das Ergebnis seiner Recherchen in Sachen Guido Martin mitzuteilen, dem Gesellschafter der pleitegegangenen Sandner-Firma. Herr Martin sei der Lebenspartner von Uhlbrünners schwulem Bruder und habe in der Tat rein gar nichts mit der Film- und Fernsehbranche zu tun.

»Interessant.« Sascha löffelte den letzten Rest Cappuccinoschaum aus der Tasse. »Na gut. Wo stehen wir jetzt mit dieser Information?«

»Ich würde sagen, Uhlbrünner ist ein korrupter kleiner Redakteur und hat bei der Sandner-Pleite Geld verloren. Weil es danach keine Beraterhonorare mehr gab. Und das Geld, das er über Guido Martin als Strohmann in die Firma eingebracht hatte, war auch weg. Das dürfte noch mehr wehgetan haben.«

»Aber ist er auch verantwortlich für den Mord an Sandner? Warum jetzt und warum Kellermann mit reinreißen?«

Rachel zuckte mit den Schultern. »Judith Kellermann ist vielleicht nur ein Kollateralschaden.«

»Dafür hat er sich aber viel Mühe mit der Inszenierung gegeben. Wenn da tatsächlich jemand anderer dahintersteckt, dann wollte derjenige dezidiert Kellermann ins Gefängnis bringen.«

»Sieht so aus. Aber warum sollte Uhlbrünner Kellermann das antun? Nur weil sie mit dem verhassten Sandner zusammen war?«

»Da muss man schon sehr verbohrt sein«, stimmte Sascha zu, »wenn man die Frau gleich in Sippenhaft nimmt.«

»Ich rede mit Judith Kellermann. Vielleicht fällt ihr dazu was ein. Aber vorher sollten wir noch die geschäftlichen Dinge mit Uhlbrünner klären.«

Sascha lächelte, und eine boshafte Vorfreude blitzte aus seinen Augen. »Soll ich das machen?«

»Nein, das ist meine Aufgabe. Ich häng das an dem Strafprozess auf.«

Daniel Uhlbrünner saß wie immer in einer Besprechung. Sein Job bestand zu neunzig Prozent aus Sitzungen. Das konnte die Drehbuchbesprechung für einen Millionen teuren Film sein oder ein kurzes Telefonat mit Frau Uhlbrünner, was man heute Abend essen sollte. Uhlbrünners Vorzimmerdame machte da keinen Unterschied. Es klang immer groß und wichtig. Rachel hinterließ, es gehe um den verstorbenen Eike Sandner und die Firma *Sandner Set Equipment*. Zwei Minuten später war Uhlbrünner am Telefon.

»Oh, das ist nett, dass Sie gleich zurückrufen«, flötete Rachel ins Telefon. »Ich habe eine Bitte an Sie.«

»Aha, worum geht's?« Uhlbrünners Stimme klang gepresst.

»Wie Sie ja wissen, wird Judith Kellermann beschuldigt, Eike Sandner getötet zu haben. Im Prozess wird die Persönlichkeit von Sandner eine Rolle spielen, und ich würde Sie gerne als Zeugen vorladen.«

»Was soll ich denn zu Sandner aussagen? Ich kannte den Mann kaum.«

»Aber haben Sie nicht vor drei Jahren für eine seiner Firmen gearbeitet? Für die *Sandner Set Equipment GmbH?*«

»Nein, nicht dass ich wüsste. Wie kommen Sie darauf?«

»Bei Sandner wurden alte Firmenunterlagen gefunden«, log Rachel. »Hauptsächlich Verträge. Und einer davon wurde mit Ihnen abgeschlossen. Oder gibt es noch einen Daniel Uhlbrünner in der Medienbranche?«

»Keine Ahnung. Glaub nicht. Worum ging's denn in dem Vertrag?«

»Es war ein Beratervertrag. Ihre Gegenleistung ist nicht näher spezifiziert.«

»Ach so, *der* Vertrag. Ja ...« Uhlbrünner zögerte und brauchte anscheinend Zeit zum Nachdenken. »Ich hab die Firma mal dramaturgisch beraten. Bei einem Projekt, das nicht unseren Sender betraf.«

»Da haben Sie aber gut verhandelt. Fünfzigtausend Euro für dramaturgische Beratung – nicht schlecht.«

»Das ... war ein Vorschuss für mehrere Projekte. Das meiste hat ja nicht mehr stattgefunden, weil die Firma in Insolvenz gegangen ist.«

»Verstehe. Und – was gibt es dramaturgisch zu beraten bei einer Firma, die Filmequipment verleiht?«

»Die ... die Firma wollte damals selbst ins Produktionsgeschäft einsteigen.«

»Verstehe. Aber dann haben Sie doch sicher persönlichen Kontakt mit Sandner gehabt? Beim Aushandeln des Vertrags oder bei einer Drehbuchbesprechung.«

»Ja, jetzt, wo Sie es sagen. Wir haben uns wohl einoder zweimal gesehen. Aber das waren nur sehr oberflächliche Begegnungen. Ich glaube, ich habe meistens mit anderen Leuten von der Firma geredet.«

»Mit Guido Martin?«

Schweigen am anderen Ende der Leitung. Rachel versuchte, sich vorzustellen, wie Uhlbrünner langsam dämmerte, was hier gespielt wurde.

»Wer ist das?«, fragte er schließlich mit schwacher Stimme und etwas unbedacht, wohl weil er kaum Zeit zum Nachdenken gehabt hatte.

»Das würde mich jetzt aber wundern, wenn Sie Herrn Martin nicht kennen. Er ist ja quasi Ihr Schwager. Der Lebenspartner Ihres Bruders. Er war damals nicht haftender Gesellschafter in Sandners Firma.«

»Ach, Guido Martin! Entschuldigen Sie, ich hatte den Namen nicht richtig verstanden. Ja, ja, der hatte sich … also der war an der Firma beteiligt. Ich habe ihm zwar abgeraten, da zu investieren. Aber bitte.«

»Ja gut. Sie hatten also mit Sandners Firma geschäftlich zu tun und können sicher was zu seinem Geschäftsgebaren sagen.«

»Ich hab keine Ahnung von Sandners Geschäftsgebaren. Und was soll das denn bringen im Prozess?«

»Wir müssen Sandners Persönlichkeit beleuchten und zeigen, dass es auch andere Menschen gab, die ihn lieber tot als lebendig gesehen hätten. Vor ein paar Jahren hat man ihn mal übel zusammengeschlagen. Möglicherweise steckt einer seiner Gläubiger dahinter. Da haben Sie nicht zufällig von gehört?«

»Nein. Keine Ahnung. Das … das ist mir neu. Hören Sie: Ich kann wirklich kaum was über Sandner sagen. Und es wäre auch schwierig für mich, extra deswegen nach München zu kommen.«

»Wenn ich Sie als Zeugen benenne, werden Sie kommen müssen. Eine Aussage vor Gericht ist nichts, was man sich aussuchen kann.«

»Frau Dr. Eisenberg – ich würde Sie dringend bitten, auf mich zu verzichten. Ich kann mir das zeitlich einfach nicht leisten. Ich ersticke in Arbeit. Im Moment muss ich schauen, dass ich die Sache mit *Jumpcut* hier im Hause geregelt bekomme.«

Jetzt hatte Uhlbrünner selbst die Verknüpfung hergestellt. Vermutlich wollte er drohen, die Sache scheitern zu lassen, wenn Rachel auf ihn als Zeugen bestand. Aber die Geschichte funktionierte natürlich andersherum. Eine Aussage vor Gericht war öffentlich und barg die Gefahr, dass Uhlbrünners korrupte Verbindungen zur *Sandner*

Set Equipment GmbH bekannt wurden. Rachel hatte Uhlbrünner zu verstehen gegeben, dass sie über seine Verbindungen Bescheid wusste. Er konnte davon ausgehen, dass sie in der Lage war, zwei und zwei zusammenzuzählen. Ein bloßer Blick auf den Abspann der Filme, die unter Uhlbrünner produziert wurden, würde offenbaren, dass jedes Mal Sandners Firma mitverdient hatte. Das konnte ihn den Job kosten.

»Haben Sie da schon was unternommen?«

»Ich hab schon mal vorgefühlt. Das wird natürlich schwierig. Aber ich bin dran.«

»Sie kriegen das hin, da bin ich mir sicher«, sagte Rachel und ließ es wie eine Drohung klingen.

»Und Sie überlegen sich das bitte noch mal, dass Sie mich als Zeugen vorladen. Es würde wirklich nichts bringen.«

»Ich schau mal – vielleicht finden sich ja noch andere, die über Sandner aussagen können.«

»Sie finden sicher wen«, sagte Uhlbrünner und klang genervt.

Rachel nahm das lächelnd zur Kenntnis. »Sie rufen mich an, sobald Sie wissen, wie es mit 11/18 weitergeht.«

»So machen wir es. Schönen Tag noch.«

18

Hamburg, St. Georg. Das *Fushan* befand sich in einem der wenigen Häuser auf St. Georg, die bislang der Gentrifizierung entgangen waren. Boris Brnović kannte den chinesischen Besitzer seit über zwanzig Jahren. Ebenso den Kellner, der entgegen ostasiatischer Sitte noch nie in seinem Leben gelächelt hatte. Jedenfalls nicht im Beisein von Boris. Viel zu lächeln gab es auch nicht. Gäste ließen sich kaum blicken, entsprechend gestaltete sich vermutlich das Trinkgeldaufkommen. Die Speisekarte war umfangreich und das Essen lausig. Düsterer als die kulinarischen Qualitäten des *Fushan* war nur dessen hinterer Raum, in dem man zwei kleine Tische direkt am Eingang zur Toilette aufgestellt hatte. Wovon die Inhaber auch immer ihren Lebensunterhalt bestritten – durch den Verkauf von Speisen und Getränken mit Sicherheit nicht. Boris schätzte das Restaurant eben wegen dieser wenig einladenden Eigenschaften. Seine Geschäftspartner würden hier mit Sicherheit keine Bekannten treffen. Ein idealer Ort für vertrauliche Termine.

Boris quälte sich wie jedes Mal mit der erbärmlichen Speisekarte, als sein Gesprächspartner eintraf.

»Nettes Lokal«, sagte er, nachdem sich der griesgrämige Kellner mit der Bestellung entfernt hatte.

»Der Laden ist grauenhaft.« Boris sprach mit leichtem Akzent, der seine serbokroatische Muttersprache auch nach vielen Jahren in Deutschland noch ein wenig durchschimmern ließ. Er lehnte sich nach vorn, um in den Hauptraum zu sehen. Dort saßen zwei Rucksacktouristen, die sich in breitem Amerikanisch unterhielten. »Wie ist die Lage in München?«

»Frau Dr. Eisenberg entfaltet etliche Aktivitäten. Letzte

Woche ist sie wohl nach Köln geflogen. Keine Ahnung, was sie da gemacht hat.«

»Sie hat einen Herrn Mangelsdorfer besucht.«

»Oh …« Boris' Gesprächspartner war beeindruckt.

»Er ist ein Freund von mir. Wir kennen uns seit einigen Jahren.«

»Und was erzählt er?«

Boris zuckte mit den Schultern. »Irgendeine Scheiße. Eisenberg wollte was über Sandner wissen, aber er hätte ihr nicht weiterhelfen können. Ich glaub ihm kein Wort.«

»Ich dachte, er ist Ihr Freund.«

»Ja, aber blöd ist er auch nicht.«

»Was vermuten Sie, was in Köln passiert ist?«

Der Kellner brachte zwei Schälchen mit Suppe einschließlich chinesischer Suppenlöffel aus Porzellanimitat. Die Art, wie er den beiden Gästen guten Appetit wünschte, ließ darauf schließen, dass er es für einen Unfug hielt, den nur Langnasen ausbrüten konnten, die Suppe vor und nicht nach dem Hauptgang zu essen.

»Eisenberg sucht nach jemandem, der ein Motiv gehabt hat, Sandner umzubringen. Davon gibt es einige. Sandner hat als Geschäftsmann wie als Womanizer viel verbrannte Erde hinterlassen. Vor ein paar Jahren hat ihn mal ein Geschäftspartner in Köln zusammenschlagen lassen. Nach dem, was ich gehört habe, hat Mangelsdorfer den Job erledigt.«

»Aber er ist nicht so dumm und erzählt das jemandem?«

»Kann ich mir nicht vorstellen. Da müsste ihm Eisenberg schon viel Geld bieten. Und vor Gericht wird er sowieso nicht aussagen.«

»Was mich eigentlich beunruhigt, ist der Umstand, dass Frau Eisenberg überhaupt so viele Aktivitäten entfaltet. Kann es sein, dass sie doch noch dahinterkommt?«

»Machen Sie sich keinen Kopf. Da kommt sie nicht drauf«, sagte Boris und fing mit der Suppe an.

Auch der andere löffelte jetzt lustlos in seinem Schälchen herum. »Die schmeckt ja nach gar nichts. Können die nicht wenigstens Glutamat reintun?«

»Ja, die chinesische Küche ist auch nicht mehr, was sie mal war.« Boris schob das fast volle Suppenschälchen zur Seite, warf einen Kontrollblick in den Hauptraum und wandte sich wieder seinem Gesprächspartner zu. »Haben Sie jetzt ein ungutes Gefühl? Es war doch klar, dass jemand Zweifel an der Sache anmelden würde. Wichtig ist, dass sich die Polizei und die Staatsanwältin festgelegt haben. Da muss Eisenberg erst mal das Gegenteil beweisen.«

»Vielleicht bin ich übervorsichtig. Aber ich überlasse nun mal ungern Dinge meines Vertrauens der Unfähigkeit anderer.«

»Was erwarten Sie von mir?«

»Hören Sie zu.« Er beugte sich vertraulich über den Tisch, sodass er sehr leise reden konnte. »Mir ist eine Idee gekommen, wie wir die Geschichte noch wasserdichter hinkriegen.«

»Okay ...?« Boris war skeptisch.

München, Neuhausen-Nymphenburg

Rachel und Sascha saßen in Rachels Büro und aßen Eis, das Laura von Sarcletti geholt hatte. Die Familie Sarcletti beglückte München seit fast einhundertvierzig Jahren mit ihrem Eis und gehörte zu den kulinarischen Legenden der Stadt. Das Eis war weich und cremig, und man musste schnell essen, bevor es flüssig wurde. Rachel und Sascha lasen beim Eisessen einen Vertrag durch, den Uhlbrünner geschickt hatte. Darin hatten die Juristen des Senders Saschas Vorschlag, den Producer einer anderen Firma prophylaktisch und auf Kosten von *Jumpcut* in das Projekt 11/18 einzuarbeiten, in Paragrafen gegossen und darauf verzichtet, *Jumpcut* die Produktion sofort wegzunehmen. Allerdings musste Kellermann spätestens zwei Wochen vor Drehbeginn wieder zur Verfügung stehen – sprich auf freiem Fuß sein. Sonst würde der Sender von seinem Kündigungsrecht Gebrauch machen.

»Sollten wir nicht noch ein bisschen verhandeln?«, fragte Rachel. »Mir gefällt nicht, dass die automatisch aussteigen können, wenn Kellermann zwei Wochen vor Drehbeginn noch im Gefängnis sitzt. So groß sind die Chancen nicht, dass ich sie vor dem Prozess raushole.«

Sascha fächelte sich mit dem Vertragsentwurf Luft zu. Der Kragen seines weißen Hemdes war offen und der Rest ziemlich verschwitzt. Heute hatte er keine Mandantentermine mehr, und so war's egal. »Wir könnten verlangen, dass sie einen triftigen Grund für die Kündigung benennen, der über die bloße Abwesenheit von Kellermann hinausgeht. Einen konkreten Grund, warum die Produktion nach Ansicht des Senders nicht mehr von *Jumpcut* bewerkstelligt werden kann.« Er legte den Löffel weg und machte sich Notizen an den Rand der Kündigungsklausel. »Im Übrigen haben wir ja alles bekommen, was wir wollten. Gratuliere. Du hast dem Burschen anscheinend eine höllische Angst eingejagt.«

»Ein bisschen nervös war er schon.«

»Nimmst du den Vertrag zu Kellermann mit?«

Rachel nickte. Sie hatte in einer Stunde einen Besuchstermin in Stadelheim. »Sie soll ihn mal durchlesen, vielleicht fällt ihr ja noch was auf.« Sie warf einen Blick auf die Uhrenanzeige im Computer und stand auf. »So verschwitzt kann ich nicht fahren. Ich muss noch duschen.«

»Wird im Gefängnis nicht viel Unterschied machen.« Sascha grinste und löffelte die letzten Reste aus seinem Eisbecher.

Rachels Handy klingelte. Es war Baum.

»Hallo, Herr Baum. Mein Mann ist auch im Zimmer,

ich stell mal auf laut«, begrüßte ihn Rachel. »Ich hoffe, Sie haben endlich mal Ihre Krawatte abgelegt bei dem Wetter.«

»Ja, ich sitze nackt in einem Eisbottich.« Im Hintergrund hörte man bei Baum ein fernes Klopfen. »Kommen Sie nur rein«, klang es etwas leiser aus dem Hörer. »Entschuldigung, ich habe jetzt einen Termin. Ich wollte nur schnell anrufen, weil Sie heute zu Frau Kellermann fahren. Und da sollten Sie vorher wissen, was wir herausgefunden haben.«

»Aha? Was denn?«

»Ich hab jetzt wie gesagt einen Klienten im Büro und muss Schluss machen.« Gedämpft, als würde Baum den Hörer mit etwas abdecken: »Nehmen Sie doch bitte Platz. Ich bin gleich bei Ihnen.« Der Ton wurde wieder normal. »Ich hab Ihnen eine Mail geschickt. Da steht alles drin.«

Rachel öffnete ihr Mailprogramm. »Ist angekommen.« Der Titel war *Recherche Uhlbrünner*. »Es geht um Uhlbrünner?«

»Korrekt. Könnte sein, dass wir da einer ziemlich großen Schweinerei auf der Spur sind. Ich melde mich morgen.«

Sie verabschiedeten sich, und Rachel öffnete die Datei. Sie hatte einen PDF-Anhang mit Zeitungsausschnitten und anderen Dokumenten.

»Und?«, fragte Sascha.

Rachel sah mit gerunzelter Stirn vom Computer auf. »Jetzt wird's knifflig.«

19

Judith Kellermann war erleichtert zu hören, dass der Sender bis auf Weiteres an *Jumpcut* als Produktionsfirma für 11/18 festhalten würde. Sie saß vor dem kleinen Resopaltisch in dem verriegelten Raum. Rachel ihr gegenüber. Obwohl die Nachricht nichts für ihr Strafverfahren bedeutete, nistete doch eine Spur Hoffnung in Kellermanns Blick. Gute Nachrichten waren Mangelware in der U-Haft.

»Wie hast du das hingekriegt? Ich dachte, die springen sofort ab.«

»Wir wissen inzwischen ein paar Dinge über Herrn Uhlbrünner, die sein Arbeitgeber besser nicht wissen sollte. Das hat die Verhandlungen erleichtert«, sagte Rachel.

»Was denn?«

»Dass er an einem TV-Equipment-Verleih beteiligt war, dem Aufträge zugeschanzt wurden, wenn Uhlbrünner die Produktion betreut hat.«

»Vielleicht hat das Andreas auch gewusst. Wir haben zwei Filme für Uhlbrünner gemacht, und ich hab nie gewusst, warum er uns die Jobs gegeben hat. Irgendwie hatte ich das Gefühl, es hat mit Andreas zu tun.«

»Gut möglich.«

»Andreas hat das aber immer abgestritten.«

»Vielleicht wollte er nicht, dass du es weißt.«

»Das ergibt keinen Sinn. Wenn ich einen Job an Land ziehe, dann will ich, dass mein Partner das weiß. Es stärkt mein Standing in der Firma.«

Rachel holte den Ausdruck von Baums PDF-Dateien aus ihrer Tasche und legte sie vor Kellermann auf den Tisch. Die sah etwas irritiert auf die Papiere. Sie zeigten Fotos und Zeitungsbeiträge.

»Was ist das?«

»Das hier ...«, Rachel zog aus dem Blätterhaufen einen Ausdruck hervor, »... ist ein Bericht über eine Abiturfeier. Die Schule ist in Hannover. Abi-Jahrgang 94. Kennst du da jemanden?«

Kellermann holte eine Lesebrille aus ihrer Jacke und scannte das Foto. »Ist das ...«, sie deutete auf einen der jungen Burschen, »... Andreas?«

»Ja, das ist Andreas Kimmel. Erkennst du noch jemanden?«

Kellermann strengte sich an und zog schließlich die Augenbrauen zusammen. »Dieses Milchgesicht – das ist Uhlbrünner?«

»Richtig. Die beiden haben im selben Jahr an derselben Schule Abitur gemacht. Du wusstest das nicht?«

Kellermann schüttelte den Kopf.

»Und hier«, Rachel deutete auf ein weiteres Blatt, das etwa zwanzig Passfotos mit Bildunterschriften enthielt, »ist der Abschlussjahrgang 2000 der Film- und Fernsehakademie Berlin.«

»Da war Uhlbrünner auch dabei?«

»Studiengang Produktion. Hat Andreas dir das nie gesagt?«

»Nein. Ich wusste, dass Andreas seinen Abschluss dort gemacht hat. Aber Uhlbrünner ...«

»Fragt sich, warum Andreas dir das verschwiegen hat. Ihr hattet so viel mit Uhlbrünner zu tun, da wäre es doch naheliegend gewesen, dass er dir von seiner langjährigen Beziehung zu Uhlbrünner erzählt.«

Kellermann sah Rachel versteinert an, während ihre Kiefermuskeln arbeiteten.

Rachel sammelte die Papiere wieder ein und legte sie ordentlich zusammen. »Sagt dir der Name Guido Martin etwas?«

»Ich bin ihm zweimal kurz begegnet. Ansonsten kenne

ich ihn aus Erzählungen von Andreas. Die haben früher viel zusammen gemacht. Was spielt er für eine Rolle?«

»Er ist der Schwager von Uhlbrünner.«

Kellermann nickte und schien fieberhaft nachzudenken.

»Martin war Gesellschafter in der Filmequipment-Firma von Sandner. Er hat aber nichts mit der Filmbranche zu tun.«

»Er war Strohmann für Uhlbrünner?«

»Vielleicht auch für Andreas Kimmel. Keine Ahnung, wie weit die Freundschaft der beiden ging. Vielleicht hat Uhlbrünner Andreas an den faulen Gewinnen teilhaben lassen.« Rachel blickte auf ihr Handy. »Wieso ruft eigentlich Baum nicht an? Warte mal kurz.«

Rachel wählte die Nummer der Detektei. Nachdem klar geworden war, dass es zwischen Daniel Uhlbrünner und Andreas Kimmel ungeahnte Verbindungen gab, wollte Baum in Köln noch einmal nachrecherchieren lassen. Baum war wieder in einer Besprechung. Der Laden schien zu laufen. Aber anscheinend bekam er mit, wer bei seiner Assistentin am Telefon war, und ließ Rachel durchstellen.

»Ich dachte, Sie sind in Stadelheim. Deshalb habe ich nicht angerufen.«

»Ich bin in Stadelheim. Und Frau Kellermann sitzt neben mir. Trotzdem stelle ich nicht auf laut. Man weiß ja doch nicht, wer alles mithört.«

»Gut so. Ich würde mich da auch auf nichts verlassen. Warten Sie kurz.« Rachel konnte gedämpft hören, wie Baum zu jemandem sagte: »Entschuldigung, bin sofort wieder bei Ihnen.« Dann wurde offenbar eine Tür geschlossen. »So, da bin ich wieder. Musste nur eben aus einer Besprechung rausgehen. Machen wir es also kurz. Mit Uhlbrünner konnte Mangelsdorfer nichts anfangen. Aber mit Kimmel.«

»Mangelsdorfer sagt, Kimmel war der Auftraggeber?«

»Der sagt gar nichts. Er hat unmerklich genickt. Ich gehe davon aus, dass er den Auftraggeber gecheckt hat. Auch wenn das Ganze telefonisch abgelaufen ist. Er ist ja kein Anfänger und will wissen, mit wem er es zu tun hat.«

»Gut. Vielen Dank. Das Bild wird immer klarer. Wir telefonieren.«

Kellermann schaute Rachel erwartungsvoll an.

»So wie es aussieht, hat Andreas Kimmel den Auftrag gegeben, Sandner zusammenschlagen zu lassen.«

Kellermann versuchte, die Dinge zusammenzubekommen, es gelang ihr aber nicht. »Kannst du mir das erklären?«

»Meine Theorie ist folgende: Sandner hat mit Uhlbrünner und Kimmel zusammen die Firma gegründet. Die beiden sind jedoch nicht selbst in Erscheinung getreten, sondern haben Guido Martin als Kommanditisten vorgeschickt, also als nicht haftenden Gesellschafter.«

Kellermann nickte. »Ich weiß, wie eine KG funktioniert.«

»Gut. Die Einlage hat Martin vermutlich mit Geld der beiden geleistet. Uhlbrünner hat für Aufträge gesorgt und Kimmel ...?«

»Er war damals in Köln. Wahrscheinlich hat er de facto die Geschäfte geführt. Er ist ja vom Fach, und Sandner hatte von der Materie keine Ahnung.«

»So wird's gewesen sein. Dann hat Sandner den Laden gegen die Wand gefahren. Hat sich wahrscheinlich vom Firmenkonto bedient. Und die beiden Jungs haben viel Geld verloren. Juristisch konnten sie Sandner nichts anhaben, denn dann wäre ja ihre Beteiligung an der Firma aufgeflogen. Das hätte Andreas Kimmel zwar egal sein können, aber bei einem Zivilprozess gegen Sandner wäre auch Uhlbrünners Rolle aufgeflogen. Außerdem war bei Sandner, schätze ich mal, eh nichts zu holen. Um ihrer

Wut Luft zu machen, haben die beiden, oder auch nur Kimmel, dann Mangelsdorfer bezahlt, um Sandner eine Abreibung zu verpassen.«

»Jetzt wird mir auch klar, warum Andreas Eike so angefeindet hat.«

»Er hatte wahrscheinlich Angst, dass Sandner schlechten Einfluss auf dich hat und Geld bei dir abzieht.«

»Aber das war unbegründet. Sandner wollte nie einen Euro von mir. Im Gegenteil. Er war äußerst großzügig und hat fast immer bezahlt.«

»Fragt sich, woher er das Geld hatte, wenn er eine Pleite nach der anderen hingelegt hat.«

»Das hab ich mich natürlich nie gefragt.« Kellermann blickte versonnen zur Decke. »Was hat das Ganze jetzt mit der Ermordung von Sandner zu tun?«

»Nun ja – wir haben in Andreas Kimmel jemanden, der Sandner hasste. Und er hat ihn schon einmal fast umbringen lassen. Dann taucht Sandner überraschend in München auf und fängt eine Liebesaffäre mit seiner Mitgesellschafterin bei *Jumpcut* an. Andreas will sich nicht von Sandner ruinieren lassen und beschließt, ihn aus dem Weg zu räumen.«

»Und warum schiebt er es auf mich?«

»Entweder hat er die günstige Gelegenheit genutzt, dass du dich mit Sandner gestritten hast. Oder – aber das wissen wir natürlich nicht – es würde ihm was bringen, dich gleich mit loszuwerden.«

»Ich kann mir nicht vorstellen, dass Andreas so was macht. Er ist eigentlich eine ehrliche Haut. Und was hätte er davon? Er muss damit rechnen, dass die Produktion platzt und die Firma insolvent wird.«

»Hätte ich vorgestern auch noch gesagt. Aber da wir nun wissen, dass Andreas und Uhlbrünner Best Buddies sind, fragt sich, ob es weitere Abmachungen gibt, von denen du gar nichts weißt.«

Kellermann nickte, und ihre Augen verengten sich. Die von Rachel aufgezeigte Möglichkeit schien gar nicht mehr so exotisch zu sein.

»Wie können wir das rausfinden?«

»Auf legalem Weg wird das ziemlich schwierig. Und ich kann natürlich nichts Illegales machen. Außerdem wären so gewonnene Erkenntnisse vor Gericht schwer zu verwerten.«

Rachel beendete ihre Rede mit einem unausgesprochenen Aber.

»Da hast du natürlich recht«, sagte Kellermann. »Aber du könntest dich ja mal in meinem Firmenbüro umsehen. Den Schlüssel hat vermutlich die Polizei. Aber es gibt noch einen zweiten bei meiner Putzfrau.«

»Was würde ich denn in deinem Büro finden?«

»Das weiß ich nicht so genau. Du solltest auf alle Fälle in den Computer schauen. Ich schreib dir mein Passwort auf. Und achte darauf, dass du nicht versehentlich den falschen Computer erwischst. Andreas lässt seinen Laptop unter der Woche immer im Büro auf dem Glasschreibtisch. Nur am Wochenende nimmt er ihn mit nach Hause.«

»Nun, da würden wir vermutlich auch gar nicht reinkommen. Oder hat Andreas dasselbe Passwort wie du?«

»Nein, er hat ein anderes. Es hat irgendwas mit einer Fibronal-Folge zu tun.«

»Fibonacci?«

»Ja, das war's! Fibonacci. Die ersten sieben Zahlen der Fibonacci-Folge. Andreas hat mir das vor zwei Jahren mal gesagt, damit ich im Notfall an seinen Computer kann. Damals hatte er anscheinend noch keine Geheimnisse vor mir.«

»Dann schauen wir uns mal in deinem Büro um«, sagte Rachel.

20

Rachel fuhr nach ihrem Besuch in Stadelheim im Lehel vorbei und traf sich mit Baum an der Isar. Sie wollte die Sache nicht am Telefon besprechen und auch nicht in den Büroräumen von Baum oder in einem Café. Ein Spaziergang an der rauschenden Isar erschien Rachel als die diskreteste Möglichkeit, das heikle Thema zu bereden.

»Verstehe«, sagte Baum, nachdem ihm Rachel den Sachverhalt geschildert hatte. Sie hoffte, in Kimmels Computer irgendeinen Schriftwechsel oder etwas anderes zu finden, das auf unsaubere Machenschaften hinter dem Rücken seiner Geschäftspartnerin Judith Kellermann hindeutete. »Sie wollen also in das Büro von *Jumpcut* ...«, er suchte nach einem passenden Ausdruck, »... gehen ...«

»Richtig. Gehen! Nicht eindringen, einbrechen oder was auch immer. Nein, ich werde offiziell mit einem Schlüssel, den ich von Frau Kellermanns Putzfrau bekomme, das Büro betreten und nach Unterlagen suchen, die ich Frau Kellermann ins Gefängnis mitbringen soll.«

»Sie werden Herrn Kimmel nichts von Ihrem Besuch erzählen?«

»Das wäre nicht zweckmäßig.«

»Weil er dann seinen Laptop mitnimmt.«

Rachel schwieg.

»Soweit ich beurteilen kann, üben Kimmel und Kellermann das Hausrecht in ihrem Büro gemeinsam aus. Müssen nicht beide zustimmen?«

»Kimmels Einverständnis unterstellen wir mal.«

»Wenn Sie ins Büro gehen, um sich über Kimmels Computer herzumachen, kann man sein Einverständnis, glaube ich, nicht unterstellen. Aber ich bin ja nicht der Anwalt.«

»Sie sollten über einen Jobwechsel nachdenken. Wollen Sie bei uns anfangen?«

»Was wollen Sie denn mit belastenden Dokumenten, die Sie finden, anfangen? Sie könnten sie im Prozess ja nicht verwerten.«

»Ich werde die Sachen nicht dem Richter vorlegen und sagen, schauen Sie mal, was ich auf Herrn Kimmels Festplatte gefunden habe. Aber verwenden kann man so was immer. Wie, das lassen Sie mal meine Sorge sein.«

Baum blieb stehen und betrachtete die Isar, die prall gefüllt war und mit großem Lärm Richtung Donau rumpelte.

»Sie wollen nicht, oder?«

»Ich mag Sie, und ich schätze Sie als Anwältin wie als Klientin. Aber ich kann keine Straftaten für Sie begehen.«

Rachel blickte sich kurz verstohlen um. Dann trat sie etwas näher an Baum heran. »Vielleicht habe ich ja einen vollkommen falschen Eindruck von Ihnen. Aber der Eindruck, den ich habe, ist, dass Sie durchaus mal die Grenzen des Erlaubten überschreiten, wenn's der Sache dient.«

»Habe ich Ihnen jemals von solchen Aktivitäten erzählt?«

»Natürlich nicht.«

»Haben Sie von anderer Seite jemals davon erfahren?«

Rachel betrachtete Baums Gesicht, es war neutral, entspannt, nicht unfreundlich, aber vollkommen frei von Gefühlsregungen.

»Verstehe«, sagte sie. »Und es würde auch nichts bringen, wenn ich Ihnen den Schlüssel gebe und Sie bitten würde, aus Frau Kellermanns Büro einige Sachen zu holen.«

»Nein.«

Denn damit hätte Baum bereits eine Mitwisserin.

Baums Gesicht zeigte einen Ansatz von Lächeln, als ob

er um Verzeihung bitten wollte. »Ich kann einen meiner Mitarbeiter schicken. Er wird sich vor dem Büro auf der Straße postieren. Sie müssten mir nur sagen, wann.«

Sascha war schon auf dem Sprung in den Feierabend, als ihm Rachel von ihren Plänen erzählte.

»Du willst das wirklich machen? Das kann dich die Zulassung kosten.«

»Die Sache stinkt, und zwar gewaltig. Ich muss wissen, was da los ist. Das bin ich Judith Kellermann schuldig. Soll ich jetzt sagen, wir wissen zwar, dass ihr Kompagnon sie linken will und vielleicht sogar ins Gefängnis gebracht hat. Aber ich kann's nicht beweisen, weil es ja noch das Datengeheimnis gibt. Die Frau bekommt lebenslänglich, wenn ich meinen Job nicht mache.«

»Das ist nicht dein Job. Du kannst keine Straftaten begehen. Warum fragst du nicht Baum? Der hat Erfahrung in solchen Sachen.«

»Hab ich schon.«

Sascha sah sie fassungslos an und breitete die Hände auseinander. »Nicht mal Baum will sich die Finger verbrennen! Also komm zur Vernunft.«

Rachel schwieg, und ihr Blick sagte: Du kannst jetzt ruhig gehen.

»Ich würde ja mitkommen.« Sascha lächelte sie maliziös an. »Aber ich hab eine Verabredung, und einer von uns muss auf freiem Fuß bleiben, um die Kanzlei weiterzuführen.«

»Ich finde, du übertreibst gewaltig. Ich geh lediglich in das Büro meiner Mandantin und hol ein paar Dinge. Wer soll mir das Gegenteil beweisen?«

»Dann ist ja gut. Also bis morgen. Und falls heute Nacht irgendwas sein sollte – ruf mich an.«

»Verschwinde.«

»Schönen Abend.« Sascha drehte sich in der Tür noch

einmal um, und sein Ausdruck wurde wieder ernst. »Sarah hat mir übrigens davon erzählt. Also die Sache mit deiner Schwester. Das ist okay, oder?«

»Das ist völlig in Ordnung.«

»Geht mich ja nichts mehr an. Aber – dass du dich nach dreißig Jahren deswegen immer noch fertigmachst, das geht gar nicht. Schon mal über professionelle Hilfe nachgedacht?«

»Sascha …«

»Rachel! Du bist nicht schuld am Tod deiner Schwester. Du hast nichts gemacht, was …«

Rachel gab Sascha mit einem Handzeichen zu verstehen, dass er ruhig sein sollte. »Es ist okay, dass Sarah es dir gesagt hat. Das heißt nicht, dass du mitreden sollst, okay?«

Sascha seufzte. »Okay. Vielleicht lern ich's ja irgendwann, mich aus anderleuts Dingen rauszuhalten. Aber es ist echt schwer.« Er seufzte. »So verdammt schwer!«

Sascha war gerade gegangen, als Carsten im Türrahmen erschien.

»Komm rein«, sagte Rachel. »Was kann ich für dich tun?«

»Ich hab mich gefragt …«, Carsten schloss die Tür und setzte sich auf einen Besucherstuhl, »… ob ich was für dich tun kann.«

Rachel sah ihn fragend an.

»Ich hab mit halbem Ohr mitbekommen, dass du heute irgendwas vorhast. Also wenn ich behilflich sein kann …«

»Das ist nett, dass du fragst. Aber das möchte ich dir nicht zumuten.«

Carsten mochte Rachel. Eine Zuneigung, die bisweilen Züge von Verehrung annahm und Rachel zweifeln ließ, ob sich Carstens Ambitionen ihr gegenüber auf das Berufliche beschränkten.

»Jetzt machst du mich aber neugierig. Um was geht's denn? Die Kellermanngeschichte?«

Rachel erzählte ihm, was sie vorhatte. »Ich hab keine Ahnung, was im Büro passiert. Aber es ist besser, wenn ich da niemand anderen mit reinziehe.«

»Zu zweit sucht es sich aber leichter, vor allem in fremden Büros.«

»Ich komme klar. Und du hast an einem schönen Sommerabend sicher was Besseres vor.«

Rachel war aufgestanden und packte ihre Sachen zusammen.

»Ich hab heute zufällig gar nichts vor.«

Rachel rauschte nach draußen. Carsten machte den Weg frei.

»Komm, ich lass dich da nicht allein hingehen. Mitten in der Nacht. Wer weiß, wer sich da noch rumtreibt.«

Rachel drehte sich um und betrachtete Carsten – er war dünn und sehnig, sah aber nicht so aus, als würde er was nützen, wenn Fäuste flogen. Rachel überlegte. Ganz wohl war ihr nicht, da allein hinzugehen. Auch wenn vor dem Haus einer von Baums Leuten stehen würde. Und Carsten hatte recht. Zu zweit waren sie effizienter und schneller. Außerdem verstand Carsten mehr von Computern als sie.

»Okay. Wenn du unbedingt willst. Aber du tust nur, was ich dir sage.«

Das Büro von *Jumpcut* lag in der Maxvorstadt. Ein schön renovierter Altbau, in dem auch eine Schauspieleragentur und ein Filmverleih untergebracht waren. Groß war das Büro nicht. Es bestand im Wesentlichen aus einem großen Raum, in den man drei Schreibtische gestellt hatte für Kellermann, Kimmel und die Assistentin. Außerdem gab es die üblichen Aktenregale, ein Bücherbord, einen Drucker, und an den Wänden hingen gerahmte Plakate von den Filmen, die *Jumpcut* produziert hatte. Wenn aktuell Filme produziert wurden, mietete *Jumpcut* zeitweise Büroräume dazu. Gegenüber auf der anderen Straßenseite stand ein Wohnhaus. Einige Fenster waren erleuchtet. Rachel überlegte, ob sie die Jalousien herunterlassen sollte. Aber das wäre auffällig gewesen, vor allem, wenn Kimmel oder die Assistentin doch noch heute Abend vorbeikommen sollten. Da war es besser, normale Arbeitsbeleuchtung anzuschalten. Es war kaum zu befürchten, dass die Nachbarn gegenüber wussten, wer hier im Einzelnen arbeitete.

Auf einem der Schreibtische stand ein Foto mit einer Frau, die einen Hund im Arm hielt. Kimmels Frau. Und wie von Kellermann vorausgesagt, befand sich Kimmels Laptop ebenfalls auf dem Schreibtisch.

Carsten zog ein Paar grüne Plastikhandschuhe, wie sie die Spurensicherung verwendete, aus seiner Jacke und streifte sie über, bevor er den Rechner anschaltete. Es erschien ein Feld zur Eingabe eines Passworts auf dem Bildschirm.

»Also – dann schauen wir mal«, sagte Carsten. »Fibonacci-Folge 1-1-2-3-5-8-13 … Die ersten sieben Zahlen?«

»Ja, das hat Kellermann gesagt.«

»Was heißt das? Zählt die Dreizehn als eine Zahl, oder sind das zwei Zahlen – Eins und Drei? Dann würde man nur die Eins nehmen – oder?«

»Keine Ahnung. Versuch beides.«

Carsten tippte zunächst 1-1-2-3-5-8-1-3 ein und ging auf Enter. Es tat sich aber nichts. Dann ließ er die Drei am Ende weg. Auch das funktionierte nicht.

»Was jetzt?«

Rachel zuckte mit den Schultern. »Du bist sicher, dass das die Fibonacci-Reihe ist?«

»Ja, die habe ich schon hundertmal gesehen. Sie fängt mit eins an, und man addiert zur letzten Zahl immer die vorletzte.«

Rachel rief auf ihrem Handy Siri auf und sagte: »Mathematik, Fibonacci-Folge.«

»Glaubst du mir nicht?«

»Doch, doch.« Rachel tippte auf den von Siri angebotenen Wikipedia-Eintrag. »Nur zur Sicherheit.«

»Da!« Carsten zeigte auf das Display. »Eins, eins, zwei, drei …«

»Da steht aber noch eine Null davor.«

»Die ist aber blass gedruckt. Das ist nur eine Verständnishilfe, warum die Zahl nach der Eins wieder eins ist. Weil eben die Null addiert wird.«

Rachel sah näher hin. »Unter der Null steht *optional.*«

»Weil sie eben nicht wirklich dazugehört.«

»Optional heißt aber, dass man sie dazunehmen kann oder auch nicht. Man hat die Wahl.«

»Meines Erachtens ist es eine Denkhilfe, die im Grunde nicht dazugehört.«

»Versuch's einfach.«

»Natürlich. Versuchen kann ich's.«

Carsten tippte 0-1-1-2-3-5-8 ein, ohne so recht an den Erfolg dieser Aktion zu glauben.

»Dann stellt sich auch nicht das Problem mit der letzten Zahl«, sagte Rachel. »Dann sind's nämlich sieben einstellige Zahlen.«

Carsten grunzte etwas vor sich hin und drückte auf Enter, und der Zugriff wurde gewährt.

»Ach doch!« Er hörte sich ein wenig enttäuscht an. »Ich hätte gedacht, der Kimmel hält sich an die klassische Variante.«

Ja, ist recht, dachte sich Rachel.

Über den Bildschirm waren zahlreiche Ordner verteilt. Kimmel war kein großer Systematiker. Von manchen Rubriken gab es gleich mehrere Ordner. Es gab *Verträge, Verträge 1, Vereinbarungen TV* und anderes mehr, wo man nach kompromittierenden Texten hätte suchen können. Sie klickten sich durch einige Ordner und Unterordner, bis in *Vereinbarungen TV,* Unterordner *Sonstiges* eine Datei auftauchte, die mit *11/18 GFF* betitelt war. GFF stand für *Global Film und Fernseh AG,* eine der großen Filmproduktionen im Land, die man auch kannte, wenn man nicht in der Branche arbeitete.

Rachel staunte. »Was hat die GFF mit 11/18 zu tun?«

»Werden wir gleich sehen.« Carsten öffnete die Datei. Es war ein Vertrag zwischen der GFF und dem Sender.

Rachels Handy klingelte. Die junge Frau, die Baum geschickt hatte, um den Eingang im Auge zu behalten, war dran.

»Es ist gerade jemand ins Gebäude gegangen. Es handelt sich wahrscheinlich um Andreas Kimmel.« Die Frau hatte entsprechende Fotos von Baum bekommen, um Kimmel identifizieren zu können.

»Wie lange wird er brauchen?«

»Eine halbe Minute.«

Carsten sah besorgt zu Rachel.

»Mach Schluss. Kimmel kommt.«

Carsten schloss hektisch alle Fenster und fuhr den Computer herunter. Draußen hörte man, wie jemand den Schlüssel ins Schloss der Eingangstür steckte. Die Eingangstür führte auf einen großen Gang, von dem die Räume der Schauspieleragentur abgingen, ebenso wie das Büro von *Jumpcut* und eine Teeküche, die alle Anrainer des Flurs benutzten.

»Scheiße! Was dauert denn das so lange mit dem Runterfahren!« Carsten trommelte mit den Fingern auf den Laptop. »Ich hab doch gar keine Programme aufgemacht.«

Man hörte jetzt Schritte auf dem knarrenden Flurparkett. Rachel hastete zum anderen Schreibtisch und setzte sich vor Kellermanns Laptop, den sie vorsichtshalber schon beim Reinkommen eingeschaltet hatte. Carsten knipste die Schreibtischlampe aus, klappte den Laptop zu und ging zu dem Regal hinter Kellermanns Schreibtisch. Nahezu gleichzeitig kam Kimmel durch die halb geöffnete Tür herein. Es war nicht klar, was er mitbekommen hatte.

Er sagte: »Hallo?«

Rachel sah von dem Laptop auf und lächelte ihn an.

»Guten Abend, Herr Kimmel. Judith hat uns gebeten, ihre Mails zu checken und ihr ein Buch mitzubringen.«

»Ah, ja!« Kimmel schaute sich argwöhnisch im Raum um. »Hatte mich schon gewundert, warum Licht brennt.«

»Das ist Herr Dillbröck aus unserer Kanzlei.«

Man lächelte sich höflich zu.

»Was suchen Sie denn für ein Buch?«, fragte Kimmel, während er sich an den Schreibtisch setzte und die Lampe anschaltete. Dabei zögerte er kurz. Hatte er bemerkt, dass die Lampe warm war?

»Syd Field, *Drehbuchschreiben für Fernsehen und Film.* Frau Kellermann möchte die Zeit nutzen, um sich fortzubilden.«

»Im zweiten Fach von oben, das rote.«

Carsten entdeckte das Buch und bedankte sich. Währenddessen sortierte Rachel die ihr wichtig erscheinenden Mails aus und schickte sie an sich selbst, um sie später ausdrucken zu können.

»Sie kommen zurecht?«, fragte Kimmel.

»Ja, danke. Alles gut«, sagte Rachel und fragte sich, ob Kimmel noch länger bleiben würde. Inzwischen hatte Carsten angefangen, in dem Buch zu schmökern. Was sollte er auch sonst machen.

Jetzt zog Kimmel eine Schublade seines Schreibtisches auf, suchte kurz darin, bis er einen Schlüssel gefunden hatte, und machte die Schublade wieder zu. Dann schloss er den Schreibtisch mit einem anderen Schlüssel ab.

»Dann – schönen Abend noch«, verabschiedete sich Kimmel und ging zur Tür.

»Ebenfalls«, sagte Rachel. »Wie läuft's mit der Produktion?«

»Sehr gut. Wir sind im Plan. Hätte nicht gedacht, dass uns Daniel Uhlbrünner so entgegenkommt. Danke noch mal dafür.«

»Ich sag's meinem Mann.«

Dann war Kimmel draußen auf dem Gang. Rachel und Carsten sahen sich an und atmeten durch. Aber etwas stimmte nicht. Schon vor zwei oder drei Sekunden hätte man hören müssen, dass Kimmel die äußere Zugangstür öffnete. Man hörte die Tür aber nicht. Stattdessen knarrte das Parkett im Gang wieder. Kimmel kam zurück.

»Hab noch was vergessen«, sagte er, als er das Büro erneut betrat, ging geradewegs zu seinem Schreibtisch, klemmte sich den Laptop unter den Arm und verschwand wieder. Diesmal endgültig. Die äußere Tür fiel ins Schloss.

»So 'n Shit! Jetzt, wo wir das Passwort raushaben.«

Rachel war ebenfalls nicht erfreut. »Ich hatte den Eindruck, der hat was geahnt.«

»Kann schon sein. Auch dass er den Schreibtisch abgeschlossen hat.« Carsten betrachtete das Schloss des Schreibtisches. »Vielleicht hat er da seine giftigen Papiere.«

»Dann hätte er sie mitgenommen.«

»Auch wieder wahr.«

Rachels Blick irrte nervös im Raum umher. Irgendetwas war vor einer Sekunde in ihr Blickfeld geraten, was sie elektrisiert hatte. Etwas mit einem Zahlenfeld. Sie konnte es aber nicht mehr finden.

»Carsten, sag mal – ist hier im Raum irgendwas mit einem Zahlenfeld? Oder seh ich Gespenster?«

Carsten brauchte nicht lange.

»Da! Im Regal.«

Carsten deutete auf einen kleinen Tresor, der anscheinend fest mit dem Einbauregal hinter Kimmels Schreibtisch verbunden und nicht viel größer war als ein Hotelzimmersafe.

Carsten hob listig den Finger. »Wenn da mal nicht die Fibonacci-Folge der Code ist.«

»Du hast recht! Das könnte sein«, sagte Rachel erstaunt. Männer brauchten manchmal die Bestätigung, großartige Troubleshooter zu sein.

Carsten tippte den Code ein, die ersten sieben Zahlen der Fibonacci-Folge, beginnend mit der Null. Ein dumpfes Summen kündete davon, dass die Verriegelung aufgegangen war.

Im Safe befanden sich einige Papiere, das meiste schien privater Natur, Bankvollmachten, die Kopie einer Patientenverfügung von Kimmels Mutter und Ähnliches. Ganz unten lag die Kopie eines Vertrags. Er war zwischen dem Sender und der GFF geschlossen worden.

»Vermutlich ein Ausdruck der Datei im Computer«, sagte Carsten. »Das war doch ein Vertrag mit der GFF?«

»Glaube ja. Wir werden ihn schnell kopieren und dann verschwinden.«

21

Februar 2012

Jürgen hatte nicht vor, noch einen Abend in der Hilton-Bar zu verbringen, und bot an, Judith die Gegend zu zeigen. Das Hotel lag in einem Teil von Haidhausen, der Franzosenviertel genannt wurde, denn die Straßen und Plätze hatte man bei der Anlage des Quartiers im 19. Jahrhundert nach französischen Städten benannt. In den Siebzigerjahren hielten Alternative und Studenten Einzug. Mittlerweile war Haidhausen teuer geworden, und Kneipen und Restaurants gab es im Überfluss. Jürgen hatte, passend zur frankophilen Umgebung, im Rue des Halles reserviert.

Judith aß mehr, als sie sich vorgenommen hatte, und trank mehr, als die Vernunft gebot. Im Lauf des Abends stellte sich Jürgen nicht nur als amüsant heraus, sondern zeigte auch andere angenehme Seiten. Vor allem interessierte er sich lebhaft für Judiths Geschichte, die er ihr, denn sie war etwas widerstrebend, aus der Nase ziehen musste. Die Kellermanns, so sagte sie ihm, waren seit den Fünfzigerjahren im Filmgeschäft, und Judith war ausersehen, eines Tages die Leitung der Produktionsfirma zu übernehmen. Ihr jüngerer Bruder Jonas schien dafür vollkommen ungeeignet. Obzwar willig, fleißig und gut in der Schule, fehlte ihm die kreative Ader, durch die ihr legendärer Vater Bernd die Firma groß gemacht hatte. Judith hingegen studierte Germanistik und Theaterwissenschaften und hatte ein Gespür für Spannung und Dramatik, sodass ihr Vater sie regelmäßig um ihre Meinung zu den Drehbüchern fragte, die er schreiben ließ. Als sie vierundzwanzig war – Judiths Studium neigte sich dem Ende zu, und Jonas hatte seins begonnen –, rief der Vater die Familie zusammen und verkündete, dass er Jonas als seinen Nachfolger ausersehen habe. Judith war so schockiert, dass sie stumm blieb, bleich wurde, schließlich anfing, leise zu weinen, und eine Stunde lang nicht mehr damit aufhörte. Der Vater begründete seine Wahl mit den Zeiten, die in der Film- und Fernsehbranche unruhig seien, und die Firma könne nur überleben, wenn sie von jemandem geführt werde, der unternehmerisch denke und mit Geld umgehen könne. Das sehe er bei Judith nicht.

»Und? Gibt's die Firma noch?«, fragte Jürgen.

»Ja, es ist die *Periskop Film.*«

»Oh! Die *Periskop Film* hat dein Vater gegründet?« Jürgen war zwar in der Werbebranche, hatte aber so viel mit Fernsehsendern zu tun, dass ihm die wichtigsten Produktionsfirmen geläufig waren.

»Mein Großvater hat sie gegründet. Er war im Krieg auf einem U-Boot. Daher der Name. Und was Jonas anbelangt, hatte mein Vater recht. Jonas hat die *Periskop* vor der Pleite gerettet und eine Goldgrube draus gemacht.«

»Tut mir leid für dich«, sagte Jürgen und lachte.

»Ja, ich könnte mich erbrechen, wenn ich dran denke. Ist aber egal. Jetzt bist du dran mit schmutzigen Geheimnissen.«

Jürgen erzählte von seiner Kindheit im Hunsrück in den Siebzigerjahren. In seinem Leben schien der kauzige, jeden duzende Vater die beherrschende Figur gewesen zu sein. Jürgen gestand, dass sein jovialer Vater auch dunkle Seiten besaß. Betrunken Auto fahren galt in jener Zeit noch als Kavaliersdelikt, und auf dem Land wurde man kaum erwischt, wenn man sich ein bisschen auskannte. Jürgens Vater kannte sich nicht nur aus, er soff auch in denselben Kneipen wie die Dorfpolizisten – und die soffen damals ordentlich. Eines Morgens wurde die Leiche eines Mädchens im Wald gefunden. Es war die Tochter des Sparkassenfilialleiters. Der Mann hatte seinen thüringischen Akzent auch nach zwanzig Jahren noch nicht abgelegt und war auch sonst nicht sehr beliebt. Ein Auto hatte das Mädchen angefahren, als es nachts auf dem Heimweg von der Disco mit dem Fahrrad fuhr. Sie starb an inneren Blutungen. Der Tatwagen musste sie mit hoher Geschwindigkeit erfasst haben. Trotz langwieriger Ermittlungen konnte der unfallflüchtige Fahrer nicht gefunden werden. Judith war nicht sicher, ob sie das Ende der Geschichte hören wollte.

»Sie haben deinen Vater verdächtigt?«

»Nicht offiziell. An seinem Wagen fehlte nichts.«

»Das ist aber nicht die ganze Geschichte.«

»Sie sind erst am übernächsten Tag gekommen, um nach dem Wagen zu sehen. In der Zeit musste ich meinem Vater helfen, einen zertrümmerten Scheinwerfer und eine verbeulte Stoßstange an seinem Ford Capri auszutauschen.«

»Oh ...«, sagte Judith und zögerte, die naheliegende Frage zu stellen.

Jürgen lächelte verlegen. »Ist ein ganz schlechtes Thema für ein erstes Date. Ich hätte mit dem Unsinn nicht anfangen sollen. Tut mir leid.«

»Das muss dir nicht leidtun. Es ist ein Teil deines Lebens. Ist das so eine Art Trauma geworden?«

Jürgen lehnte sich in seinem Stuhl zurück. Sie waren inzwischen bei der Nachspeise angelangt. Zum ersten Mal, seit sie ihn kennengelernt hatte, wirkte er nachdenklich und ernst. »Glaub schon«, antwortete er. »Ich hätte ihn anzeigen müssen. Aber ich hab's nicht geschafft.«

»Wie alt warst du?«

»Vierzehn.«

»Das kann man von einem Vierzehnjährigen nicht verlangen. Das kann man von niemandem verlangen, dass er seine eigenen Eltern anzeigt.«

Jürgen nickte und schwieg.

»Ist dein Vater weiter … betrunken gefahren?«

Jürgen lachte auf. »Klar ist er weiter besoffen gefahren. Das war ihm scheißegal. Vielleicht hat er noch mehr Leute auf dem Gewissen. Keine Ahnung. Ich meine, ich weiß es bis heute nicht, ob er das damals wirklich war. Wir haben nie darüber geredet.« Er blickte nachdenklich zur Decke. »Vielleicht ein gutes Thema für seine Sterbebett-Beichte. Muss ich mir mal notieren.« Er nahm ihre freie Hand (mit der anderen arbeitete sie gerade am Dessert). »Wie ist die Kiwi-Tarte?«

»Ganz köstlich«, sagte sie und spürte seine warme Hand. Er hatte kräftige, weiche Hände, und sein Gesichtsausdruck verströmte wohlige Zufriedenheit darüber, mit ihr an diesem schönen Ort zu sein.

Sie sagten eine Weile nichts, und es war nichts Unangenehmes dabei. Es war ein gemeinsames, behaglich-verliebtes Schweigen.

Er brachte sie ins Hotel zurück und fragte ganz direkt, ob er noch mit hochkommen dürfe. Sie hätte gerne Ja gesagt, aber wollte sich nicht zu wohlfeil verkaufen. Vielleicht aber würde er es zickig finden, überlegte sie. Konnte eine wie sie ein Angebot von einem Mann wie Jürgen ablehnen? Überschätzte sie sich da nicht etwas? Andererseits: Wenn ihm wirklich etwas an ihr lag, würde er es als reizvoll empfinden, und die Zurückweisung würde sein Verlangen steigern.

»Ruf mich an«, sagte sie und küsste ihn auf die Wange, wo noch ein Rest seines Aftershave darauf wartete, von ihr eingesogen zu werden. Es roch herb, harzig, zitronig, männlich. Nach Jürgen. Der Geruch würde die Nacht über in ihrer Nase sein Unwesen treiben und sie keinen Schlaf finden lassen, und in den paar Minuten, in denen sie dennoch abtauchte, würde er ihr lustvoll-schwüle Träume schenken. Die polierten Messingtüren des Aufzugs schlossen sich leise rumpelnd. Er stand in der Lobby, lächelte sie versonnen an, Hände in den Hosentaschen, sie lächelte zurück, spürte einen Druck auf dem Bauch, das Atmen wurde ihr schwer. Sie war verliebt. Verliebt wie in keinen anderen Mann zuvor. Sie hatte grauenvoll viel zu verlieren, und das machte ihr Angst. Gleichzeitig hoffte sie verzweifelt, dass diese Liebe wahr würde.

Die Assistentin schien unsicher, was sie von Judith halten sollte, als sie ihr einen Kaffee brachte. Ihre Chefin war offenbar ein bisschen übermüdet, strahlte aber von innen.

»Haben Sie gut geschlafen?«, fragte sie mit einem wissenden Lächeln.

»Ja. Doch. Wenig, aber gut.«

»Schön«, sagte die Assistentin und schwebte, so kam es Judith vor, zu ihrem Schreibtisch, als wäre etwas von ihrem Glück auf sie übergesprungen.

Der Vormittag verflog mit tausend neuen Dingen, die Judith im neuen Job lernen musste, und immer wieder, in ein paar freien Sekunden dazwischen, dachte sie an Jürgen, roch sein Aftershave, spürte seine Hand an der ihren, und ihr Herz wurde weit, und ihre Brust schmerzte vor Glück. Kurz nach elf war die Assistentin am Telefon.

»Ein Herr Schwaiger von der Kripo. Soll ich ihn durchstellen? Er sagt auch nicht, worum es geht.«

Auch Judith hatte nicht die leiseste Ahnung, was Herr Schwaiger von ihr wollte. »Geben Sie ihn mir.« Eine Stimme mit leicht bayerischem Tonfall kam aus dem Hörer.

»Es handelt sich um eine Routinebefragung«, begann Schwaiger das Gespräch, offenbar, um Judith zu beruhigen. Und es beruhigte sie auch etwas. »Sie haben vorletzte Nacht im Hilton Munich City verbracht?«

»Ja, ich wohne da für einige Tage. Warum?«

»Das würde ich gerne mit Ihnen persönlich besprechen. Können Sie ins Präsidium kommen?«

»Ist das in der Innenstadt?«

»In der Ettstraße.«

»Das sagt mir jetzt nichts. Aber wenn es in der Innenstadt ist, könnte ich mittags kurz vorbeikommen. Ich habe einen Termin im Bayerischen Hof.«

»Das sind drei Minuten zu Fuß. Sie finden mich im Kommissariat K 11.«

Das K 11 war zuständig für vorsätzliche Tötungsdelikte, wie Judith auf einer Tafel im Eingangsbereich des Polizeipräsidiums las. Das beunruhigte sie. War das hier die Mordkommission? Die Gänge des alten Bürogebäudes hatten nichts Glamouröses, kamen ihr aber vertraut vor.

»Hier wurde öfter fürs Fernsehen gedreht«, klärte Kriminalhauptkommissar Schwaiger sie auf. »*Derrick* und *Der Alte*. Ist dasselbe Büro, nur ein bisschen anders gefilmt. Setzen Sie sich doch.«

Das Büro war spärlich möbliert, nur ein Computer auf dem Schreibtisch, sonst wenig Modernes. Von Judiths eigenem Büro Lichtjahre entfernt. Das alte Sprossenfenster war groß. Dennoch brannte die Deckenbeleuchtung, denn es war ein grauer Februartag. Unten im Hof Parkplätze mit Zivilfahrzeugen unter einem blechernen Vordach.

»Vielen Dank, dass Sie sich die Zeit genommen haben«, begann Schwaiger den dienstlichen Teil des Gesprächs. »Sie heißen Judith Kellermann, geboren am 4. Januar 1977, wohnhaft in …«, er zögerte kurz, »… Hamburg nach meinen Unterlagen?«

»Im Augenblick noch. Ich werde nächste Woche eine Wohnung in München beziehen und mich ummelden. Bis dahin wohne ich im Hilton. Das hatte ich, glaube ich, schon am Telefon erwähnt.«

»Ja, hatten Sie.« Der Kommissar machte sich eine Notiz

auf einem Ausdruck. »Sie müssten mir dann gegebenenfalls noch die neue Adresse geben. So ...« Er sah von seinem Blatt auf. »Warum ich mit Ihnen reden wollte, ist Folgendes: Aus den Unterlagen des Hotels konnten wir entnehmen, dass Sie am Abend in der Hotelbar waren und etwas getrunken haben.«

»Ja. Das stimmt. Ich wollte noch einen Drink nehmen. Ich war ein bisschen aufgekratzt. Am nächsten Tag sollte ich meine neue Stelle antreten.« Judith fragte sich, ob sie irgendetwas angestellt hatte. Aber der Aufenthalt in einer Hotelbar war ja kaum strafbar.

»Sie waren allein in der Bar?«

Judith zögerte und beschloss abzuwarten, wohin das führte. »Es waren noch andere Gäste in der Bar. Aber ich bin allein hingegangen«, sagte sie wahrheitsgemäß. »Wenn Sie das meinen.«

»Das meinte ich. Mich interessiert vor allem, ob Sie diese Frau gesehen haben.«

Schwaiger nahm jetzt aus einem Aktendeckel ein größeres Foto und schob es Judith über den Tisch. Die Aufnahme war etwas grobkörnig und zeigte das Gesicht einer Frau in den Zwanzigern mit halb langen Haaren und Brille. Judith vermutete, dass die Polizei das Ausweisfoto der Frau vergrößert hatte.

»Haben Sie diese Frau vorgestern Abend in der Hotelbar gesehen?«

Judith strengte sich an, führte sich das Bild der Bar vor Augen, von den Besuchern, die um sie herum gesessen hatten. Aber sie bekam keine Gesichter mehr zusammen. Jürgen hatte ihre gesamte Aufmerksamkeit beansprucht. Mit Mühe hätte sie vielleicht noch den Barmann auf einem Foto wiedererkannt.

»Tut mir leid«, sagte sie und schob das Foto zurück. »Es waren schon noch andere Frauen dort, vielleicht auch in dem Alter. Aber ich hab einfach nicht hingesehen. Ich war mit den Gedanken wohl zu sehr bei meinem neuen Job.«

»Verständlich«, sagte Schwaiger und nahm das Foto wieder an sich. »Sie haben die Frau auch nicht in der Lobby oder an der Rezeption gesehen?«

Sie schüttelte den Kopf. »Wissen Sie, was die Frau anhatte?« Oft blieben Judith mehr die Äußerlichkeiten in Erinnerung.

»Ein dunkelgraues Businesskostüm. Sie arbeitete bei einem Pharmaunternehmen und hat an besagtem Abend an einer Tagung teilgenommen.« Ein Stich fuhr Judith durch die Eingeweide. »Nach dem Ende der Veranstaltung wollte sie noch in die Hotelbar gehen. Deswegen befragen wir alle Gäste, von denen wir wissen, dass sie ebenfalls in der Bar waren.«

»Kann ich das Foto noch mal sehen?«

Judith hielt das Bild so, dass Tageslicht darauf fiel. Wenn man die Brille wegdachte und sich die Haare eine Spur dunkler und straff nach hinten gekämmt mit einer herabhängenden Strähne vorstellte, dann gab es keinen Zweifel: Es war Claudia. Die Frau, der sie an jenem Abend das Feld überlassen musste. Judith studierte aufmerksam das Gesicht, um ihre durcheinanderschießenden Gedanken zu ordnen. Was war mit der Frau? Hatte sie ein Verbrechen begangen und wurde gesucht? Oder verdächtigte man sie eines Verbrechens und wollte ihr Alibi überprüfen? Warum war es von Bedeutung, dass sie jemand in der Hotelbar gesehen hatte? Oder war sie verschwunden?

»Dunkles Businesskostüm?« Schwaiger nickte. »Doch, das kann sein. Ich glaube, sie war in der Hotelbar. Was ist mit ihr?«

»Sie ist tot.« Schwaiger ließ das Foto auf dem Tisch liegen, wo Judith es hingelegt hatte. »Sie wurde ermordet. Es war gestern in den lokalen Radionachrichten.«

»Ja, ich erinnere mich«, sagte Judith. Ihr wurde heiß. »Das war die Frau?«

»Ja. Wir versuchen, ihre letzten Stunden zu rekonstruieren. Können Sie sich erinnern, ob die Frau in Begleitung war?«

Judith zögerte. Sie war bereits von der Wahrheit abgewichen. Eigentlich hätte sie dem Kommissar sagen müssen, dass Claudia zu ihnen gestoßen war, dass sie die Bekannte des Mannes war, den sie, Judith, in der Bar getroffen hatte. Und dass es sich bei dem Mann um Jürgen Milsky handelte und dass Herr Milsky der Polizei sicher Näheres über den weiteren Verlauf des Abends mitteilen könne. Aus einem Grund, dem sie lieber nicht weiter nachspüren wollte, hatte Judith das Gefühl, es sei besser, nicht zu sehr ins Detail zu gehen.

»In Begleitung …?« Sie spielte an ihrer Unterlippe. »Nein. Sie ist allein gekommen.«

»Sicher?«

»Ja. Ziemlich sicher. Ich hab das noch vor Augen, wie sie allein den Raum betritt.« Sie stutzte kurz. Ein Gedanke fuhr ihr durch den Kopf. »Sagen Sie … der Barkeeper müsste sich doch an sie erinnern.«

»Es war sehr viel los an dem Abend, und der Mann war neu. Also sie ist allein gekommen. Ist sie allein geblieben, oder hat sich noch jemand zu ihr gesetzt?«

Sie zuckte mit den Schultern. »Das weiß ich nicht. Ich bin wohl kurz danach aufs Zimmer gegangen.«

Schwaiger sah in seine Akte. »Das war, nachdem Sie bezahlt hatten? Um einundzwanzig Uhr sechsundfünfzig?«

»So genau weiß ich es natürlich nicht. Aber … ja, zehn Uhr kann ungefähr hinkommen.«

Der Kommissar machte sich eine Notiz. »Ist Ihnen sonst noch etwas aufgefallen an dem Abend?«

»Nein. Ich war, wie gesagt, sehr mit meinem neuen Job

beschäftigt und wollte einfach was trinken und dann ins Bett gehen.«

»Gut«, sagte Schwaiger und lehnte sich zurück. »Das hilft uns schon ein bisschen. Es kann gut sein, dass Ihnen in nächster Zeit doch noch etwas einfällt. Das ist völlig normal. Sie wissen, wo Sie mich erreichen.«

Schwaiger gab Judith seine Visitenkarte und begleitete sie bis zur Bürotür. Im Gang wartete bereits der nächste Zeuge.

Der Wind blies Judith kleine, harte Schneeflocken ins Gesicht. Das letzte Mal war sie zu ihrem Einstellungsgespräch im September nach München gefahren. Es war damals eine andere Stadt gewesen. Bunt mit blauem Himmel, die Sonne schien auf Dirndl und Lederhosen tragende Menschen, die dem Oktoberfest zustrebten. Eine Stadt wie aus dem Bilderbuch. Jetzt war alles grau und kalt und düster. Und dennoch war ihr warm ums Herz, wenn sie in den Straßen ging, denn sie war verliebt. Verliebt in den Mann, der eine ermordete Frau möglicherweise als Letzter lebend gesehen hatte.

Sie wählte zweimal seine Nummer, nur um sicherzugehen. Aber jedes Mal war die Mailbox dran. Sie hinterließ, dass sie mit ihm sprechen müsse. Es sei wichtig.

22

Juni 2017

Rachel, Carsten und Sascha saßen zusammen und berieten das weitere Vorgehen im Fall Kellermann. Auch Baum war dabei. Er hatte weitere Fotos im Internet gefunden, unter anderem eins, das Kimmel mit Mangelsdorfer zeigte. Die zwei hatten sich bei einem Boxkampf getroffen, der von einem Sender übertragen worden war. Das Bild ließ zwar keine Rückschlüsse darauf zu, dass die beiden Freunde waren – sie standen nur nebeneinander und redeten. Möglicherweise hatten sie sich bei dem Event das erste Mal gesehen. Aber zumindest kannte Kimmel Mangelsdorfer. Ein weiteres Glied in der leider brüchigen Beweiskette. Eine Kopie des Vertrags, den Rachel und Carsten im Safe von Andreas Kimmel gefunden hatten, lag auf dem Tisch. Zwei Ventilatoren wälzten die heiße Luft im Besprechungsraum so kräftig um, dass man auf die Schriftstücke etwas zum Beschweren legen musste.

»Du willst mit diesem Vertrag den dringenden Tatverdacht gegen Judith Kellermann ausräumen?« Sascha war skeptisch. »Ich bin ja kein Strafrechtler, aber ist das nicht etwas dünn? Es beweist doch eigentlich gar nichts.«

»Wenn es jemanden gibt, der einen guten Grund hatte, Sandner zu ermorden und gleichzeitig Kellermann dafür ins Gefängnis zu bringen …«

»Wie Andreas Kimmel?«, unterbrach Sascha.

»Wie Andreas Kimmel – dann wackelt die Anklage.« Rachel drehte ihr Gesicht in den Luftstrom des Ventilators. Vielleicht sollten sie doch mal eine Klimaanlage anschaffen. »Aber natürlich hast du recht. Es gibt leider noch ein paar harte Fakten – etwa die Sprengstoffspuren.«

»Die Frau Kellermann nur mit einem mysteriösen Unbekannten erklären kann«, sagte Carsten. »Das klingt halt schon arg nach Schmierentheater. Ich behaupte nicht, dass es nicht stimmt. Aber entscheidend ist ja, wie es beim Richter ankommt.«

»Das hätte ich fast vergessen!« Sascha klappte hektisch seinen Laptop auf. »Ich sollte doch mal unsere Bekannten fragen, wegen der Geschichte im Segelclub. Ruth Neumann hat mir das hier geschickt.« Er hatte auf dem Bildschirm ein Foto geöffnet, das einen Biergarten zeigte. Genauere Betrachtung offenbarte am linken Rand einen kleinen Ausschnitt des Sees mit Anlegesteg und das Heck eines Segelbootes. Das Foto war auf der Terrasse des Segelclub-Restaurants gemacht worden. Die Bildmitte nahmen zwei bezaubernde junge Leute in teuren Designer-Outfits ein, er hatte den Arm um ihre Schulter gelegt, beide lachten, sie mit unfassbar großem Mund mit weißer, ebenmäßiger, aber nicht künstlich wirkender Zahnreihe.

»Elly Neumann mit ihrem neuen Freund?«, fragte Rachel.

»Richtig. Florian … oder Fabian? Ist auch egal. Ich vergrößere mal.«

Das Gesicht der jungen Frau wurde jetzt ziemlich grobkörnig, Sascha zog das Bild nach rechts unten, sodass man sehen konnte, was links oberhalb von Elly Neumann war: geparkte Autos, unscharf, offenbar der Parkplatz des Clubs. Wenige Meter hinter der jungen Frau mit den weißen Zähnen war ein anderes Paar dabei, das Gelände zu verlassen. Im Profil konnte man, wenn auch unscharf, Judith Kellermann ausmachen. Ihre Nase war unverkennbar. Neben ihr ging ein Mann mit breiten Schultern, etwa von gleicher Größe wie sie. Das Haar des Mannes war grau meliert und blitzte gelockt unter einer grünen Baseballkappe hervor. Das Gesicht hatte er Richtung Ausgang gewandt.

»Das ist Boris?«, fragte Carsten.

»Davon geh ich mal aus. Leider nur von hinten.«

Alle vier betrachteten etwas wehmütig das Foto. Ein paar Sekunden früher geknipst, und man hätte das Gesicht draufgehabt.

»Selbst wenn wir den Kerl von vorn hätten – was würde das beweisen?« Auch Sascha hielt seine verschwitzten Hände in Richtung Ventilator. »Dass er den Sprengstoff bei Kellermann deponiert hat?«

»Man könnte zumindest nach ihm suchen. Aber warten Sie mal …« Baum sichtete das Bildmaterial, das er vor sich auf dem Tisch liegen hatte. Schließlich fand er, was er suchte. Er hielt die Aufnahme neben den Bildschirm mit dem Bild des rückwärtigen Boris.

»Statur und Haare stimmen in etwa. Und die Kappe …«

»Die Farbe stimmt nicht überein«, erklärte Baum, »weil die Lichtverhältnisse unterschiedlich sind. Das im Segelclub ist Tageslicht, das andere Kunstlicht. Aber das könnte die grüne Kappe sein.«

Rachel hatte sich jetzt auch vor den Computer gestellt und betrachtete kopfschüttelnd die beiden Bilder. Sie nahm Baum das Foto aus der Hand, sah noch einmal hin und sagte: »Das kann ja wohl nicht wahr sein.«

Judith Kellermann starrte lange auf die Vertragskopie, der Blick finster, ihr Atem ging flach und schnell. Sie nahm die Seiten in die Hand, blätterte zurück und wieder vor, nahm den ganzen Packen und formte ihn zu einem ordentlichen Papierstoß, auf jeder Seite bündig, und legte ihn mit der Schrift nach unten auf den Tisch. Kellermanns Mund vollführte seltsame Bewegungen, als würde sie ihre Lippen einer exotischen Gymnastik unterziehen. »So ist das also«, sagte sie schließlich. Dann betrachtete sie zum wiederholten Mal das Foto, das Baum herausgesucht hatte und auf dem, wie sie in der Besprechung vermutet hatten, Boris zu sehen war. Ja, das war Boris, Kellermann hatte es bestätigt. Sie warf das Bild mit einer schnippenden Handbewegung auf den Tisch. »Dieser Drecksack.«

»Was sollen wir jetzt tun?«, fragte Rachel und steckte das Foto wieder in ihre Aktentasche.

»Sag mir noch mal die Optionen.«

»Wir können eine Haftprüfung beantragen und alles vorbringen, was wir wissen. Vielleicht erschüttert das den Glauben des Richters an deine Schuld so sehr, dass er dich auf freien Fuß setzt.«

»Mit Andreas und Uhlbrünner bin ich dann aber entzwei. Und die Firma kann ich dichtmachen.«

»Nun ja – wenn wir das alles vortragen, zusammen mit dem Verdacht, dass einer von beiden oder sogar beide hinter dem Mord an Sandner stehen … allerbeste Freunde werdet ihr nicht mehr, sein. Das muss aber nicht bedeuten, dass *Jumpcut* die Produktion von 11/18 nicht durchführt. Es wird nicht angenehm werden. Aber der Sender hat keinen Grund mehr auszusteigen, wenn du wieder frei bist. Und Uhlbrünner haben wir wegen der Geschichte mit dem Equipment-Verleih in der Hand. Andreas wird entweder verhaftet oder, falls nicht, kann er es sich auch nicht leisten, die Produktion wie geplant ohne dich durchzuziehen. Wenn der Sender die Hintergründe erfährt, rollen Köpfe.«

»Das heißt, wir ziehen es mit zusammengebissenen Zähnen durch. Und anschließend trenne ich mich von Andreas.«

»So würde ich das sehen.«

Kellermann dachte eine Weile nach. Der Widerwille gegen eine solche Lösung stritt mit dem Wunsch, wirtschaftlich zu überleben – und aus dem Gefängnis zu kommen.

»Und wenn wir keine Haftprüfung beantragen?«

»Dann wirst du bis zum Prozess hier sitzen. Weitere Monate, in denen Andreas in deiner Firma tun und lassen kann, was er will. Das wird nicht zu deinem Vorteil sein. Außerdem verliert *Jumpcut* wahrscheinlich das 11/18-Projekt. Laut unserer Vereinbarung musst du vor Drehbeginn wieder zur Verfügung stehen. Sonst bekommt die GFF das Projekt.«

»Wir lassen Uhlbrünner und Andreas also ins Messer laufen?« Kellermann legte ihre Hand auf den umgedrehten Vertrag. »Das ist schon heftig, was wir den beiden da unterstellen.«

»Es ist auch heftig, was die beiden hinter deinem Rücken betreiben. Glaubst du, dass du jemals wieder mit Andreas befreundet sein kannst?«

»Und wenn wir der Staatsanwaltschaft sagen, was wir wissen? Ich meine, wenn die rausfinden, was wir rausgefunden haben – müssen die dann nicht selbst was beantragen, dass ich … wie sagt man?«

»Beantragen, dass der Haftbefehl aufgehoben wird? Möglich. Aber ich bezweifle, dass die überhaupt ermitteln wollen. Und wenn – sie würden mit legalen Mitteln nicht das finden, was wir gefunden haben.« Rachel sah, dass Kellermann mit der Auskunft nicht glücklich war. »Ich rede mit der Staatsanwaltschaft. Aber mach dir keine zu großen Hoffnungen.«

»Können wir denn den Vertrag überhaupt bei Gericht vorlegen?« Kellermann tippte auf den Papierstoß.

»Nicht, ohne dass ich meine Zulassung verliere.«

»Was nützt er uns dann?«

»Er *wird* uns nützen. Vertrau mir.«

23

Oberstaatsanwalt Schwind rührte in seinem Cappuccino, überlegte, ob er es wirklich tun sollte, zuckte ein bisschen, als wollte er sagen, was soll's!, und entleerte ein zweites Zuckertütchen in den Milchschaum.

»Kein Süßstoff mehr?«, fragte Rachel.

»Davon kriegt man angeblich Alzheimer. Dann lieber fett werden.« Er sah nach unten. Die Krawatte lag auf dem halbkugelförmigen Bäuchlein, das er vor zehn Jahren noch nicht gehabt hatte. »Oder bleiben.«

»Sie sollten mehr Fälle selber machen. Das hält fit.«

»Würde ich ja gerne.« Die Arbeit eines Münchner Oberstaatsanwalts bestand vorwiegend in der Verwaltung seiner Abteilung. Das kostete so viel Zeit, dass für Strafprozesse nichts mehr übrig blieb.

»Ich werde Haftprüfung beantragen.«

»Im Fall Kellermann?«

»Ja. Es sei denn, Sie entschließen sich, selbst herauszufinden, was wirklich passiert ist.«

Schwind lächelte sie über seine Kaffeetasse hinweg an. Amüsiert und voller Sympathie für die Kollegin, die sich so viel Mühe mit einem aussichtslosen Fall gab.

»Sie sollten mit Frau Wittmann reden.«

»Habe ich.«

»Und?«

»Sie sagt, sie vertraut den Ermittlungen der Kripo. Und die bisherigen Ergebnisse würden ihr recht geben.«

»Stimmt ja auch. Der Haftbefehl hat gehalten. Und nach dem, was ich von den Fakten kenne, würde ich an Frau Wittmanns Stelle einer Haftprüfung entspannt entgegensehen. Haben Sie wirklich was aufregend Neues?«

»Einiges.«

»Geben Sie uns, was Sie haben, und wir werden dem nachgehen.«

Rachel lachte Schwind mit ihrem breitesten Lachen an. »Freilich.«

»Ihr Misstrauen kränkt mich ein bisschen.«

»Es sollte Sie ehren.« Sie tätschelte seine Hand. »Mal im Ernst, ich werde Ihnen keine Fakten nennen, mit deren Kenntnis sich Frau Wittmann gegen alle Eventualitäten wappnen kann. Aber ich wiederhole mich gerne, Sie sollten in Erwägung ziehen, dass jemand Frau Kellermann reingelegt hat.«

»Ich geb's weiter.«

»Müssen Sie nicht. Ich möchte nur festhalten, dass ich meiner Pflicht zu fairem Umgang nachgekommen bin.«

Der Tag der Haftprüfung war regnerisch und schwül. Man verpasste also nichts, wenn man ein paar Stunden im Büro eines Richters verbrachte.

»Zeugen? In einer Haftprüfung? Wo gibt's denn sowas?« Richter Lorenz Kronbichler wirkte etwas irritiert.

»Ist aber nicht verboten, oder?«, lächelte Rachel.

Kronbichler sah sie mit zusammengekniffenen Augen schelmisch an, nickte mit halbem Grinsen und beschloss offenbar, die Veranstaltung zu genießen.

»Gut, Frau Verteidigerin, Sie wollen hier also eine kleine Hauptverhandlung durchführen. Sie behaupten, es gäbe noch andere, die ein Motiv gehabt hätten, das Opfer zu töten und die Tat der Beschuldigten in die Schuhe zu schieben. Aber das sind ja nur Motive. Spekulationen.«

»Recht viel mehr hat die Staatsanwaltschaft gegen die Beschuldigte auch nicht.«

»Plus die Sprengstoffspuren. Und da wird die Sache dann sehr konkret.«

»Zum Sprengstoff werden wir auch noch etwas vortragen.«

»Na gut«, sagte Kronbichler. »Dann schauen wir's uns mal an. Erster Zeuge ist der Herr …« Er blätterte in seinen Unterlagen. »Andreas Kimmel.«

Kimmel hatte anscheinend nicht die leiseste Ahnung, um was es hier ging. Rachel war nicht sehr wohl bei dem Gedanken, ihn zum Mordverdächtigen zu machen, zumal die Beweislage nicht wasserdicht war. Andererseits hatte er in Anbetracht seines eigenen Verhaltens auch nichts anderes verdient.

»Herr Kimmel, ich mache Sie darauf aufmerksam, dass die Verteidigung behauptet, Sie hätten ein Motiv gehabt, Herrn Eike Sandner zu töten und die Spuren so zu legen, dass sie auf die Beschuldigte hinweisen.«

»Wie bitte?« Die Fassungslosigkeit in Kimmels Augen war entweder echt oder ziemlich gut gespielt.

»Ich muss Sie daher darüber belehren, dass Sie die Auskunft auf Fragen verweigern dürfen, deren Beantwortung Sie oder nahe Angehörige in die Gefahr bringen könnte, wegen einer Straftat oder Ordnungswidrigkeit verfolgt zu werden. Haben Sie das verstanden?«

Kimmel nickte mit offenem Mund.

»Gut. Dann beginnen Sie bitte mit der Befragung, Frau Verteidigerin.«

»Moment«, sagte Kimmel und schüttelte fassungslos den Kopf. »Die behaupten, ich hätte Sandner umgebracht?«

Kronbichler zuckte mit den Schultern. Kimmel drehte sich zu Judith Kellermann.

»Sag mal, spinnst du?« Dann, zu Rachel gewandt: »Haben Sie ihr das eingeredet? Wir haben vor Kurzem noch zusammen mit dem Sender verhandelt. Das glaub ich einfach nicht!« Jetzt schien Kimmel etwas Wichtiges einzufallen, und er drehte sich zum Richter. »Darf die Verteidigerin das überhaupt?«

Kronbichler sah ihn fragend an. Kimmel war außer sich.

»Frau Dr. Eisenberg war für mich als Anwältin tätig!

Darf sie mich jetzt hier so infam beschuldigen? Das verstößt doch gegen Anwaltsrecht!«

»Interessante Frage, Frau Verteidigerin.« Kronbichler legte die Stirn in Falten. »Herr Kimmel war Ihr Mandant?«

»Nein, das war er nicht. Wir hatten zusammen eine Besprechung mit dem Vertreter eines Fernsehsenders, in der unsere Kanzlei die Interessen von Frau Kellermann wahrgenommen hat. Die Interessen von Frau Kellermann und ihrer Firma waren in dem Fall deckungsgleich. Wir haben Herrn Kimmel vor der Besprechung auf unsere Rolle als ausschließliche Vertreter von Frau Kellermann hingewiesen. Es steht auch in dem Protokoll, von dem Herr Kimmel eine Abschrift bekommen hat. Ich kann es gerne raussuchen lassen.«

Kronbichler sah Kimmel an.

»Geschenkt«, sagte er in resigniert-beleidigtem Ton und schüttelte wieder den Kopf.

»Gut«, sagte Kronbichler. »Dann beantworten Sie jetzt bitte die Fragen der Verteidigerin. Und enthalten Sie sich weiterer Beschimpfungen.«

»Herr Kimmel«, begann Rachel, »Sie waren nicht immer Partner von Frau Kellermann. Sie hatten früher eine eigene Produktionsfirma. Ist das richtig?«

Kimmel zerriss es förmlich vor Wut, aber er versuchte, sich zusammenzureißen. »Ja, das ist richtig. Vor zwei Jahren haben Frau Kellermann und ich unsere Firmen zusammengelegt.«

»Hatten Sie vor dem Zusammenschluss mit Frau Kellermanns Firma Kontakt zu Eike Sandner?«

»Meine Firma war in Köln, und dort war Sandner eine bekannte Lokalgröße. Er hat alle möglichen Geschäfte betrieben.«

»Auch in der Filmbranche?«

»Er hatte eine Zeit lang eine Firma, die Film- und Fernsehequipment vermietete: Kameras und Zubehör, Kräne für spezielle Bildeffekte und andere Dinge, die die meisten Produktionsfirmen nicht selbst besitzen.«

»Waren Sie an dieser Firma beteiligt?«

Kronbichlers Aufmerksamkeit schien geweckt, und auch Wittmann wartete gespannt, was jetzt kommen würde.

Kimmel zögerte kurz, aber lang genug, dass alle es merkten. »Nein. Ich war nicht Teilhaber dieser Firma.«

»Vielleicht nicht offiziell. Aber möglicherweise steckte Ihr Geld in dieser Firma. Um es als Frage zu formulieren: Haben Sie jemandem Geld gegeben, damit er es in Sanders Firma investiert?«

Kimmel zögerte.

»Sie müssen die Frage nicht beantworten«, mischte sich jetzt Wittmann ein, »wenn Sie eine eventuelle Strafverfolgung befürchten.«

»Dann müssen Sie das aber auch sagen«, ergänzte Rachel. »Lügen dürfen Sie jedenfalls nicht.«

Kimmel kaute an der Antwort herum. Er war offensichtlich unvorbereitet auf die Frage und konnte die Implikationen einer Antwort nicht übersehen.

»Ich möchte nicht aussagen, bevor ich nicht mit meinem Anwalt gesprochen habe«, erklärte er schließlich.

»Weil Sie fürchten, Sie könnten sich strafbar gemacht haben?« Kronbichler lehnte seinen Oberkörper neugierig nach vorn in Richtung des Zeugen.

»Ich weiß es nicht. Ich bin kein Jurist. Am Ende dreht man mir einen Strick draus.«

»Kann ich verstehen«, sagte der Vorsitzende. »Gerade in Wirtschaftssachen kann man das als Laie kaum noch beurteilen.« Er wandte sich an Rachel. »Ich fürchte …«

»Kleinen Moment noch.« Rachel sah kurz in ihre Unterlagen. »Herr Kimmel – wenn Sie von Ihrem Auskunftsverweigerungsrecht Gebrauch machen, bitte. Das steht

Ihnen natürlich zu. Dann wäre ich allerdings gezwungen, den damaligen Kommanditisten der Firma, Herrn Guido Martin, als Zeugen vorladen zu lassen.«

Kimmel biss die Kiefer zusammen. »Lassen Sie ihn aus dem Spiel. Er hat damals schon genug Unannehmlichkeiten gehabt.«

»Dann machen Sie seine Vorladung doch entbehrlich.«

»Das geht jetzt aber deutlich zu weit.« Wittmann warf ihren Stift auf ihre Unterlagen. »Die Verteidigerin erpresst den Zeugen.«

»Sie erklärt ihm nur, was sie im Fall seiner Auskunftsverweigerung tun würde. Das darf sie.« Kronbichler schien zufrieden mit der Veranstaltung. Sie kam seinem Bedürfnis nach Unterhaltung entgegen. Er wandte sich an den Zeugen. »Also, Herr Kimmel, wollen Sie die Frage der Verteidigerin beantworten – in Kenntnis meiner ausdrücklichen Belehrung?«

»Ja. Ich hatte Herrn Guido Martin damals fünfzigtausend Euro gegeben, die er quasi treuhänderisch für mich in die Firma eingebracht hat.«

»Warum das Versteckspiel?«, wollte Kronbichler wissen.

»Ich hatte damals, wie gesagt, eine Produktionsfirma. Wenn ich für die Kameramiete eine andere Firma beauftrage, an der ich aber selber beteiligt bin, dann ist das wohl nicht strafbar. Aber es macht zumindest einen komischen Eindruck bei den auftraggebenden Sendern. Deswegen wollte ich nicht, dass mein Name auftaucht.«

»Verstehe«, sagte Kronbichler, lehnte sich zurück und legte sein Kinn auf die Brust. »Und jetzt bin ich gespannt, was das Ganze mit dem Tatverdacht gegen die Beschuldigte zu tun hat.«

Wittmann zischte ein sehr zustimmendes »Ich auch«.

»Diese Firma von Herrn Sandner – gibt es die noch?«, fuhr Rachel in ihrer Befragung fort.

»Nein. Sie ist vor zwei Jahren in Konkurs gegangen.«

»Sie haben dabei Geld verloren?«

»Meine gesamte Einlage.«

»Kurz nach der Pleite der *Sandner Set Equipment* wurde Eike Sandner von Unbekannten zusammengeschlagen. Und zwar so, dass er drei Wochen stationär behandelt werden musste. Es heißt in Köln, es seien die Leute von Hans Mangelsdorfer, einem polizeibekannten Kriminellen, gewesen. In Ihrem Auftrag. Stimmt das?«

»Wer behauptet denn so was?« Kimmel sah Beistand suchend zum Richter und zur Staatsanwältin.

»Es wird in Köln in bestimmten Kreisen so erzählt.«

»Das ist ...« Kimmel schien fassungslos.

»Sie müssen die Frage natürlich nicht beantworten«, ging Wittmann erneut dazwischen.

»Ich habe niemanden beauftragt, Sandner zu verprügeln. Es gab wahrlich genug andere, die dafür infrage kommen. Sandner hat Dutzende Menschen geschädigt.«

Rachel hatte es auf den Versuch ankommen lassen, da Kimmel hinsichtlich seiner Beteiligung an der Firma schon geredet hatte. Vielleicht war er in Plauderlaune. Aber er wusste wohl, dass er sich auf Mangelsdorfer verlassen konnte. Und möglicherweise war es ja doch Uhlbrünner gewesen, der Mangelsdorfer beauftragt hatte. Aber das konnte offenbleiben.

»Dann lassen wir es dabei bewenden. Es stimmt aber, dass Sie auf Eike Sandner nicht gut zu sprechen waren.«

»Ja natürlich, aber ...«

»Und dass Sie die Beschuldigte mehrfach vor ihm gewarnt haben, weil Sie fürchteten, dass er auch Ihrer jetzigen Firma Schaden zufügen würde. Indem er schlechten Einfluss auf Frau Kellermann ausübte.«

»Sie wäre nicht die Erste gewesen, die er um viel Geld gebracht hätte. Jeder wusste, dass er ein Gigolo war. Aber deswegen würde ich doch keinen Mord begehen!«

Kellermann reagierte jetzt das erste Mal. Empörung und Wut verzerrten ihr Gesicht.

»Ich halte kurz fest: Eike Sandner hatte Sie schon einmal um viel Geld gebracht. Und Sie fürchteten, dass er es jetzt wieder tun könnte.«

»Ich hab ihn nicht ermordet.«

»Das habe ich bislang auch noch nicht behauptet. Kommen wir zu einem anderen Punkt: Eine Verhaftung von Frau Kellermann birgt die Gefahr, dass der Sender Ihnen einen sehr großen und, nebenbei gesagt, Ihren einzigen Produktionsauftrag entzieht. War das so vorhersehbar?«

»Bei einer kleinen Produktionsfirma wie der unseren hängt alles an den Inhabern. Dass der Sender in einem Fall wie der Verhaftung der Geschäftsführerin massiv Schwierigkeiten machen würde, war klar.«

Wittmann regte sich wieder. »Damit entfällt ja wohl jedes Motiv, die Tat der Beschuldigten in die Schuhe zu schieben. Der Zeuge würde sich ja selbst schaden.«

Kronbichler nickte. »Ich frag mich auch ein bisschen, wo da die Logik ist.«

»Zu Recht. Wenn es denn so ist, wie der Zeuge sagt. Aber ist es so?« Rachel sprach Kimmel an. »Ist der Ausfall von Frau Kellermann tatsächlich zu Ihrem Schaden, wenn der Sender den Auftrag anderweitig vergibt?«

Auch hier überlegte Kimmel einen Moment zu lange. Er musste das Risiko einschätzen. Würde sein Kumpel Uhlbrünner dichthalten? Was passierte, wenn der redete? Was wusste die Verteidigerin von irgendwelchen Nebenabsprachen? Eigentlich konnte sie nichts darüber wissen. Sie schoss wohl einfach ins Blaue wie bei der Sache mit Mangelsdorfer.

»Ich wüsste nicht, inwiefern es zu meinem Nutzen sein sollte, wenn wir den Auftrag verlieren«, sagte er schließlich. »Wir haben doch gemeinsam mit dem Sender verhandelt und ihn dazu gebracht, erst mal ruhig zu halten.

Ich weiß gar nicht, wie Sie darauf kommen, dass mir eine Kündigung der Produktion nutzen würde?«

Rachel machte eine kleine Pause, in der sie scheinbar nachdachte. Aber es war nur um der größeren Dramatik willen.

»Nun gut.« Sie legte bedächtig ihren Stift ab. »Ich würde jetzt gerne den Zeugen Uhlbrünner befragen. Herr Kimmel möge bitte so lange warten. Ich habe danach noch weitere Fragen an ihn.«

Nachdem Wittmann keine Fragen an den Zeugen hatte, wurde Kimmel aus dem Richterzimmer geschickt. Uhlbrünner kam herein, und die beiden gingen aneinander vorbei. Kimmel spießte ihn förmlich auf mit seinem beschwörenden Blick. Uhlbrünner schien sich nicht sicher zu sein, wie er Kimmels Blick interpretieren sollte. Er war um Haltung bemüht, trotzdem sah er aus, als würde er zu seiner Hinrichtung geführt.

24

Daniel Uhlbrünner war Rachel bereits vor der Sitzung auf dem Gang begegnet. Er hatte sie mit einer Mischung aus Angst und Wut gefragt, was diese Vorladung zu bedeuten habe. »Ich dachte, wir hätten einen Deal, dass Sie mich nicht als Zeugen benennen«, hatte er mit gepresster Stimme gemurmelt. »Wir haben keinen ausdrücklichen Deal«, hatte Rachel geantwortet. »Sollten wir einen unausdrücklichen Deal haben, dann bleibt der auch bestehen. Im Augenblick ist es nicht nötig, Sie mit Sandners Equipment-Firma in Verbindung zu bringen. Hoffen wir, dass es so bleibt.«

Nachdem Kronbichler den Zeugen über sein Recht auf Verweigerung der Auskunft aufgeklärt hatte, begann Rachel mit der Befragung.

»Herr Uhlbrünner, was machen Sie beruflich?«

»Ich bin Fernsehredakteur im Bereich Fiction, Event-Movies.«

»Beim Sender, für den die Firma *Jumpcut* den historischen Zweiteiler 11/18 realisieren soll?«

»Ja.«

»Wie lange kennen Sie Herrn Kimmel schon?«

»Den ersten Film haben wir, glaube ich, 2008 zusammen gemacht. Als Redakteur mit Herrn Kimmels damaliger Firma.«

»Das war nicht die Frage. Ich hatte gefragt, wie lange Sie Herrn Kimmel schon kennen.«

Uhlbrünner sank etwas in sich zusammen, bemerkte es, machte den Rücken gerade und zuckte mit den Schultern. »Wir haben uns an der Filmhochschule kennengelernt.«

»Aha. Meinen Informationen nach waren Sie auf dem gleichen Gymnasium.«

»Äh ja. Das ist richtig.«

»Aber gerade sagten Sie noch, Sie hätten sich erst auf der Filmhochschule kennengelernt?«

»Na ja, wir … hatten wenig Kontakt auf der Schule. Befreundet sind wir erst seit der Filmhochschule.«

Rachel schielte zum Richter. Ihre Fragen hatten nicht viel Bedeutung für das, was sie beweisen wollte. Aber sie vermittelten Kronbichler den Eindruck, dass Uhlbrünner etwas zu verbergen hatte. Der Geruch von Korruption lag in der Luft. Da machten zwei Kumpels miteinander Geschäfte und taten so, als würden sie sich kaum kennen. Interessant! Kronbichlers Aufmerksamkeit hatte sie.

»Sie sind also befreundet, Herr Kimmel und Sie?«

»Geschäftsfreunde, ja.«

»In Ihrer Eigenschaft als Redakteur – verhandeln Sie da auch die Verträge mit den Produktionsfirmen?«

»Viel zu verhandeln gibt es in der Regel nicht. Das sind Standard-Verträge, die uns die Rechtsabteilung vorgibt. Da müssen natürlich noch ein paar Zahlen und Daten eingesetzt werden. Aber sonst sind sie vorformuliert.«

»Im Fall von *Jumpcut* gibt es bislang noch keinen unterschriebenen Vertrag, obwohl *Jumpcut* schon Leistungen in sechsstelliger Höhe erbracht hat.«

»Das liegt nicht an mir. Es ist leider oft so, dass die Verträge sehr lange in der Rechtsabteilung verbleiben.«

»Das wirft Ihnen auch keiner vor. Und der Sender könnte sich wohl auch ohne unterschriebenen Vertrag nicht so ohne Weiteres von *Jumpcut* trennen. Die Inhaftierung der geschäftsführenden Gesellschafterin würde aber durchaus ein wichtiger Grund dafür sein. Welche Firma erhält denn den Auftrag, wenn der Sender *Jumpcut* die Produktion von 11/18 entzieht? Und zu welchen Konditionen – vor allem, was Herrn Kimmel anbelangt?«

Uhlbrünner schien regelrecht geschockt. »Das … das sind Firmeninterna. Ich bin nicht befugt, darüber zu reden. Da müssten Sie erst die Genehmigung des Senders einholen.«

»Herr Zeuge!«, meldete sich Richter Kronbichler unter Aufbietung aller Autorität seines Amtes. »Ihr Arbeitgeber hat hier gar nichts zu genehmigen. Sie arbeiten ja nicht beim Geheimdienst. Sie stehen vor einem deutschen Gericht und haben wahrheitsgemäß Auskunft zu geben, wenn Sie etwas gefragt werden.«

Uhlbrünner nahm es schweigend zur Kenntnis und sah zu Rachel. Er war offenbar in einem Zustand höchster Panik. »Ich … ich verstehe nicht, was Sie genau meinen. Vor allem die Sache mit Herrn Kimmel.«

»Dann fragen wir anders: Wäre Andreas Kimmel im Fall einer Kündigung weiterhin, wenn auch in anderer Form, an der Produktion von 11/18 beteiligt?«

»Ich … ich weiß nicht. Ich entscheide so was nicht.«

»Wir hatten doch vereinbart, dass *Jumpcut* jemanden in das Projekt einarbeitet. Bis jetzt hat sich aber offenbar noch niemand gemeldet. Das spräche natürlich dafür, dass sich Ihre Vorgesetzten noch nicht entschieden haben. Vielleicht ist es aber gar nicht nötig.«

Uhlbrünner schwitzte. »Wir … wir werden bald jemanden benennen. Natürlich muss jemand eingearbeitet werden.«

Wittmann zog ein genervtes Gesicht. »Erklären Sie mir doch bitte, was diese Vertragsfeinheiten mit unserem Mordfall zu tun haben.«

Kronbichler zeigte ihr seine wedelnde Hand. »Ich denke, das werden wir gleich erfahren. Warten Sie's halt ab.«

Rachel fuhr mit Uhlbrünners Befragung fort. »Also noch mal, gibt es einen Vertrag betreffend 11/18 mit einer anderen Firma? Sie wissen, dass Sie für eine Falschaussage ins Gefängnis kommen können. Ich müsste gegebenenfalls den Leiter Ihrer Vertragsabteilung als Zeugen laden.«

»Ja, es gibt einen Vertrag.« Uhlbrünner klang genervt. »Mit der GFF, Global Film und Fernsehen.«

»Gibt es in dem Vertrag Klauseln, die Herrn Kimmel betreffen?«

»Kann sein, dass die eine oder andere Regelung auch ihn betrifft.«

»Aha? Welche Regelungen sind denn das?«

»Das weiß ich nicht mehr im Wortlaut. Das macht die Vertragsabteilung.«

»Dann sollten wir …«, sie wandte sich an Kronbichler, »… mal einen Blick in den Vertrag werfen.«

Bei Kronbichler, immer neugierig, stieß Rachel auf Verständnis. »Sie behaupten quasi, dass der Herr Kimmel einen Vorteil davon hätte, wenn die Produktion seiner Firma – wie heißt sie noch gleich …?« Kronbichler wühlte in seinen Unterlagen.

»Jumpcut.«

»Jumpcut! Also dass es sogar von Vorteil für Herrn Kimmel wäre, wenn der *Jumpcut* die Produktion entzogen wird?«

»Und er folglich keinen Nachteil, vielleicht sogar einen Vorteil hätte, wenn Frau Kellermann ins Gefängnis muss«, ergänzte Rachel.

»Und wie kommen Sie darauf?« Kronbichler blickte leicht argwöhnisch. »Haben Sie diesen Vertrag gesehen?«

Das fragte sich allerdings auch Uhlbrünner.

»Nein, natürlich nicht. Aber wie wir vorhin gehört haben, ist Herr Kimmel mit Herrn Uhlbrünner schon viele Jahre befreundet. Ich weiß, dass sie auch in anderen Firmen schon eng zusammengearbeitet haben. Es ist daher naheliegend, dass der Zeuge Vorkehrungen getroffen hat, damit sein alter Freund Andreas Kimmel nicht ruiniert wird, wenn die Kündigung erfolgt.«

»Ergibt einen gewissen Sinn. Schauen wir einfach mal, ob was dran ist.« Kronbichler wandte sich Uhlbrünner zu. »Haben Sie den Vertrag dabei? Auf Ihrem Laptop? Sonst müssten Sie in Ihrem Büro anrufen, damit sie ihn schicken. Ich gebe Ihnen meine Mailadresse.«

»Und es sollte ein eingescanntes Original mit Unterschriften sein«, sagte Rachel. »Nicht dass wir versehentlich einen Vertragsentwurf bekommen, der nachträglich noch geändert wurde.«

»Guter Punkt!« Kronbichler hielt anerkennend einen Zeigefinger in Richtung Rachel. »Lassen Sie den Vertrag einscannen und mailen.«

Es dauerte etwa fünf Minuten, da hatte Kronbichler ihn auf seinem Computer. Weitere fünf Minuten später hatte jeder ein Exemplar und studierte die entsprechenden Passagen. Uhlbrünner saß mit versteinerter Miene auf seinem Zeugenstuhl und wartete, dass das Unwetter über ihm losbrach. Schließlich fragte Kronbichler, ob alle gelesen hätten, und nahm die Vernehmung jetzt selbst in die Hand.

»Wenn ich diesen Vertrag richtig verstehe, dann wird Herr Kimmel für den Fall, dass die GFF den Auftrag erhält, Co-Produzent von 11/18 werden. Korrekt?«

Uhlbrünner nickte.

»Wie hoch ist die Abstandszahlung, die für Herrn Kimmel fällig wird?«

»Das unterliegt einer Abmachung zwischen Herrn Kimmel und der GFF.«

»Ja, ja, das steht hier. Ich kann lesen. Aber gibt es diese Abmachung, und was steht drin?«

»Möglicherweise gibt es so eine Vereinbarung. Aber die geht den Sender nichts an. Deswegen bin ich auch nicht darüber informiert.«

»Aber Sie sind doch mit Herrn Kimmel befreundet.«

Uhlbrünner schwieg und knetete seine Daumen.

»Gibt es diesen Vertrag?«, insistierte Kronbichler. »Ja oder nein?«

Uhlbrünner atmete schwer und kam anscheinend zu

dem Entschluss, hier nicht mit einer Vorstrafe rauszugehen. »Meiner Kenntnis nach ist ein solcher Vertrag abgeschlossen worden. Aber da müssten Sie Herrn Kimmel fragen.«

»Oh, das werden wir tun.« Kronbichler rieb sich innerlich die Hände bei dem Gedanken. »Noch Fragen an den Zeugen?«

Wittmann meldete sich. »Herr Uhlbrünner – der GFF-Vertrag wurde am 14. Juni abgeschlossen. Frau Kellermann wurde am 28. Mai verhaftet. Wann haben denn die Verhandlungen zu diesem Vertrag begonnen?«

»Der 28. Mai war ein Sonntag. Am darauffolgenden Dienstag hat uns Herr Kimmel davon unterrichtet. Er wollte erst noch die Entscheidung des Haftrichters abwarten. Und dann haben wir sofort Kontakt mit der GFF aufgenommen.«

»Das heißt, Sie sind erst nach dem 28. Mai aktiv geworden?«

»Das ist richtig.«

Wittmann gab durch eine entsprechende Geste zu verstehen, dass sie fertig war mit dem Zeugen. Kronbichler sah zu Rachel.

»Herr Uhlbrünner«, griff sie den Faden wieder auf, »in diesen zwei Wochen fanden aber auch die Verhandlungen mit uns statt. Heißt das, dass Sie parallel schon mit der GFF gesprochen haben?«

»Ja, das haben wir. Wir mussten zweigleisig fahren. Die Zeit drängte, und wir wussten ja nicht, wie die Verhandlungen mit *Jumpcut* ausgehen würden.«

»Eine letzte Frage. Dass bis jetzt niemand von der GFF benannt wurde, um sich in das Projekt einzuarbeiten – hat das damit zu tun, dass Herr Kimmel sowieso weitermachen wird?«

»Natürlich.«

Damit wurde Uhlbrünner entlassen. Als Erste meldete sich Wittmann zu Wort.

»Sie wollen uns also glauben machen, dass die beiden Herren sowohl Eike Sandner als auch die Beschuldigte loswerden wollten? Sandner wurde in die Luft gesprengt und die Spuren so gelegt, dass sie auf Frau Kellermann hindeuten?«

»Die Möglichkeit finde ich nicht so abwegig. Was wir bisher gehört haben, klingt nach einem ausgemachten Komplott.«

»Sie vergessen dabei aber, dass diese etwas seltsame Vertragsgestaltung erst stattfand, *nachdem* Frau Kellermann verhaftet worden war.«

»Was aber auch dafür spricht, dass die beiden besonnen vorgegangen sind. Sie wussten, dass sie Kimmels Beteiligung auch nach der Verhaftung von Frau Kellermann hinbekommen würden. Es gab ja nur die beiden, die verhandelt haben.«

»Vielleicht. Ein weiteres Vielleicht. Sie haben nichts als ein exotisches Motiv.«

»Es geht um Geld. Eins der häufigsten Mordmotive überhaupt.«

»Ja. Aber was ist mit anderen Indizien? Die Sprengstoffspuren wurden bei Frau Kellermann gefunden, nicht bei Herrn Kimmel.«

»Weil Sie nur bei Frau Kellermann gesucht haben. Das ist ja, was ich bemängele. Dass Sie sich auf eine Verdächtige festgelegt und die Ermittlungen in alle anderen Richtungen eingestellt haben. Aber zum Thema Sprengstoff wollte ich gerade kommen. Ich würde gerne den Zeugen Andreas Kimmel dazu noch einmal befragen.«

»Sprengstoff?« Kronbichlers Neugier blieb anscheinend ungebrochen. »Ja, dann hören wir mal, was Herr Kimmel zu sagen hat.«

25

Herr Kimmel, wir haben gerade erfahren«, eröffnete Rachel die Befragung, »dass Sie die Produktion von 11/18 in jedem Fall leiten werden, auch wenn der Sender von seinem in – Anführungszeichen – Kündigungsrecht Gebrauch macht. Das könnte sogar ganz lukrativ werden für Sie.«

»Du bist so ein mieses Aas«, zischte Kellermann Kimmel an. Er wich ihrem Blick aus. Das schlechte Gewissen hatte Oberhand über die Wut gewonnen.

»Wir hätten gerne die Vereinbarung, die Sie mit der GFF abgeschlossen haben«, sagte Kronbichler.

Kimmel nickte.

»Wie konntest du mich so hintergehen?« Judith Kellermann war den Tränen nahe.

»Mein Gott, ich muss auch schauen, wo ich bleibe. Es ist nicht meine Schuld, dass du im Gefängnis sitzt!«

»Da sind wir uns eben nicht ganz sicher«, schaltete sich Rachel ein. »Aber kommen wir zu einem anderen Thema. Der Name Boris sagt Ihnen was?«

»Frau Kellermann hatte ihn kurz vor ihrer Verhaftung kennengelernt. Mehr weiß ich auch nicht.«

»Aber Sie haben ihn mal gesehen, als er Frau Kellermann abgeholt hat.«

»Ja, wir wurden uns kurz vorgestellt. Mehr aber nicht.«

»Schauen Sie sich bitte dieses Foto an.« Rachel ging zu Kimmel und gab ihm ein Foto, auf dem ein etwa fünfzig Jahre alter Mann etwas unscharf, aber dennoch erkennbar abgelichtet war. Auch Kronbichler und Wittmann bekamen ein Foto.

»Das ist dieser geheimnisvolle Boris?«, fragte Wittmann.

»Ist er es?«, gab Rachel die Frage an Kimmel weiter.

Der betrachtete das Foto eine Weile und nickte schließlich. »Ja, ich würde sagen, das ist er. Ich habe ihn wie gesagt nur einmal kurz gesehen.«

Rachel ging auf ihren Platz zurück und suchte etwas in ihren Unterlagen. »Da habe ich allerdings meine Zweifel.«

Kimmel schien irritiert, sagte aber nichts.

»Das Foto, das Sie in der Hand halten, ist nämlich nur ein Teil des Originalbildes. Tatsächlich wurde die Aufnahme in einem Lokal gemacht, und Boris ist nur im Hintergrund zu sehen. Der Urheber des Bildes hat es auf Facebook gepostet.« Sie hielt jetzt drei weitere Fotos in der Hand. »Wenn man den Ausschnitt etwas weiter fasst, dann sieht das Bild so aus.«

Rachel verteilte die Bilder. Wittmann zog die Augenbrauen hoch, Kronbichler blickte zu Kimmel und sagte: »Ach tatsächlich?« Und Kimmel sank in sich zusammen.

Auf dem vergrößerten Ausschnitt war zu sehen, dass Boris an einem Restauranttisch saß und sich mit jemandem unterhielt. Es war – Andreas Kimmel.

»Auf die Erklärung bin ich jetzt aber gespannt«, sagte Kronbichler.

Rachel lehnte sich an den Tisch und sah Kimmel an. »Anscheinend kennen Sie Boris doch besser, als wir dachten. Das ist also der Mann, der Plastiksprengstoff in das Haus der Beschuldigten gebracht hat. Fragt sich, in wessen Auftrag?«

»Nein, so ist das nicht. Ich kenne den Mann nicht weiter. Wir sind nur einmal kurz ein Bier trinken gegangen.«

»Wie kam es dazu?«, wollte Kronbichler wissen.

»Das war in der Zeit, als ich ohnehin schon nervös war wegen Eike Sandner. Und dann taucht auch noch er hier auf«, er hielt das Foto hoch, »und macht Judith den Hof. So kam es mir jedenfalls vor. Der Kerl war mir unheimlich, und ich wusste, dass ...«, er stockte kurz, »... dass Frau Kellermann anfällig ist für Männer, die ihr irgendeinen Unsinn einreden.«

»Arschloch«, kam es vernehmlich von der Bank der Beschuldigten.

»Tut mir leid, Judith, aber das ist nun mal so. In der Firma steckt mein ganzes Geld. Ich hatte echt Panik.«

»Ja aber, wie kam es denn jetzt dazu, dass Sie mit diesem Herrn ein Bier trinken gehen?«, fragte der Richter etwas quengelig. »Haben Sie ihn angerufen und gesagt, wollen wir was trinken gehen?«

»Nein. Eines Tages hab ich ihn gesehen, wie er in sein Auto einstieg. Er kam gerade aus einem Metzgerladen. Und da hab ich ihn angesprochen.«

»Wo war das?«, fragte Rachel.

»Es war ... in Straßlach.«

Sekundenlang war Schweigen im Raum.

Kronbichler entschied, die Befragung jetzt zu übernehmen. Rachel hatte nichts dagegen. »Was haben Sie in Straßlach gemacht?«

Wieder dachte Kimmel nach, antwortete aber, bevor ihn der Haftrichter ermahnen musste. »Ich wollte eigentlich mit Sandner reden. Rausfinden, was er vorhatte.«

»Wieso gehst du davon aus, dass Eike irgendetwas vorhatte?« Kellermann lehnte sich über den Tisch zu Kimmel. »Er war mein Freund, verdammt noch mal. Bin ich so abstoßend, dass ein Mann irgendwas vorhaben muss, wenn er mit mir zusammen ist?«

»Nein. Aber du wärst nicht die Erste gewesen, die er ruiniert. Ich kannte ihn besser als du, glaub's mir.«

Kronbichler schlug mit dem Ehering an eine Mineralwasserflasche, was einen erstaunlich durchdringenden Ton erzeugte. »Hallo! Könnten Sie Ihre privaten Diskussionen bitte beenden?«

Es wurde ruhig.

»Warum haben Sie nicht schon früher gesagt, dass Sie diesen Herrn Boris in Straßlach getroffen haben?«

»Um nicht in eine Situation wie jetzt zu geraten. Wo irgendwer auf die Idee kommt, *ich* hätte Sandner in die Luft gesprengt.«

»Sehr bedauerlich. Möglicherweise wäre meine erste Entscheidung in dieser Sache anders ausgefallen, wenn ich das gewusst hätte.«

Rachel und Kellermann hörten das mit Erstaunen.

»Sie sind dann mit Herrn Boris also ein Bier trinken gegangen? Was hat er erzählt?«

»Er hat behauptet, er wäre einige Zeit geschäftlich in München, ohne zu sagen, was genau er macht. Er hat sich auch für Segelboote interessiert. Ob geschäftlich oder rein privat, weiß ich nicht. Er hatte einen ganz leichten kroatischen Akzent. Ich habe Verwandte in Istrien. Das kann ich einigermaßen beurteilen.«

»Haben Sie herausgefunden, wie sein Verhältnis zu Frau Kellermann war?«

»Er hat erzählt, er hätte ein paar Tage frei und würde die Gesellschaft – das hat er wörtlich gesagt –, die Gesellschaft von Frau Kellermann sehr anregend finden.«

Kronbichler schien so weit zufrieden und gab der Staatsanwältin und Rachel Gelegenheit, Fragen zu stellen. Wittmann, die anscheinend mehr mit ihrem Handy beschäftigt war, fand die Erklärungen des Zeugen plausibel und befriedigend und wollte nichts weiter von ihm wissen. Rachel versuchte noch ein paar Fragen, um Kimmel aus dem Konzept zu bringen und in Widersprüche zu verstricken. Aber er blieb bei seinen bisherigen Ausführungen. Kronbichler entließ den Zeugen.

»Ich muss zugeben, dass mir die Sache nicht mehr so eindeutig erscheint wie vorher«, sagte Kronbichler und ließ offen, was das genau zu bedeuten hatte. »Ich sage nicht, dass definitiv ein Komplott gegen die Beschuldigte geschmiedet wurde, um ihr den Mord anzuhängen. Aber ich kann es auch nicht ausschließen nach dem, was wir heute gehört haben.«

»Ich sehe das naturgemäß anders«, widersprach Wittmann. »Herr Kimmel hat versucht, seine Haut zu retten, nachdem – wohlgemerkt nachdem! – die Beschuldigte verhaftet wurde. Seine Einlassungen dazu und wieso er sich mit diesem Mann namens Boris getroffen hat, sind schlüssig – finde ich jedenfalls. Aber bevor Sie eine Entscheidung fällen, würde ich gerne noch einen Zeugen hören.«

»Ist der Zeuge anwesend?«

»Nein. Ich habe erst vor ein paar Minuten erfahren, dass es ihn gibt.« Wittmann deutete auf ihr Handy. »Einen Namen kann ich noch nicht benennen. Ich habe nur eine Mail bekommen, dass ein Zeuge sich bei der Polizei gemeldet hat. Und was er sagt, dürfte ein für alle Mal Klarheit in diesem Fall schaffen. Es geht um den Plastiksprengstoff, den die Beschuldigte bei ihrem Anschlag verwendet hat. Aber ich muss mit dem Zeugen erst selbst reden. Die Staatsanwaltschaft beantragt, die Sitzung bis morgen zu unterbrechen.«

26

Kronbichler hatte der Vertagung zugestimmt, obwohl er dafür am nächsten Tag einen anderen Termin verlegen musste.

Rachel bat die Wachbeamtin um ein paar Minuten mit Judith Kellermann, nachdem sie den Gerichtssaal verlassen hatten.

»Hast du eine Vermutung, was morgen auf uns zukommt?«, fragte sie Kellermann.

»Keine Ahnung. Ich weiß ja nicht, wer da morgen auftaucht.«

»Wirklich nicht?«

»Was soll der Scheiß? Glaubst du, ich hab schmutzige kleine Geheimnisse?«

»Erinnere dich! Gibt es irgendetwas im Zusammenhang mit dem Sprengstoff, das ich wissen sollte?«

»Nein, verdammt. Ich hab dir alles gesagt. Ich hab nicht die leiseste Ahnung, was morgen passiert.«

»Dann beten wir mal, dass Wittmann übertrieben hat.«

Rachel fuhr beunruhigt vom Untersuchungsgefängnis nach Hause. Ihre Strategie war bis jetzt ziemlich gut aufgegangen. Vor allem Kimmels Kontakt zu Boris erzeugte natürlich Zweifel an der Schuld von Judith Kellermann. Hatte Kimmel sie reingelegt, um einen fetteren Brocken bei der Produktion von 11/18 zu ergattern? Das war nicht Rachels Sorge, dass mussten Polizei und Staatsanwaltschaft klären.

Auf der Fahrt rief Rachel Reza an. Sie hatte Lust, ihn heute Abend zu sehen, und wollte reden. Dass Reza auch Anwalt war und ihre Probleme nachvollziehen konnte, machte das Zusammensein mit ihm noch um einiges angenehmer, als es ohnehin schon war. Sie waren vor zwei Jahren zusammengekommen. Rezas Sohn Casper hatte damals Sarah gemobbt, woran Sarah freilich nicht schuldlos war, denn sie hatte mit Freundinnen zusammen anzügliche Photoshop-Karikaturen von Casper ins Netz gestellt. Die Mobbing-Episode war schnell erledigt. Aber Rachel und Caspers Vater Reza, der von seiner Frau geschieden war, hatten sich kennen- und schätzen gelernt. Zu einer leidenschaftlichen Beziehung fehlte noch etwas, das spürten beide, konnten aber nicht benennen, was. Vielleicht war es schlicht die Bereitschaft, sich auf den anderen ganz einzulassen.

Sarah hatte ein Veggie-Chili mit Bulgur gekocht. Sarah kochte fast immer vegetarisch. Falls nicht, gab es wenigstens Fisch oder etwas anderes aus dem Wasser wie Scampi. Warum Kalb nicht in Ordnung war, Scampi aber schon? Das war mehr so eine Gefühlssache. Die Scampi taten Sarah nicht ganz so leid wie das Kalb. Sarah hatte inzwischen auch nachgelesen, was alles aus dem Meer koscher war und was nicht, und beschlossen, diese Essensvorschrift zu ignorieren. Es war kompliziert genug, wenn man kein Fleisch aß, und das, was dann noch blieb, sollte möglichst umweltfreundlich produziert und verpackt sowie regional und gesund sein.

»Schmeckt grandios«, lobte Rachel und wischte sich den Schweiß von der Stirn. »Mit den Chilis hast du es aber gut gemeint.«

»Ist gesund. Das desinfiziert dich von innen.«

»Ja, das merke ich.« Rachel trank in großen Schlucken aus ihrem Wasserglas.

»Wasser trinken bringt nichts«, sagte Sarah und tupfte sich Stirn und Lippen mit der Serviette ab.

»Was bringt denn was?« Rachel war mittlerweile bedenklich rot im Gesicht. »Ich hab nämlich das Gefühl, dass meine Schleimhäute gerade weggeätzt werden.«

»Fühlt sich nur so an. Capsaicin ist harmlos. Man kann höchstens einen Kreislaufkollaps bekommen, wenn man zu viel davon isst.«

»Das beruhigt mich. Vielleicht könntest du mir trotzdem verraten, was gegen dieses höllische Brennen hilft. Das Chili ist wirklich köstlich. Aber im Augenblick schmecke ich nichts mehr.«

»Zucker hilft. Iss was Süßes.«

»Gute Idee!« Rachel stand auf, die Serviette immer noch in der Hand, um sich das Gesicht trocken zu tupfen, und holte einen Becher Eis aus dem Gefrierfach.

»Ich glaub, ich möchte auch was.« Sarah schob ihren Teller weg und sah ihre Mutter mit klatschnassem Gesicht an.

»Schade. Hätte ein schönes, vegetarisches Abendessen zum Abnehmen werden können.« Rachel löffelte das halb geschmolzene Sahneeis mit konzentrierter Hingabe. Sie saßen auf der Terrasse, die Venus stand am verblassenden Himmel, und abendliche Sommerhitze wehte durch den Garten.

»So war der Plan. Aber was willst du machen? Klarer Notfall. Willst du noch was?« Rachel nickte energisch, und Sarah verschwand im Haus, um die Eisteller neu zu füllen.

»Oh«, sagte Rachel, als sie die Riesenportion auf ihrem Teller entgegennahm. »Ist noch was da?«

»Nö.« Sarah goss sich Eierlikör über ihre Portion. »Das Zeug muss weg. Ist schon 'ne Woche offen.«

»Dann wird's aber Zeit.«

Sie löffelten eine Weile selig vor sich hin und sahen in die hereinbrechende Nacht.

»Das Foto«, sagte Sarah nach einer Weile, »das du dir auf dem Computer angesehen hast ...« Rachel schaute ihre Tochter leicht besorgt an. »Als wir uns gestritten haben. War das ein Foto von Hannah?«

Rachel nickte.

»Ich würd's gerne mal sehen – wenn's dir nichts ausmacht.«

»Nein, nein. Ist okay. Ich hol es.« Rachel ging ins Haus und kehrte kurz darauf mit ihrem Laptop zurück. Einige Augenblicke später war das Bild aus den Achtzigerjahren auf dem Schirm.

Sarah betrachtete es fasziniert.

»So hast du früher ausgesehen?« Sie deutete auf das dickliche Mädchen mit der Brille, das von seinem Vater umarmt wurde.

»Ich stand immer ein bisschen im Schatten von Hannah. Wenn sie dabei war, dann war's ihre Show.«

»Sieht man.« Sie holte den Bildschirm noch etwas näher heran. »Du findest, ich seh ihr ähnlich?«

»Ist nicht zu leugnen.«

»Sie ist meine Tante.« Sie vergrößerte das Bild und rückte den blonden Surfer in die Mitte. »Wer ist das?«

»Leif. Aus Kalifornien.«

»Wow! Echt?«

»Ja. Leif konnte surfen, Ski fahren, Basketball spielen – wie ein junger Gott. Bis auf Fußball.«

»Was macht der bei euch im Garten?«

Rachel zögerte. »Leif war ... Austauschschüler. Er hat zehn Monate bei uns gewohnt.«

»Du warst sicher megaverknallt.« Sarah schaute Rachel von der Seite an, ein Pippi-Langstrumpf-Lächeln im Gesicht.

»Nicht wirklich. Er war siebzehn, ich zwölf, dreizehn.«

»Come on! Wenn du noch irgendwas durch deine dicke Brille gesehen hast, dann musst du verknallt gewesen sein.«

»Ja. Ein bisschen. Und jetzt hör auf. Das ist peinlich.«

Sarah umarmte ihre Mutter und gab ihr einen Kuss auf die Wange. »Du bist ja süß. Willst nicht zugeben, dass du vor dreißig Jahren in Leif verliebt warst.«

Rachel machte sich wieder über ihr fast geschmolzenes Eis her. »Weißt du – es ist mir nicht wirklich peinlich. Es ist nur so, dass Leif untrennbar mit Hannah verbunden ist.«

»Verstehe. Die beiden hatten natürlich was miteinander.«

»Leif hatte ein Zimmer im Souterrain. Und Hannah ist nachts immer runtergegangen.«

»Und die kleine Rachel hat eifersüchtig durchs Schlüsselloch geguckt, wenn sich die große Schwester vorbeigeschlichen hat.«

»Ja. So ähnlich. Und jetzt hören wir mal auf damit. Es gibt mir jedes Mal wieder einen Stich.«

»Schon gut«, sagte Sarah und betrachtete erneut das Bild auf dem Laptop. »Das ist Opa?«

Sie tippte auf den Mann, der den Arm um Rachel gelegt hatte. Rachel nickte.

»Er sieht dich sehr liebevoll an. Findest du nicht?«

»Ja, das hat er damals noch gemacht.« Rachel lächelte, aber die Bitterkeit konnte sie nicht weglächeln. Sie nahm Sarahs Eisteller und stellte ihn auf ihren, um sie in die Küche zu tragen.

»Hast du die Mail von Oma bekommen?«, fragte Sarah und klappte den Laptop zu.

»Hab noch nicht in meine Privatmails geschaut. Was will sie?«

»Sie wird im November siebzig.«

»Ja, richtig. Hatte ich völlig vergessen. Hat sie die Einladung geschickt?«

»Ja.«

Es wurde still. Beklommenheit machte sich breit.

»Fährst du hin?«, fragte Sarah schließlich.

»Natürlich. Es ist ihr Siebzigster. Ich hab damit kein Problem.«

»Aber ich.«

Rachel blieb der Mund offen.

»Was heißt das?«

»Das heißt, dass ich nicht hinfahre.«

»Deine Großmutter wird siebzig, und du willst nicht hinfahren? Warum?«

»Warum?« Sarah sah ihre Mutter fragend an. »Das fragst du? Nach dem, was du mir erzählt hast?«

»Das ist eine Sache zwischen meinen Eltern und mir. Du musst nicht aus Solidarität den Kontakt zu Oma und Opa abbrechen.«

»Darum geht's nicht.«

»Um was dann?«

»Wir fahren da hin, feiern mit Oma, gratulieren ihr, wir umarmen uns und all das. Und in Wirklichkeit hassen sie dich dafür, dass du angeblich Hannah umgebracht hast.«

»Sie hassen mich nicht.«

»Doch. Sie hassen dich. Wenn ich mich an unsere Besuche erinnere – das war immer total *strange*. Inzwischen weiß ich ja, warum. Ihr habt Theater gespielt. Damit ich Kontakt zu meinen Großeltern habe. Vielleicht hassen sie dich nicht. Aber sie haben dir nie verziehen.«

Rachel schwieg.

»Und weißt du, was sie dir nie verziehen haben?«

Rachel schwieg weiter.

»Dass du lebst. Dass die falsche Tochter noch am Leben ist. Und doch – dafür hassen sie dich!«

»Komm, Sarah ...«

»Es ist so. Du weißt das.« Sie sah Rachel in die Augen, und ihre Stimme wurde leise. »Ich will nichts mit Menschen zu tun haben, die dich ihr Leben lang hassen, weil du dein Skateboard nicht aufgeräumt hast. Ganz ehrlich, du solltest auch nicht mehr mit ihnen reden.« Sie nahm die Hand ihrer Mutter. »Tu dir das nicht länger an.«

»Überleg dir, ob du wirklich nicht hinfahren willst«, sagte Rachel und brachte die Eisteller in die Küche.

Gegen zehn kam Reza, und sie machten es sich mit einer Flasche Rotwein auf der Couch gemütlich. Draußen hatte es zu regnen angefangen, und Sarah war mit Freunden unterwegs. Rachel erzählte von Sarahs Entschluss, nicht zum Geburtstag ihrer Großmutter zu fahren.

»Und was stört dich daran?«, fragte Reza.

»Ich möchte nicht, dass Sarah mir zuliebe mit ihren Großeltern bricht. Die Sache hat nichts mit ihr zu tun.«

»Sie ist empört darüber, was man ihrer Mutter angetan hat.«

Rachel starrte ihren Rotwein an.

»Ich kann das verstehen.«

»Aber?« Rachel stand vor Reza am Sofa, und er blickte zu ihr hinauf.

»Nichts aber. Ich sage nur, wenn man berücksichtigt, welche Informationen sie hat, dann ist ihre Reaktion verständlich.« Rachel hatte Reza inzwischen eingeweiht. Er kannte die ganze Wahrheit.

»Ich weiß, ich weiß. Es ist aber nicht so einfach.«

Er zog sie zu sich, küsste ihren Mund, und sie legte den Kopf in seinen Schoß.

»Ich mach dir keine Vorwürfe. Ich gebe dir keine Ratschläge. Keine Ahnung, wie ich mich verhalten würde. Aber aus Erfahrung weiß ich, wenn man einmal angefangen hat zu lügen, wird es immer komplizierter.«

Sie setzte sich auf und strich ihm übers Haar, das einmal blauschwarz gewesen war, jetzt mit grauen Locken dazwischen. »Wie wär's, wenn wir ins Bett gehen und was machen, bei dem ich den ganzen Scheiß vergesse?«

Reza nickte, stellte sein Glas ab und strich ihr über die Wange. »Endlich mal 'ne gute Idee.«

27

Sarah grinste, als sie Reza morgens am Küchentisch sitzen sah. Es kam nicht oft vor, dass er hier übernachtete oder Rachel bei ihm.

»Wen haben wir denn da? Habt ihr gut geschlafen?«

»Bestens. Danke«, sagte Reza. »Und selbst?«

»Geht so. Ihr habt hoffentlich keine schlimmen Sachen gemacht, während ich geschlafen habe?« Sie setzte sich neben Reza und kippte Zucker in den Milchkaffee, der dort auf sie wartete.

»Also, wenn es dich näher interessiert …« Rachel setzte sich jetzt auch dazu.

»Nein, nein, nein! So hab ich das nicht gemeint.«

»Ach so, ich dachte, das war das Ziel deiner Frage.«

»Ich wollte nur ein bisschen lockere Kommunikation machen. Das war keine Frage nach Sexualpraktiken oder so was.« Sarah schüttelte den Kopf. »Warum ist das für Eltern so schwer zu verstehen, dass diese Dinge für ihre Kinder peinlich sind.«

»Casper versinkt auch immer vor Scham im Boden«, murmelte Reza. »Ich sag schon gar nichts mehr.«

»Wieso ist euch das eigentlich peinlich? Ich dachte, ihr schaut Pornos auf dem Handy.«

»Da spielen aber nicht unsere Eltern mit!!! Können wir jetzt das Thema wechseln?«

»Natürlich, Schatz.« Rachel legte ihre Hand zärtlich auf Sarahs Arm. »Wie steht's denn um dein Intimleben?«

Sarah trank hastig einen Schluck Kaffee, setzte die Tasse ab und nahm ihre Schultasche. »Tja, höchste Zeit, ich muss los. Wir sehen uns heute Abend. Du bist mit Kochen dran!«

Kurz darauf fiel die Tür ins Schloss. Rachel sah Reza an und zuckte mit den Schultern.

»Ich finde, sie ist jetzt morgens viel lebhafter als früher.« Er nahm Rachels Hand und küsste sie. »Wie sieht dein Tag aus?«

»Haftprüfung im Fall Kellermann. Wittmann will einen Zeugen bringen, der Kellermann angeblich schwer belastet.«

»Aber du weißt nicht, wer das ist?«

»Sie hat gestern nur eine kurze Mail von der Polizei bekommen und konnte angeblich noch keinen Namen nennen.«

Reza zeigte sich erstaunt. »Was sind das denn für Tricks?« Er ging zu dem Stuhl, über dem sein Jackett hing, und holte sein Handy. »Meike hat heute einen frühen Termin in Stadelheim. Sie müsste schon da sein.« Meike war eine der angestellten Anwältinnen in seiner Kanzlei. »Wer ist der Richter?«

»Kronbichler.«

Tatsächlich war Meike schon im Untersuchungsgefängnis. Da sie gut mit den Damen der Geschäftsstelle vernetzt war, dauerte es keine zehn Minuten, bis sie sich wieder meldete. Bei dem Zeugen handelte es sich um einen Mario Dragunek. Rachel sagte der Name nichts, aber sie übermittelte ihn an Axel Baum in der Hoffnung, dass Baum bis zur Verhandlung irgendetwas Verwertbares über den Mann herausfinden würde.

Als Rachel und Kellermann im Büro von Richter Kronbichler Platz nahmen, hatte Baum nur eine Mail geschickt, in der er Rachel mitteilte, dass seine Leute mit Nachdruck an der Sache arbeiteten und er bald etwas schicken würde. Rachel hoffte, dass das sehr bald war.

Wittmann war regelrecht aufgekratzt. Die Vorfreude auf die Vernehmung des Zeugen oder genauer gesagt über Rachels bevorstehende Niederlage in dieser Haftprüfung umgab sie wie ein Mückenschwarm.

Mario Dragunek machte einen sympathischen Eindruck. Als er den Raum betrat, grüßte er Kellermann mit einer jovialen Geste, als seien sie uralte Bekannte. Kronbichler nahm zunächst die Personalien auf. Dragunek war neunundzwanzig Jahre alt und gelernter Bankkaufmann, betrieb zurzeit aber ein Wettbüro in der Nähe des Hauptbahnhofs. Vorstrafen hatte er keine, die Belehrung des Richters, was mit ihm passieren würde, wenn er nicht die Wahrheit sagte, nahm Dragunek ernst nickend zur Kenntnis. Dann gab Kronbichler die Gesprächsführung an Wittmann ab.

»Herr Dragunek«, begann sie und schien etwas in ihren Unterlagen zu suchen. Rachel wusste, dass Wittmann das immer tat, wenn sie nervös war. »Sie kennen die Beschuldigte, Frau Judith Kellermann?«

Der Zeuge drehte den Kopf zu Kellermann, lächelte sie an und sagte: »Ich kenne diese Dame dort neben der Verteidigerin. Dass sie Judith Kellermann heißt, erfahre ich allerdings erst jetzt.«

»Dann erzählen Sie doch bitte, wie Sie Frau Kellermann kennengelernt haben.«

»Ich betreibe, wie ich gerade sagte, ein Wettbüro in der Goethestraße. Es war so Mitte Mai, als Frau …«, er zögerte, weil er sich anscheinend erst an den Namen gewöhnen musste, »… Kellermann in meine Geschäftsräume kam. Sie fiel mir sofort auf. Zum einen passte sie vom Erscheinungsbild nicht zu den Leuten, die sonst bei mir verkehren. Und sie schien nervös zu sein. Mir wurde schnell klar, dass sie jemanden suchte. Ich habe sie angesprochen und gefragt, ob ich ihr helfen kann. Und sie sagt: Ich suche den Geschäftsführer. Ich sag: Das bin ich. Und sie: Oh, das ist gut, dass ich Sie gleich finde. Boris hat mich geschickt. Und ob ich nicht einen Raum hätte, wo wir ungestört reden können.«

Rachel war erstaunt, mit welcher Eloquenz Herr Dragunek seine Erzählung vortrug. Sie checkte ihr iPad. Baum hatte noch nichts geschickt. Sie prüfte, ob eine Verbindung zum Netz bestand. Aber daran lag es nicht. Langsam wurde sie nervös und sah zu Kellermann. Die zeigte sich fassungslos verärgert und flüsterte: »Keine Ahnung, was der Kerl da erzählt. Ich hab ihn noch nie gesehen.«

»Aha …«, unterbrach Wittmann den Monolog von Dragunek. Vernehmungstechnisch wäre es sinnvoll gewesen, ihn einfach erzählen zu lassen. Er hätte seine Geschichte vermutlich weiter flüssig und zusammenhängend vorgetragen. Aber vielleicht wollte Wittmann genau das verhindern. Es wirkte einfach zu perfekt. »Sie kannten also den Mann namens Boris, auf den sich Frau Kellermann bezog?«

»Sagen wir mal so, ich kenne einen Boris. Ein Freund von mir heißt so. Aber das war nicht der Boris, den Frau Kellermann gemeint hat, wie sich dann herausstellte.«

»Sie sind also mit der Beschuldigten in einen anderen Raum gegangen?«

»Ja, in mein Büro.«

»Und was geschah dann?«

»Frau Kellermann«, er deutete auf sie, »war sehr nervös und druckste etwas herum. Ich hab gefragt, woher sie Boris kennt, um mal einen Anfang zu finden. Woraufhin sie sagte, sie hätte ihn auf einer Filmparty kennengelernt. Das hat mich etwas gewundert, weil mein Freund eigentlich nichts mit der Filmbranche zu tun hat. Er verkauft Badezimmereinrichtungen. Da ist man selten auf Filmpartys. Ich fragte also, ob sie Boris Kastendauber meint. Das ist mein Freund. Und sie sagte, sie wüsste gar nicht, wie ihr Boris mit Nachnamen heißt. Dann hat sie mir beschrieben, wie er aussieht und dass er einen osteuropäischen Akzent hat, und da war mir klar, das muss ein anderer Boris sein. Das habe ich ihr auch gesagt.«

»Und was hat die Beschuldigte darauf erwidert?«

»Sie hat gefragt, ob ich nicht doch noch einen anderen Boris kennen würde. Ich hab überlegt. Aber mir ist keiner eingefallen. Na, jedenfalls habe ich dann gefragt, um was es geht. Und dann sagte sie …«, er sah kurz zur Kellermann, ohne aber den Blickkontakt mit ihr zu suchen, »… Boris hätte gesagt, ich könnte ihr behilflich sein. Sie brauchte etwas Bestimmtes, das man nicht so ohne Weiteres kaufen kann. Aber ich hätte da anscheinend Beziehungen und könnte ihr was besorgen.«

»Klingt irgendwie nach Rauschgift«, unterbrach Wittmann einmal mehr den makellosen Redefluss ihres Zeugen.

»Genau das habe ich im ersten Augenblick auch gedacht. Und ich sag, hören Sie, wenn Sie Koks wollen – sie sah für mich nach Koks aus, also so der Typ Schickeria –, wenn Sie Koks brauchen, sind Sie hier falsch. Ich bin kein Dealer.«

»Die Beschuldigte wollte aber kein Kokain?«

»Nein. Sie ist dann noch nervöser geworden, als sie sowieso schon war, und hat gesagt, sie brauchte … Sprengstoff. Plastiksprengstoff. Und einen Zünder, den man mit dem Handy zünden kann. Ich bin natürlich aus allen Wolken gefallen und hab ihr erklärt, dass hier ein Irrtum vorliegen muss. Sie würde mich anscheinend verwechseln. Und dass es besser wäre, wenn sie jetzt sofort verschwinden würde. Sonst müsste ich nämlich die Polizei holen.«

Rachel tippte unter dem Tisch eine Mail mit dem Text BEEILEN SIE SICH BITTE!!! an Baum.

»Und wie hat Frau Kellermann reagiert?«, fragte Kronbichler, nachdem Dragunek kurz eine Pause einlegte.

»Sie hat panisch reagiert, als klar war, dass ich nicht der war, den sie gesucht hat. Sie ist knallrot geworden, hat irgendwas gemurmelt – Entschuldigung, das war eine Verwechslung oder so was in der Art – und ist rausgerannt. Warum sie gedacht hat, dass ich ihr Sprengstoff besorgen kann …?« Er zuckte mit den Schultern und sah zu Kellermann. »Das kann Ihnen Frau Kellermann wahrscheinlich besser erklären.«

Kronbichler wandte sich an die Beschuldigte. »Tja, Frau Kellermann – können Sie uns helfen?«

»Ich fürchte, nein«, sagte Rachel und warf einen schnellen Blick auf ihr iPad. Nichts von Baum. »Frau Kellermann kennt Herrn Dragunek nicht und hat ihn auch noch nie getroffen. Sie war auch noch nie in einem Wettbüro in der Goethestraße.«

»Sie sagen also, was der Zeuge sagt, ist frei erfunden?«

Dragunek blickte fassungslos zum Richter.

»Genau das sagt Frau Kellermann.«

»Dann haben Sie bestimmt Fragen an den Zeugen.«

»Ja, die habe ich.« Auf dem iPad rührte sich immer noch nichts. Rachel musste ohne Informationen klarkommen. »Zunächst einmal finde ich es befremdlich, dass wir erst heute den Namen des Zeugen erfahren haben, obwohl er der Polizei schon länger bekannt ist. Ich bitte das zu vermerken. Eventuell brauche ich noch einen Tag. Vor allem, nachdem der Zeuge hier Dinge behauptet, die – wie meine Mandantin versichert – frei erfunden sind.« Damit wandte sie sich dem jungen Mann zu. »Herr Dragunek – Sie sagten, die Beschuldigte hätte nicht nach Ihrem Namen gefragt. Sie haben ihn ihr auch nicht genannt?«

»Nein. Wir sind in mein Büro gegangen, und dann hat sie das von Boris erzählt.«

»Dass der gesagt habe, Sie könnten Sprengstoff besorgen.«

»Ja.«

»Und in diesem Gespräch hat Frau Kellermann Sie nicht nach Ihrem Namen gefragt?«

»Nein. Offenbar hat man ihr nur gesagt, sie soll nach dem Geschäftsführer des Wettbüros fragen.«

»Eigenartig, finden Sie nicht?«

Dragunek schien kurz nachzudenken. »Ich denke mal, wenn man solche Geschäfte macht, ist man nicht scharf drauf, Namen zu nennen.«

»Das könnte natürlich sein. Frau Kellermann hat sich offenbar auch nicht vorgestellt. Denn Sie wussten bis jetzt ja nicht, wie die Beschuldigte heißt, hatten Sie eingangs gesagt.«

Dragunek dachte einen Wimpernschlag lang nach. »Nein. Sie hat sich nicht vorgestellt. Sie wollte wohl … anonym bleiben.«

»Wann, behaupten Sie, war Frau Kellermann bei Ihnen?«

Dragunek zögerte. Wittmann kam ihm zu Hilfe.

»Ich habe hier die schriftliche Aussage von gestern …«

»Der Zeuge soll sich selber erinnern«, ging Kronbichler dazwischen.

»Das war …« Dragunek überlegte angestrengt oder tat zumindest so. Rachel hatte den Eindruck, dass es zur Inszenierung gehörte. »Es muss an einem Freitag gewesen sein. Ich weiß noch, dass da einige hohe Bundesligawetten liefen. Es war vor dem letzten Spieltag, und der war am 20. Es muss der 19. Mai gewesen sein.«

»Um welche Uhrzeit?«

»Mittags. Dreizehn Uhr etwa.«

»Hat noch jemand anderer Frau Kellermanns angeblichen Besuch bei Ihnen mitbekommen?«

»Von den Anwesenden, glaube ich, keiner. Die waren alle mit ihren Wetten beschäftigt.«

»Sicher? Sie sagten doch, Frau Kellermann wäre eine sehr auffällige Erscheinung in dem Umfeld gewesen.«

Dragunek wandte sich direkt an Wittmann. »Sie können gerne mit meinen Stammgästen reden. Aber die meisten von denen gehören zu den Leuten, die nie was gesehen haben, wenn die Polizei fragt.«

»Die Staatsanwältin sieht nicht so aus, als würde sie

das machen. Aber kommen wir zu einer anderen Frage: Frau Kellermann war also am 19. Mai bei Ihnen im Wettbüro. Sie sind aber erst gestern, am 12. Juni, zur Polizei gegangen. Mehr als drei Wochen später. Wieso?«

»Weil ich in der Zwischenzeit gelesen hatte, dass jemand in die Luft gesprengt worden ist. Und da hab ich zwei und zwei zusammengezählt.«

»Der Mord war aber am 23. Mai. Die Zeitungen haben in den Tagen danach über die Explosion berichtet. Ich frage Sie noch mal, wieso sind Sie erst am 12. Juni zur Polizei gegangen?«

»Ich bin ehrlich gesagt kein großer Zeitungsleser. Das war eine alte Zeitung, in der ich das gelesen habe.« Er sah Rachel an, die schien nicht wirklich zufrieden mit der Auskunft. »Die Leute lassen manchmal Zeitungen im Geschäft liegen«, besserte Dragunek nach.

»Ah ja?« Rachel blickte zu Kronbichler. An seinem Gesicht konnte sie ablesen, dass auch ihm die Sache komisch vorkam. Aber gut – unmöglich war es nicht. Die ganze Geschichte enthielt einige Merkwürdigkeiten. Aber nichts, was nach offenem Widerspruch aussah oder Dragunek vollkommen unglaubwürdig erscheinen ließ. Im Augenwinkel nahm Rachel ein Flackern wahr. Auf dem iPad blinkte eine Nachricht.

28

Baum hatte einen Bericht geschickt. Auf zwei Seiten hatte er die wichtigsten Fakten über Dragunek zusammengetragen – soweit Rachel das auf die Schnelle sehen konnte.

»Geben Sie mir fünf Minuten?«, bat sie Kronbichler. »Ich bekomme gerade wichtige Informationen und würde sie gerne lesen, bevor ich mit der Befragung fortfahre.«

»Dann würde ich sagen, machen wir kurz die Fenster auf«, sagte Kronbichler. »Fünf Minuten reichen Ihnen?«

Rachel nickte und widmete sich der Mail, und Kronbichler öffnete die Fenster. Der Vormittag war angenehm kühl nach den letzten heißen Tagen, und unter anderen Umständen hätte man ein Fenster zumindest gekippt lassen können. Aber der Verkehrslärm, der von draußen hereindrang, war beträchtlich.

Dragunek war nicht vorbestraft, hatte nach seiner Banklehre aber meistens für dubiose Leute gearbeitet. Baum vermutete, dass das Wettbüro zur Geldwäsche diente. Es gehörte zwar formal Dragunek, aber der war wahrscheinlich nur Strohmann. Alles gute Hintergrundinformationen. Mangels Beweisbarkeit konnte Rachel damit aber wenig anfangen. Auf Seite zwei wurde es dann interessanter. Mario Dragunek war in der Justiz kein Unbekannter, auch wenn er nie straffällig geworden war. Damit konnte man schon eher etwas anfangen. Außerdem fragte Rachel Kellermann, wo sie am 19. Mai um die Mittagszeit gewesen war. Vielleicht hatte sie Zeugen dafür, und man konnte Herrn Draguneks Anschuldigungen dadurch entkräften. Aber es stellte sich heraus, dass Kellermann an diesem Tag mit Boris zusammen gewesen war und sie daher – welch seltsamer Zufall – kein Alibi hatte.

Nachdem die Fenster wieder zu waren, hatte die Feinstaubbelastung im Raum zugenommen, dennoch war es kühler und angenehmer als vorher.

»Herr Dragunek«, setzte Rachel ihre Befragung fort, »Sie haben früher schon mal als Zeuge ausgesagt?«

Dragunek durchzuckte es kurz, auf die Frage war er offenbar nicht vorbereitet. »Ja. War ich.«

»In welchem Prozess, und um was ging es?«

»Könnten wir vielleicht erfahren, was das mit dem heutigen Verfahren zu tun hat?«, beschwerte sich Wittmann.

Aber Kronbichler bedeutete ihr mit sanfter, jedoch bestimmter Geste, den Mund zu halten.

»Es war ein Prozess wegen ... Körperverletzung. Jemand war deswegen angeklagt, aber er war zur Tatzeit bei mir im Wettbüro gewesen.«

»Wann und wo war der Prozess?«

»Hier in München. Vor ein, zwei Jahren.«

»Hatten Sie noch andere Auftritte vor Gericht?«

»Einmal ist es um einen Einbruch gegangen. Aber der Mann war zur Tatzeit auch in meinem Wettbüro.«

»Hier in München? Oktober letzten Jahres?«

»Ob es Oktober war, weiß ich nicht. Aber wenn Sie es sagen ...«

»Noch was?«

Dragunek überlegte eine Weile. »Ja, da war mal was. Aber nicht in München.«

»Sondern?«

»Köln.«

Rachel wartete, dass der Zeuge von selbst redete, das tat er aber nicht.

»Ja auf geht's! Erzählen Sie!«, sagte Kronbichler.

»Ja, da ging's auch um Einbruch.«

»Und? Wieder ein Alibi?« Kronbichler schien Blut geleckt zu haben.

»Der Angeklagte war mit mir zusammen, als der Einbruch passiert ist. Er war hier in München, und der Einbruch war in Köln. Also konnte er nicht der Täter sein.«

»Sie kennen aber viele Leute, die unschuldig vor Gericht stehen.« Kronbichler hatte seine ironische Ader wiederentdeckt.

»Nun ja, das bringt mein Beruf mit sich. Unter meinen Kunden sind schon auch kriminelle Elemente, sag ich mal. Ich kann mir die nicht aussuchen. Und wenn die angeben, ich war beim Dragunek, als es passiert ist – da muss ich halt auch mal für jemanden aussagen, wenn's stimmt, was er sagt.«

Rachel nutzte die Zeit, in der Kronbichler die Initiative ergriffen hatte, um ein paar Fotos auf ihrem iPad zu sichten.

»Frau Verteidigerin – ich hoffe, Ihnen ist nicht langweilig?«, sagte Kronbichler. »Schauen Sie gerade Ihre Mails durch?«

»Nein, meine Fotos. Bevor ich sie Ihnen zeige, hätte ich noch eine Frage an den Zeugen.«

Kronbichler gab den Zeugen mit einer Handgeste frei.

»Herr Dragunek, Sie sagten, Frau Kellermann war am 19. Mai mittags so gegen dreizehn Uhr bei Ihnen? Hab ich das richtig wiedergegeben?«

»Ja. Das hab ich gesagt.«

»Sie sind sicher, dass es der 19. mittags war?«

Dragunek überlegte eine Sekunde, dann sagte er sehr bestimmt: »Ja, das muss der 19. Mai gewesen sein. Wie gesagt, es war einen Tag vor dem letzten Spieltag der Bundesliga. Da erinnere ich mich noch dran.«

Rachel stand auf, ging mit ihrem iPad zum Zeugen und zeigte ihm den Bildschirm. »Wer ist die Frau, die wir hier sehen?«

Dragunek zuckte mit den Schultern. »Schwer zu sagen.«

»Finden Sie? Ich würde sagen, es handelt sich um Frau Kellermann.«

Dragunek blies die Backen auf. »Puh, das ist immer so eine Sache mit Fotos.«

Rachel ging zum Richtertisch und zeigte das Foto Kronbichler, der schon neugierig wartete. Der Richter setzte seine Lesebrille sorgfältig auf die Nase und betrachtete eingehend das Bild, sah zu Kellermann, dann wieder auf den Bildschirm. »Na, das ist aber eindeutig die Beschuldigte, oder?«

Die Frage war an Dragunek gerichtet. »Kann sein.«

»Frau Wittmann?« Rachel war mit dem iPad an den Tisch der Staatsanwaltschaft gegangen.

»Ja … schon irgendwie …«, sagte Wittmann und hob beide Hände in einer Geste der Ratlosigkeit. Aber sie konnte schlecht leugnen, dass auf dem Foto Judith Kellermann zu sehen war. »Wo ist das?«

»Das ist in einem Segelclub am Starnberger See. Es ist nur ein Ausschnitt. Deshalb ist es so grobkörnig. Hier ist das Originalfoto.«

Rachel holte das ursprüngliche Familienfoto auf den Bildschirm, in dessen Hintergrund Kellermann und – allerdings nur von hinten – Boris zu sehen waren, wie sie das Clubgelände verließen. Auch Kronbichler bekam das Foto zu sehen.

»Das Bild hat ein Bekannter meines Mannes gemacht. Frau Kellermann ist zufällig drauf.« Rachel ging zu Dragunek und legte das iPad vor ihn auf den Tisch. Dann holte sie das Verzeichnis mit den Fotodateien auf den Schirm. »Wären Sie so nett und würden uns vorlesen, wann das Foto aufgenommen wurde?«

Dragunek betrachtete etwas widerwillig den Bildschirm. »19. Mai, dreizehn Uhr zwölf.«

»Gut, Herr Dragunek. Dann frage ich Sie noch einmal, sind Sie sicher, dass Frau Kellermann am 19. Mai gegen dreizehn Uhr bei Ihnen war?«

»Tut mir leid. Ich … ich war mir absolut sicher. Aber

wie es scheint, hab ich mich vielleicht doch im Datum vertan.«

»Wann war sie wirklich in Ihrem Wettbüro? Oder war sie vielleicht gar nicht da?«

»Es muss an einem anderen Tag gewesen sein. Ich hätte schwören können, es war der 19. Mai. Wann Frau Kellermann wirklich da war – ich kann es nicht sagen.«

»Können Sie wenigstens den Zeitraum eingrenzen? War es die Woche des 19. Mai?« Rachel wusste, dass sie Dragunek damit in eine Zwickmühle brachte. Wenn er sich auf die Woche festlegte, bestand die Gefahr, dass Kellermann für jeden Tag mittags ein Alibi hatte – es war nicht einmal unwahrscheinlich. Sie hatte als Geschäftsfrau vermutlich einen vollen Terminkalender.

»Nein, das kann ich nicht. Vielleicht war es der Freitag davor. Aber inzwischen bin ich so verunsichert, dass ich mich lieber auf gar nichts festlegen möchte.« Rachel hatte keine weiteren Fragen mehr, bevor der Zeuge versuchte, noch mehr Mitleid zu schinden.

Kronbichler ordnete eine erneute Pause an, bevor beide Seiten Gelegenheit bekamen, die Beweisaufnahme zu bewerten. Rachel rief derweil Baum an und fragte, ob er irgendetwas gefunden hatte, mit dem man Dragunek und Kimmel in Verbindung bringen könnte. Baum sagte, man habe intensiv gesucht, es sei aber bis jetzt nichts aufgetaucht.

Auch Kellermann konnte dazu nichts beitragen. Sie kannte Dragunek nicht, hatte ihn noch nie gesehen, und entsprechend konnte sie auch nicht sagen, ob er etwas mit Andreas Kimmel zu tun hatte.

»Dann lassen Sie mal hören«, begann Kronbichler den letzten Teil der Verhandlung und meinte damit Rachel.

»Ich fange mit dem letzten Zeugen an. Ich denke, was

wir gehört haben, spricht für sich. Der Zeuge behauptet, dass Frau Kellermann ganz sicher am 19. Mai mittags bei ihm war und Sprengstoff kaufen wollte. Das ist zufällig eine Zeit, in der Frau Kellermann mit Boris unterwegs war. Nehmen wir an, Herr Dragunek und Boris stecken unter einer Decke, dann war das also eine Zeit, für die Frau Kellermann kein Alibi hatte. Von dem Foto wussten natürlich weder der Zeuge noch Boris. Und als ich den Beweis vorlegte, dass der Zeuge lügt, dann war es auf einmal doch ein anderer Tag, aber Herr Dragunek kann jetzt beim besten Willen nicht mehr sagen, welcher Tag das war – denn dann könnte die Verteidigung ja vielleicht wieder nachweisen, dass das nicht stimmt.«

»Nun ja«, sagte Kronbichler. »Ich habe das schon sehr oft erlebt – und Sie wahrscheinlich auch –, dass sich ein Zeuge völlig sicher ist, und dann war's doch anders. Das Gedächtnis ist eben eine sehr unsichere Institution. Aber was schließen Sie jetzt aus dem Ganzen?«

»Für mich ist Herr Draguneks Aussage eindeutig gekauft. So oft, wie er vor Gericht schon irgendwelchen Ganoven ein Alibi gegeben hat – da glaubt doch keiner, dass das Zufall ist!«

»In seinem Wettbüro verkehren eben solche Leute«, sagte Wittmann. »Das hat er ja selber zugegeben. Für mich ist das plausibel.«

»Der Zeuge Dragunek arbeitete für irgendwelche Unterweltgrößen. Das ist in der Szene bekannt. Das Wettbüro betreibt er als Strohmann, und der Hauptzweck des Ladens ist Geldwäsche. Er wird deswegen gerne als Zeuge genommen, weil er noch nicht vorbestraft ist. Das sind einigermaßen zuverlässige Informationen, die ich bekommen habe. Beweisen kann ich das alles nicht. Aber wenn man bereit ist, die Sache etwas logisch zu betrachten, dann ist *das* plausibel und sonst gar nichts.«

»Nun ja«, schaltete sich Kronbichler ein. »Das sind natürlich Spekulationen. Aber erklären Sie uns doch noch einmal, was Ihrer Ansicht nach wirklich passiert ist.«

»Andreas Kimmel will sich einerseits an Eike Sandner rächen, der ihn um viel Geld gebracht hat, andererseits will er seine Geschäftspartnerin Judith Kellermann ausbooten, weil er ohne sie sehr viel mehr Geld bei einer bestimmten Produktion verdienen kann als mit ihr zusammen. Er heuert einen Mann namens Boris an, der Sandner in die Luft sprengt und die Spuren so legt, dass sie auf Frau Kellermann deuten. Als Kimmel merkt, dass man ihm auf die Schliche gekommen ist, legt er noch eine Schippe drauf, und plötzlich meldet sich ein Zeuge, der sagt, Frau Kellermann wollte Sprengstoff kaufen. Klingt vielleicht etwas seltsam, aber wenn man die Fakten betrachtet, passt das alles nahtlos zusammen.«

Kronbichler zeigte mit einem richterlich-gesetzten Nicken an, dass er wohlwollend und vorurteilsfrei über die Ausführungen der Verteidigung nachdachte. Dann erteilte er Wittmann das Wort.

»Ich will versuchen, die gebotene Sachlichkeit walten zu lassen, auch wenn mir nach den Äußerungen der Verteidigerin das Wort ›Räuberpistole‹ auf der Zunge liegt. Zugegeben, es gibt den Versuch von Herrn Kimmel, durch vertragliche Vorkehrungen und vielleicht auch durch Schützenhilfe seines Freundes Uhlbrünner den Schaden, den die Verhaftung der Beschuldigten verursacht hat, zu begrenzen. Und zwar – ich kann es nicht oft genug betonen – nachträglich! Nachdem Frau Kellermann verhaftet wurde! Herr Kimmel mag ein knallharter Geschäftsmann sein – aber jemand, der einen Mord in Auftrag gibt? Da ist dann doch eine andere kriminelle Energie erforderlich. So was macht man vielleicht in Mafiakreisen. Aber das ist nicht die Welt von Filmproduzenten.«

»Bei Frau Kellermann behaupten Sie das Gegenteil.«

»Touché!«, ließ Kronbichler sichtlich amüsiert hören.

»Bei Frau Kellermann geht es nicht um Geld, sondern um Eifersucht. Das ist etwas anderes«, versuchte Wittmann, Boden gutzumachen. »Dass sich der Zeuge nicht mehr genau an den Tag erinnern kann – so etwas kommt ständig vor. Und es ist ja auch schon einige Zeit her. Herrn Dragunek, Herrn Kimmel, Herrn Uhlbrünner und den Herrn namens Boris in eine große Gesamtverschwörung gegen die Beschuldigte zu stecken, finde ich reichlich abenteuerlich. Stattdessen sollte man auf die simplen Fakten schauen. Frau Kellermann war eifersüchtig, hatte also ein Motiv, sie hatte nachgewiesenermaßen Spuren der Sprengstoffsorte in ihrem Haus, mit der die Tat verübt wurde, und sie hat genau zu der Sekunde, als die Bombe hochging, von einem anonymen Handy aus einen Anruf getätigt. Das sind harte Fakten. Was die Verteidigung hingegen vorbringt, ist – reine Spekulation.«

»Nun, meine Damen«, sagte Richter Kronbichler, »wir haben jetzt gehört, wie Sie den Fall sehen. Das ist naturgemäß unterschiedlich ausgefallen. Ich muss zugeben, dass es Argumente für beide Seiten gibt. Deswegen muss ich noch einmal alles gründlich überdenken. Wir sehen uns in einer halben Stunde wieder hier.«

29

Februar 2012

Der Hofbräukeller war ein Neorenaissancebau, zwischen Landtag und Deutschem Museum am Hochufer der Isar gelegen. Er beherbergte etliche Restaurants, Stuben und Säle für jeden Anlass sowie einen großen Biergarten, der im Winter aber nur an wenigen sonnig-warmen Tagen geöffnet wurde. Das Lokal gehörte nicht zu den Orten, an denen Jürgen seine Abende verbrachte. Gerade deswegen schien es ihm für den Anlass geeignet. Die Wahrscheinlichkeit, hier auf Bekannte zu treffen, ging gegen null, und es gab viele stille Ecken in den bierig-dumpfen Gewölben, in denen sich ungestört reden ließ.

Judith hatte Backhendlsalat mit steirischem Kürbiskernöl bestellt, Jürgen den Tafelspitz.

»Wie machst du das? Nach einem harten Arbeitstag so bezaubernd auszusehen?« Jürgen strahlte sie an.

Judith sog das Kompliment tief in sich ein, sah auf ihren Teller und sagte: »Danke.« Und: »Du meinst das auch ernst? Das ist nicht nur eine nette Floskel, um den Abend einzuleiten?« Sie biss sich innerlich auf die Zunge. Was sollte Jürgen auf diesen Unsinn antworten? Um Himmels willen! Mit so einem Mist konnte man Männer ganz schnell wieder vertreiben. »Streich die letzten Sätze bitte aus deinem Gedächtnis. Ich … ich fühl mich einfach, als hätte ein Zyklop mit einem Hammer auf mich draufgehauen. Und seh vermutlich auch so aus. Nachdem du aber was ganz anderes siehst, bin ich sehr glücklich und denke mir, vielleicht ist es ja doch nicht so schlimm, und die Beleuchtung hier hilft sicher auch ein bisschen.«

Er nahm ihre Hand. »Du bist lustig und kannst ziemlich schnell reden.«

»Das hab ich mir antrainiert. Es gibt Menschen, denen hört man von Natur aus zu. Und andere, die müssen schnell reden, damit sie sagen können, was gesagt werden muss, bevor ihnen jemand ins Wort fällt. Zu denen gehöre ich.«

»Ich wette, die hören im Sender sehr genau zu, wenn du was sagst.«

»Na ja, die, die unter mir stehen, müssen mir zuhören. Das ist einer der Vorteile von Karriere. Jedes Jahr stehen mehr unter dir. Jedes Jahr hören dir mehr zu.«

»Ich denke, es ist an der Zeit, dass du langsamer redest. Du hast bei der Besprechung neulich nicht viel gesagt. Aber jeden hat es interessiert, weil es kluge Sätze waren.«

»Ich hab nur Fragen gestellt.«

»Gute Fragen stellen ist das Schwerste.«

»Danke.« Sie lächelte kurz, bevor ein Schatten über ihr Gesicht huschte.

Auch Jürgen schaltete in einen ernsteren Modus um.

»Also, jetzt erzähl mal. Du warst heute bei der Polizei?«

Er hatte Judith im Lauf des Nachmittags zurückgerufen. Da sie in einer Besprechung war, hatte sie vorgeschlagen, entweder am Abend zu telefonieren oder sich zu treffen. Am Telefon wollte sie nur so viel sagen, dass sie bei der Polizei gewesen war und eine Aussage gemacht hatte, über die sie mit Jürgen reden wollte.

»Es ging um Claudia. Die Frau von vorgestern Abend in der Hotelbar.«

»Oh, was ist mit ihr?«, fragte er beunruhigt.

»Du weißt es nicht? Es war sogar in den Nachrichten.«

»Ich war heute in Berlin. Ich hab nicht viel mitbekommen. Ist … ist ihr was passiert?«

»Sie ist tot.«

Jürgen sah Judith fassungslos an und kaute an einer Frage, die aber nicht aus seinem Mund herauskam.

»Ermordet. Sie wurde bei einem Hallenbad gefunden. An der Isar …«

»O Gott …« Jürgen starrte auf die Tischdecke, dann zu Judith. »Weiß man, wann sie ermordet wurde?«

»Keine Ahnung. Das hat man mir nicht gesagt. Es ist wohl an dem Abend passiert, als wir im Hilton waren.«

»Ich dachte, sie nimmt ein Taxi. Ich versteh das nicht. Was ist da passiert … ich meine …« Er sah an Judith vorbei auf einen Punkt an der Wand, in ferne Gedanken versunken. »Ich schätze, die werden sich morgen bei mir melden, oder?«

»Das weiß ich nicht.« Sie blickte in sein ratloses Gesicht und versuchte, ihre Gedanken zu sortieren. Es konnte nicht sein, dass Jürgen etwas mit Claudias Tod zu tun hatte. Natürlich, sie war verliebt. Das trübte die Wahrnehmung. Aber so konnte man sich nicht in einem Menschen täuschen. Jürgen war kein Mörder. »Ich habe ihnen nichts von dir erzählt«, sagte sie schließlich.

»Was hast du ihnen dann gesagt?«

»Nur, dass ich Claudia an dem Abend in der Bar gesehen habe. Und dass sie allein gekommen ist. Und dass ich kurz darauf aufs Zimmer gegangen bin. Also nichts, was nicht stimmt.«

Jürgen nickte. »Aber du hast nicht gesagt, dass du mit ihr geredet hast und wir beide uns vorher unterhalten haben? Und dass du mich mit Claudia in der Bar zurückgelassen hast?«

»Danach hat keiner gefragt.«

»Mag ja sein. Aber … ich meine, warum hast du es ihnen nicht erzählt?«

Sie zuckte mit den Schultern. »Weiß nicht. Ich wollte erst mit dir reden, bevor ich dich da … bevor ich der Polizei deinen Namen sage.«

»Weil du irgendetwas befürchtest?« Sein Blick schien verunsichert, und die Augen flackerten.

»Ich befürchte nichts. Also schon gar nicht, dass du … das ist ja absurd. Aber am Ende steht dann in den Akten, der Letzte, der mit dem Opfer gesehen wurde, war ein Mann namens Jürgen Milsky. Verstehst du?«

»Nicht ganz.«

»Wenn die keinen anderen Anhaltspunkt haben, bist du die heißeste Spur. Und ich denke, das ist nicht sehr angenehm, wenn man in einem Mordfall die heißeste Spur ist. Auch wenn man es nicht war. Deswegen wollte ich das der Polizei nicht sagen.«

»Du bist ziemlich klug. Sagte ich das schon?«

»Vielleicht mit anderen Worten.«

Jürgen schob den Teller von sich. »Was machen wir jetzt?«

»Kannst du der Polizei irgendwas sagen, was die weiterbringt?«

Er schüttelte den Kopf. »Sie wollte mit dem Taxi nach Hause fahren. Aber das hat sie offenbar nicht gemacht.«

»Woher weißt du das?«

»Das sind keine fünfhundert Meter zur Isar. Die ist sie nicht mit dem Taxi gefahren.« Er rieb sich die Nasenwurzel. »Ich hätte sie zum Taxistand bringen müssen. Glaub's mir oder nicht – ich hatte ein komisches Gefühl.«

»Aber der Taxistand ist nur ein paar Meter weg, und die Straße ist belebt. Was soll da passieren?«

»Ich weiß es nicht. Aber es *ist* was passiert.« Jürgen spielte mit dem Salzfass und dachte offenbar nach. Schließlich stellte er es in den Ständer zu Pfeffer und Zahnstochern zurück. »Ich kann der Polizei auch nicht weiterhelfen. Solange die sich nicht bei mir melden, würde ich sagen, belassen wir es dabei. Wie sind die eigentlich auf dich gekommen?«

»Ich hab die Rechnung in der Bar unterschrieben. Dadurch wussten sie, dass ich da war.«

»Ich hab bar bezahlt. Auf dem Weg kommen sie nicht

auf mich. Und falls doch …« Er sah ihr in die Augen. »Dann bestätige ich, was du erzählt hast. Ich sage, ich habe die Frau gesehen, sie ist allein gekommen. Und was weiter passiert ist, weiß ich nicht. Ist ja auch nicht ganz falsch.«

»Wenn du meinst …«

»Judith – wenn ich die Wahrheit sage, machen die Stress und laden dich noch mal vor, und dann kannst du der Polizei erklären, warum du ihnen heute eine ganz andere Geschichte erzählt hast.«

Judith nickte nachdenklich. »Das stimmt natürlich. Tut mir leid. Ich hab da nicht drüber nachgedacht.« Ein letztes Mal berührte sie der Gedanke: Was wäre, wenn Jürgen ein Mörder wäre? Aber das durfte nicht sein. Wenn sie diese Unsicherheit nicht aus ihrem Herzen verbannte, wie würden sie sich je lieben können? Kann Liebe auf Misstrauen gedeihen? Nein. Ganz sicher nicht.

Er nahm ihre beiden Hände fest in seine. »Du wolltest mich schützen. Und das finde ich ziemlich beeindruckend.« Er küsste ihre Finger. »Du hast für mich gelogen. Obwohl du mich gar nicht kennst.«

»Es kommt mir vor, als würde ich dich sehr lange kennen.«

Er senkte den Blick. »Mir auch. Wenn ich mit dir zusammen bin, dann ist da so eine Vertrautheit, die ich nicht kenne.«

»Du kennst keine Vertrautheit?«

Er schüttelte den Kopf. »Ich hatte schon einige Frauen. Ich denke, ich kann das sagen, ohne dich zu schockieren. Und ich habe mich durchaus zu ihnen hingezogen gefühlt. Sie waren schön, klug oder einfach nur sexy. Ich war verliebt. Manchmal sehr verliebt. Aber Vertrautheit? Ich hab mich immer gefragt: Was ist, wenn ich morgen arm bin oder im Rollstuhl sitze. Wie viel würde das an unserer Beziehung ändern?«

»Keine hat den Test bestanden?«
»Säßen wir sonst hier?«

An diesem Abend ging Jürgen mit Judith aufs Zimmer.

Am nächsten Morgen war er noch immer in ihrem Bett und schlang verschlafen seine Arme um sie. Durch die Stores sah sie einen grauen Wintertag heraufdämmern. Aber Jürgens Atem strich wie Sommerwind über ihre Schulter.

Sie duschten zusammen, frühstückten im Bett und liebten sich auf Toastkrümeln.

Vor dem Hoteleingang blies ein frostiger Wind. Judith hielt dem Wetter ihr Gesicht entgegen und sog die Kälte in sich auf. Schnee fiel aus bleigrauen Wolken und schmolz auf ihrer Nase. Es war der perfekte Tag.

30

Juni 2017

Richter Kronbichler hatte anscheinend sehr mit sich gerungen, denn es dauerte eine volle Stunde, bis er die Beteiligten wieder zu sich rief.

»Ich habe es mir wirklich nicht einfach gemacht«, begann er seine Ansprache, und das ließ fürchten, dass sie dauern würde. »Es ist nicht zu leugnen, dass es im vorliegenden Fall einige Merkwürdigkeiten gibt, um deren Aufklärung sich die Staatsanwaltschaft leider in keiner Weise bemüht hat. Dass die Verhaftung der Beschuldigten ihrem Geschäftspartner sehr gelegen kommt, dass er Abmachungen getroffen hat, die ihn für diesen Fall erstaunlich begünstigen, dass er das Mordopfer möglicherweise hasste, dass in letzter Minute ein Belastungszeuge auftaucht, dessen Aussage so wackelig ist, dass man sich ernsthaft fragen muss, ob er nicht gekauft ist … Ja, aus alledem könnte man eine Geschichte konstruieren, bei der Eike Sandner von jemand anderem getötet und die Beschuldigte das Opfer böswillig manipulierter Spuren wurde. Dagegen stehen ebendiese Spuren – die Sprengstoffreste im Haus der Beschuldigten zum Beispiel –, die eben keine Spekulationen, sondern tatsächlich vorhanden sind. Ich denke, bis zum Prozess wird die Staatsanwaltschaft noch einiges nachermitteln müssen. Aber wenn ich meine Erfahrungen aus über zwanzig Richterjahren zum Maßstab nehme, dann kann ich der Verschwörungstheorie, die von der Verteidigung hier aufgebaut wurde, bei bestem Willen keinen Glauben schenken. Interessant, aber leider jenseits jeder vernünftigen Wahrscheinlichkeit. Ich entscheide daher: Die Beschuldigte bleibt in Untersuchungshaft.«

Judith Kellermann nahm die Entscheidung seltsam apathisch auf. Sie wurde nicht laut und fluchte nicht, sie saß still, die Hände unter ihren Achseln, die Schultern hochgezogen, den Blick in der *Bunten*, die Rachel ihr wie jede Woche mitgebracht hatte.

»Die nächsten zwei Monate werden wir vermutlich keine Haftprüfung mehr bekommen«, erklärte Rachel. »Das ist im Gesetz so vorgeschrieben. Theoretisch kannst du aber immer noch vor Drehbeginn rauskommen. Nur müssten wir dann neue Erkenntnisse vorlegen. Wir arbeiten dran. Aber es wird schwierig werden. Ich will dir nichts vormachen.«

Kellermann nickte und blätterte um. »Schon okay. Vielleicht soll es so sein.«

»Das bedeutet noch nicht, dass du schon verurteilt bist. Die Strafkammer wird über diese ganzen Widersprüchlichkeiten vielleicht anders denken als der Haftrichter. Wenn wir da noch ein bisschen Futter nachliefern, sieht es gar nicht so schlecht aus.«

Kellermann war schweigend in ihre Lektüre versunken.

»Möglicherweise verlierst du die Firma. Aber du kannst noch mal von vorn anfangen. In der Branche bist du gut vernetzt, und mein Mann kann dir ein paar zusätzliche Kontakte machen.«

»Die Kleine weiß genau, was sie will.« Kellermann lachte kurz auf. Sie hatte einen Artikel über Meghan Markle und Prinz Harry aufgeschlagen. »Ach ja – ich würde gerne mal wieder *Suits* sehen. Wusstest du, dass Meghan Markle in *Suits* die gleiche Synchronstimme hat wie Kat Dennings in *2 Broke Girls?* Verrückt, was?«

»Tatsächlich? Kaum zu glauben.« Rachel hatte ein paar

Folgen *2 Broke Girls,* aber noch nie *Suits* gesehen, obwohl die Anwaltsserie sie eigentlich eher interessieren sollte. Es war ihr auch herzlich egal, wer wen synchronisierte. Aber für Kellermann schien es Bedeutung zu haben. Sie legte ihre Hand auf Kellermanns Arm, was diese dazu veranlasste, von der Zeitschrift aufzusehen. »Ich muss ins Büro. Wenn's was Neues gibt, melde ich mich.« Kellermann sah sie mit leeren Augen an. »Wenn nicht, dann auch.«

Hinter dem Scheibenwischer klemmte ein Strafzettel. Die Verhandlungsdauer hatte die Parkdauer auf dem Ticket längst überschritten. Rachel rief aus dem Auto Laura in der Kanzlei an und bat sie, einmal Thai-Curry grün mit Garnelen beim Asiaten zu holen. Langsam wurde es Zeit für ein Mittagessen. Kurz nachdem Rachel losgefahren war, klingelte ihr Handy. Sie vermutete zuerst eine der üblichen hirnlosen Nachfragen von Laura. Aber die Nummer auf dem Display kannte sie nicht. Rachel drückte den Knopf der Freisprechanlage. Es meldete sich eine männliche Stimme mit angenehmer Tonlage und leicht östlichem Akzent.

»Sie kennen mich nicht«, sagte der Anrufer. »Aber Sie haben von mir gehört. Ich bin Boris.«

Rachels Herzschlag setzte für zwei Sekunden aus.

»Sie meinen, Boris, der …«

»Ja, richtig. Frau Kellermann ist eine gemeinsame Freundin. Unsere einzige gemeinsame. Ich nenne sie Judith.«

»Was kann ich für Sie tun?«

»Sie mögen Judith?«

»Nun ja – wir kennen uns nicht besonders gut. Was ist mit Ihnen? Durch Ihr Verschwinden haben Sie Judith in eine sehr unangenehme Situation gebracht.«

»Ja, ich habe mich ein bisserl – wie sagt man – rar gemacht. Aber ich habe meine Gründe. Da ich nun Judith nicht besuchen kann, würde ich gerne mit Ihnen reden. Wäre das machbar?«

»Das kommt darauf an, unter welchen Umständen Sie mich treffen wollen.«

»Da gibt es ein paar Dinge zu bedenken. Ich hätte gerne etwas Sicherheit für meine Person. Sie sind also so freundlich und kommen allein. An einen öffentlichen Ort – keine Sorge.«

»An welchen?«

»Das würde ich Ihnen gerne mitteilen, wenn Sie zu unserem Date aufbrechen. Per Handy.«

»Wann rufen Sie an?«

»Zwischen zwanzig und einundzwanzig Uhr. Ist das in Ordnung für Sie?«

»Ja. Ich sage Ihnen dann, ob ich Sie treffen will oder nicht.«

»Sie wollen. Da bin ich sicher. Bis dann.«

Boris legte auf und ließ Rachel aufgewühlt in ihrem Wagen zurück, der immer noch neben dem Untersuchungsgefängnis parkte. Ihre Finger zitterten, als sie starten wollte. Sie ließ den Motor eine Weile laufen, wollte losfahren, stoppte jedoch abrupt und rief Axel Baum an.

Rhabarberjoghurt mit Sahne war nicht eben der beste Tipp zum Abnehmen. Aber Baum liebte es. Die Papierserviette lag über der graublauen Krawatte – falls doch einmal ein Tropfen vom Löffel fallen sollte –, und Baum beförderte gerade den dritten Becher dieser weithin unbekannten Köstlichkeit in seinen Mund. Es war sein Mittagessen. Rachel hatte etwas zu essen dankend abgelehnt, denn lauwarmes Thai-Curry wartete in der Kanzlei auf sie.

»Ich kann Ihnen auch nicht sagen, was er von Ihnen will«, sagte Baum und setzte den Plastikbecher ab. »Ich muss Ihnen aber davon abraten, den Mann zu treffen.«

»Warum?«

»Wir wissen nichts über ihn, nur, dass er vermutlich Menschen tötet. Wenn das das Einzige ist, was Sie über jemanden wissen – halten Sie es dann für ratsam, ihn allein zu treffen?«

»Sie könnten auf mich aufpassen.«

»Das könnten wir. Aber Boris ist ja nicht dumm. Er sagt Ihnen nicht vorher, wo er Sie treffen will. Wir können nur versuchen, Ihr Handy zu orten oder einen Peilsender, den wir an Ihrem Wagen anbringen.«

»Dann tun Sie es.«

»Ich hatte schon erwähnt, dass ich das Treffen für keine gute Idee halte. Aber wenn Sie es unbedingt machen wollen, dann gelten folgende Regeln: Steigen Sie auf keinen Fall in seinen Wagen. Treffen Sie ihn nur an einem öffentlichen Ort. Restaurant, Platz in der Stadt, irgendwo, wo es von Menschen wimmelt. Treffen Sie ihn nicht im Dunkeln. Achten Sie darauf, dass Sie Ihr Handy dabeihaben, sonst können Sie keine Hilfe holen. Und verschwinden Sie, wenn Ihnen die Sache auch nur im Mindesten bedrohlich vorkommt oder Ihnen die Kontrolle über die Situation entgleitet.«

»Okay. Das klingt vernünftig. Aber was könnte er von mir wollen? Was wäre denkbar?«

»Denkbar ist vieles. Er will Sie darüber aufklären, dass Kellermann lügt und er nichts mit der Sache zu tun hat. Oder er will wissen, wie es um Kellermann steht, die ja für ihn gefährlich werden könnte. Vielleicht hat es etwas mit seinem Auftraggeber zu tun. Ich weiß es wirklich nicht.«

Rachel beobachtete, wie Baum die Papierserviette faltete, nachdem er sich den Mund abgewischt hatte. Sie fürchtete schon, er würde sie sauber zusammenlegen, um sie noch einmal zu verwenden. Aber Baum ließ sie in den Papierkorb gleiten.

»Aber wer um Himmels willen ist sein Auftraggeber?«

»Kimmel? Uhlbrünner? Beide zusammen?« Baum zuckte mit den Schultern.

»Sie haben doch Erfahrung in diesen Dingen. Wie schätzen Sie die beiden ein? Beauftragen die einen Profikiller?«

»Einer von beiden, vermutlich Kimmel, hat ja wohl Mangelsdorfer engagiert.«

»Um Sandner eine Tracht Prügel zu verpassen. Das ist Lichtjahre von Mord entfernt.«

»Das wäre auch meine Einschätzung. Kimmel und Sandner hätten nie die Eier, einen Killer anzuheuern. Aber ich sage Ihnen auch: Man kann sich da grauenhaft verschätzen.«

Rachel nickte und hoffte, dass das Treffen mit Boris Licht in die Angelegenheit bringen würde.

Er rief um zwanzig Uhr dreiundvierzig an. Regenwolken verhüllten die Sonne, und es dämmerte. Rachel erinnerte sich an Baums Mahnung, Boris nicht bei Dunkelheit zu treffen.

»Wir treffen uns auf dem Parkplatz bei der Waldwirtschaft. Wird nicht so voll sein bei dem Wetter.« Boris klang, als würde er in einem Wagen sitzen. »Wenn ich sehe, dass Ihnen jemand folgt, war's das mit unserer Verabredung.«

Rachel würde etwa eine halbe Stunde brauchen. Sie versprach zu kommen. Auf der Fahrt rief sie Baum an.

»Dann sollten wir das lassen«, sagte Baum. »Auf dem letzten Stück zur Waldwirtschaft gibt es nur eine Straße, die relativ leicht zu überwachen ist. Und bei dem Wetter heute werden nicht allzu viele Leute darauf fahren. Im Übrigen können wir auch nicht ausschließen, dass Boris Ihr Handy überwacht. Also passen Sie auf sich auf.«

Baum legte auf. Offensichtlich wollte er keinen Plan B

am Telefon besprechen. Vielleicht konnte Boris ja tatsächlich mithören.

Baum verfolgte Rachels Handy per GPS auf dem Computer. Zur Sicherheit hatte er noch einen Peilsender an ihrem Wagen befestigt. Rachel war überzeugt, dass er einen Plan B hatte und ihr im Zweifel zu Hilfe kommen würde. Dazu musste sie sich allerdings an seine Sicherheitsanweisungen halten. Ein Treffen im Dunkeln war schon der erste Verstoß. Aber vielleicht schaffte sie es ja noch bei Tageslicht.

Die Wolken waren schwarz und ließen die Nacht etwas früher hereinbrechen als üblich. Der große Parkplatz an der Waldwirtschaft war fast leer, Pfützen spiegelten das Licht der Laternen. Rachel betrachtete die finstere Szenerie, die sich vor ihr im Scheinwerferlicht ausbreitete. Vereinzelt standen Autos im nächtlichen Regen. Sie fuhr langsam den Parkplatz ab. Mit einem Mal gingen die Scheinwerfer eines Wagens an, den sie vorher nicht bemerkt hatte. Das Auto setzte sich in Gang, fuhr eine Kurve und hielt direkt, aber sehr langsam auf Rachel zu. Rachel blieb stehen und ließ das andere Fahrzeug, es war ein SUV, näher kommen. Direkt neben ihr, Seite an Seite, Fahrerfenster an Fahrerfenster, blieb der andere stehen und ließ die Seitenscheibe herunter.

»Guten Abend, Frau Dr. Eisenberg. Tut mir leid. Aber es ist nicht viel los hier. Ihr Detektiv hat Ihnen sicher erzählt, dass Sie sich nur an belebten Plätzen mit mir treffen sollen.«

»Ja, das hat er mir dringend empfohlen.«

»Und schon gar nicht bei Dunkelheit.«

»Ein absolutes *No-Go*. Nur bei Tageslicht.«

»Da hat er absolut recht. Aber ich muss auf Nummer sicher gehen. Wir können übrigens immer noch abbrechen. Das liegt an Ihnen.«

Rachel erwog diesen Vorschlag sehr ernsthaft. Ein gutes Gefühl war was anderes, und die Kontrolle über die Situation hatte hier nur einer – und das war nicht sie. »Wie soll es weitergehen?«

»Ich fürchte, ich habe noch mehr Zumutungen für Sie. Warten Sie kurz.«

Boris fuhr den Wagen ein paar Meter weiter. So, wie sie nebeneinandergestanden hatten, hätte er seine Tür nicht öffnen können. Er stieg aus und ging zu Rachels Fenster.

»Ich müsste Sie bitten, Ihr Handy auszumachen und mir zu geben.«

Die nächste rote Linie.

»Reicht Flugmodus?«

»Nein. Bitte ganz ausmachen.«

Rachel tat wie ihr geheißen und bemerkte, dass ein weiteres Paar Scheinwerfer aus der Dunkelheit auftauchte und sich näherte. Ihr Herz schlug schneller. Noch lief der Motor, noch hätte sie Gas geben können. In wenigen Minuten würde sie belebte Großstadtstraßen erreichen. Aber die Neugier war stärker. Und sie hatte die Hoffnung, dass Baum seine schützende Hand über sie halten würde. Der Mann hatte einen Plan B, auch wenn sie ihn nicht kannte. »Eine Bedingung, ich werde diesen Wagen nicht verlassen.« Sie reichte Boris mit fragender Miene das Handy.

»Akzeptiert. Sie fahren mir nach. Wir parken irgendwo und unterhalten uns von Fenster zu Fenster, wie eben. Vielleicht an einem trockeneren Ort.« Er steckte ihr Handy ein. »Anschließend bekommen Sie Ihr Smartphone zurück.« Er blickte zu dem anderen Fahrzeug, das sich genähert hatte und dem ein jüngerer Mann entstiegen war. »Das ist ein Kollege von mir. Er wird uns nicht begleiten. Er wird nur dafür sorgen, dass uns auch sonst niemand begleitet.«

Der junge Mann hatte etwas in der Hand. Rachel konnte nicht erkennen, was es war. Es war ein Gerät, das ihn direkt zum rechten hinteren Kotflügel führte, dort bückte sich der junge Mann, hantierte kurz am Wagen, stand wieder auf und nickte, wie sie im Rückspiegel sehen konnte, Boris zu. Anschließend ging er zu seinem Wagen zurück und fuhr vom Parkplatz. Er hatte offensichtlich den Peilsender entfernt, den Baum am hinteren rechten Kotflügel angebracht hatte. Baum würde sie jetzt nicht mehr orten können.

»Sollten Sie immer noch mit mir reden wollen, dann fahren Sie mir hinterher.«

Sie fuhren lange durch den nächtlichen Münchner Regen, kamen schließlich auf den Mittleren Ring, dem sie Richtung Norden folgten. Am Ende der Landshuter Allee führte eine Brücke die Straße in Richtung Olympiagelände. Vor der Brücke fuhr Boris ab und lenkte den Wagen auf einen Parkplatz, der sich unter der Brücke befand. Hier waren vier Plätze mit Reserviert-Schildern gesperrt. Boris stellte sich auf einen der Plätze, Rachel daneben. Sie öffneten die Fenster, und es war ziemlich laut da draußen. Verkehr flutete links, rechts und über ihnen vorbei, und auf der nassen Fahrbahn verursachten die fahrenden Autos mehr Lärm als sonst.

»Ist zwar trocken, aber relativ laut«, sagte Boris.

Rachel überlegte, ob er das tatsächlich vorher nicht bedacht hatte oder ob es Kalkül war, um … ja, um was zu erreichen?

»Ich biete Ihnen an, in meinem Wagen zu reden. Da können wir die Fenster zumachen. Liegt bei Ihnen.«

Die letzte rote Linie. »Was spricht gegen meinen Wagen?«, versuchte sie es halbherzig.

»Dass ich nicht weiß, welche Abhöreinrichtungen da eingebaut sind.«

Rachel gab auf und stieg aus. Sie atmete die frische, vom Regen gereinigte Luft, die nach Petrichor duftete, dem Geruch, der entstand, wenn Wasser nach Trockenheit auf die

Erde fällt. Zwei erleuchtete Gaststätten waren in den Seitenstraßen zu sehen. In der Ferne hastete jemand mit einer Jacke über dem Kopf durch den Regen. Wenn Boris sie hier erwürgen würde – niemand bekäme es mit. Selbst wenn jemand in der Nähe wäre, er könnte ihre verzweifelten Schreie bei dem Geräuschpegel unmöglich hören.

Boris fuhr einen japanischen SUV, er trug eine schwarze Baseballkappe und eine Sonnenbrille, sodass nur die untere vollbärtige Hälfte seines Gesichts zu erkennen war. Auch Boris stieg aus seinem Wagen und hielt Rachel die Tür auf. Bevor sie einstieg, tastete er sie mit einem Metalldetektor ab.

»Eigentlich unnötig«, sagte er. »Was ich Ihnen zu sagen habe, werden Sie sowieso nicht dem Staatsanwalt erzählen. Aber ich weiche ungern von meiner Routine ab.« Er überzeugte sich per Hand, dass es sich bei dem einzigen Beep um eine Gürtelschnalle handelte, dann bat er Rachel mit einer Handbewegung, einzusteigen.

Es roch im Wagen nach kaltem Zigarettenrauch und einem Duftbaum, dessen Ausdünstung Rachel an die Urinalsteine erinnerte, die sie im Rahmen eines Studentenjobs jeden Tag in einer Krankenhaustoilette verteilen musste. Boris war so freundlich, die Zigarettenschachtel auf der Mittelkonsole liegen zu lassen.

»Wie steht's bei Ihrem Prozess?«

»Noch gibt es keinen. Nur eine gescheiterte Haftprüfung«, sagte Rachel. »Details unterliegen meiner Schweigepflicht.«

»War nur der Versuch, Small Talk zu machen. Ich nehme an, Judith hat mich öfter erwähnt – soweit Sie das sagen dürfen.«

»Ja, hat sie. Warum?«

»Wissen Sie – ich gehe demnächst auf Reisen. Ich wollte nicht verschwinden, ohne Ihnen meine Geschichte zu erzählen. Ich kann leider nicht bei Ihrem Prozess als Zeuge auftreten, wie Sie nach unserem Gespräch verstehen werden.«

»Was ist Ihr Geschäft?«

»Aufträge erledigen, die für meine Auftraggeber zu schwierig oder zu unangenehm sind. Einzelheiten unterliegen *meiner* Schweigepflicht.« Boris lächelte hinter seiner Sonnenbrille.

»Welchen Auftrag führen Sie in der Sache Kellermann aus?«

»Gar keinen. Das mit Judith war Zufall. Wir haben uns kennengelernt, und wir mochten uns.«

»Tatsächlich?«

»Ja.« Er kratzte sich an seinem grauen Vollbart. »Klar, sie ist keine Modelschönheit. Aber man kann mit ihr unbeschwerte Stunden verbringen. Das habe ich selten.«

Rachel nickte und war nicht sicher, was sie von Boris' Gerede halten sollte. »Welche Geschichte wollen Sie mir erzählen?«

»Die wahre Geschichte von Judith Kellermann und mir und wie Eike Sandner gestorben ist. Interessiert Sie das?«

»Schauen wir mal, ob ich wegnicke.«

Boris griff jetzt doch nach der Zigarettenschachtel und hielt sie Rachel hin.

»Auch eine?«

Rachel lehnte ab und hätte gerne ein Fenster geöffnet. Aber sie saßen ja hier drin, weil es draußen zu laut war.

»Wir haben uns auf einer Filmparty kennengelernt. Ein Bekannter hat mich mitgenommen. Ich suche immer noch nach jemandem, der mein Leben verfilmt.« Er blies den Rauch aus der Nase und lachte. »Ohne Scheiß, ich hab echt was zu erzählen. Hab viele Jahre im Krieg verbracht.«

»Balkankrieg?«

»Auch.« Er wandte sich von Rachel ab und äugte nach draußen. Ein Mann ging über die Straße und beeilte sich, die nächste Kneipe zu erreichen. »Wir kommen also ins Gespräch, und ich finde sie lustig und sie mich anscheinend auch. Wir haben einen netten Abend und tauschen Telefonnummern aus.«

»Sie haben ein Prepaidhandy?«

»Einige. Manchmal komme ich selber durcheinander. Vor allem, weil ich sie in bestimmten Intervallen austauschen muss. Aber zurück zu Judith: Am nächsten Tag rufe ich sie an, und sie freut sich überschwänglich. Ich weiß nicht, ob sie sich mehr erhofft hat als ich.«

»Sie hatten nicht die Absicht, mit ihr zu schlafen?«

»Nein, nein! Ich trenn das. Sex nur gegen Geld. Die, die reden können, ficken selten gut und andersrum. Das soll jetzt nicht frauenfeindlich klingen …«

»Tut es aber.«

»Meinetwegen. Aber sie ist nun mal kein Model. Deswegen von meiner Seite – wie sagt man … rein platonische Absichten. Ich musste mich damals zwei Wochen in München aufhalten und hatte wenig zu tun. Da bin ich mit Judith ein bisschen durch die Gegend gefahren. Ist wirklich schön hier im Sommer. Und einmal kommen wir an den Starnberger See, wo ich von früher ein nettes Lokal in einem Segelclub kannte. Wir da also rein, schöner Sommertag, die ganze Terrasse voller Leute – und mit einem Mal zuckt sie zusammen und bleibt stehen. Ich sag: Was ist? Sie geht hinter eine Säule und wird ganz bleich. Dann zeigt sie mir einen Mann, der am anderen Ende der Terrasse an einem Tisch sitzt – zusammen mit einer jungen, sehr hübschen Frau. Die beiden haben offensichtlich was miteinander. Jedenfalls hält er ihre Hand, und sie küssen sich. Judith sagt: Das ist Eike. Er hat gesagt, er wäre in Köln.«

»Judith hatte Ihnen von Eike Sandner erzählt?«

»Natürlich. Das war ihr Freund. Da hat sie kein Geheimnis draus gemacht.«

»Es war also klar, dass Judith einen Freund hat. Wie war dann das Verhältnis von Judith zu Ihnen?«

Boris drückte die Glut aus, die mittlerweile direkt auf dem Filter saß. »Ich glaube, Judith ist eine Frau, die schon viel Schlechtes mit Männern erlebt hat. Wenn sie Kerle hatte, haben die sich vor allem für ihr Geld interessiert. Das war jedenfalls mein Gefühl. Und das war auch bei Sandner so.«

»Sie sagt, er wollte kein Geld von ihr.«

»Ein guter Gigolo fällt nicht gleich mit der Tür ins Haus. Sandner war immer pleite. Der *hätte* sie irgendwann um Geld angehauen. Aber um auf Ihre Frage zurückzukommen, Judith war fasziniert, dass sich ein Mann ohne Hintergedanken für sie interessiert.«

»Und dass Sie kein Geld von ihr wollten, das war klar?«

»Ich habe sie immer eingeladen und erzählt, dass ich eine große Reederei in Kroatien besitze. Ist zwar Quatsch. Aber zumindest segle ich gerne.«

»Was geschah, nachdem Judith Sandner in dem Segelclub entdeckt hatte?«

»Es war klar, dass ihr Freund sie betrog. Ich hab dann ein paar Erkundigungen über Sandner eingeholt – hatte ja eh nichts zu tun. Und ich habe ihr geraten, sich dringend von dem Mistkerl zu trennen. Ich konnte sehen, wie es sie verletzt hat. Sie hat echt gelitten.«

»Sie hat Ihnen leidgetan?«

Er sah Rachel von der Seite an. »Ich weiß, was Sie meinen. Ja, ich bin ziemlich abgestumpft gegenüber menschlichem Leid. Sonst überlebt man nicht lange als Soldat. Aber glauben Sie mir, das hat mich echt wütend gemacht. Es war unfair. Die Frau kann nichts dafür, wie sie aussieht. Schlimm genug, dass Männer sie nicht ansehen. Aber ihre Gefühle ausnutzen, um ihr Geld zu stehlen – das geht selbst mir zu weit.«

»Ja, Sie klingen wütend.«

»Ich *war* wütend. Und bin es immer noch, wenn ich daran denke. Ich hab tatsächlich überlegt, dem Dreckskerl eine Kugel zwischen die Augen zu schießen. Hätte sicher nicht den Falschen getroffen. Aber, hab ich mir gedacht, misch dich nicht in Sachen ein, die dich nichts angehen. Wenn, dann muss Judith das selber entscheiden. Ich hab also einen alten Kumpel gebeten, ein paar Kilo Semtex zu besorgen. Dann bin ich zu ihr gefahren, hab ihr den Sprengstoff gezeigt und gesagt, damit kannst du den Kerl in die Luft jagen.«

»Und sie hat Ja gesagt?«

»Natürlich nicht. Sie war entsetzt und hat gesagt, ich soll das Zeug wegräumen. Und ich sag: Schlaf eine Nacht drüber. Wenn du willst, baue ich die Bombe. Du musst sie nur mit einem Anruf zünden.«

»Und dann?«, fragte Rachel.

»Sie hat drüber geschlafen. Ich kenne solche Leute. Irgendwann sind sie so wütend, dass sie die Demütigungen satthaben. Dann brennt die Zündung durch, und sie wollen zurückschlagen.« Er nickte wie zur Bestätigung, dass sich seine Ahnung erfüllt hatte. »Und so war's bei ihr. Als ich sie am nächsten Tag anrufe, sagt sie, sie will mich treffen. Dann hab ich ihr erklärt, wie das mit der Bombe funktioniert. Dass ich die in dem Ferienhaus platziere. Und dass sie nur eine bestimmte Nummer anrufen muss, mit einem anonymen Handy, das ich ihr besorge.«

»Darauf ist sie eingegangen?«

»Sie hat gesagt, sie weiß nicht, ob sie es kann. Aber sie denkt drüber nach. Ich hab ihr das Telefon besorgt, und dann lag es in ihrer Hand.«

»Und dann haben Sie ihr die Entscheidung abgenommen.«

»Würden Sie das gerne hören?«

»Ich kann nicht glauben, dass Judith es wirklich getan hat.«

»Hat sie aber. Judith hat das Semtex gezündet. Sie hat es getan, und ich bin stolz auf sie. Sagen Sie ihr das bitte.«

Rachel vergaß für einen Moment, den Mund zu schließen.

»Judith ist kein schlechter Mensch. Es ist letztlich meine Schuld. Sie hätte Sandner nie umgebracht, wenn ich sie nicht angestiftet hätte, verstehen Sie?«

Rachel betrachtete den Mann, der neben ihr saß, den grauen Bart, die schwarze Kappe, die Sonnenbrille. Durch den blauen Rauch schimmerten die Scheinwerfer vorbeifahrender Autos, die sich mit anderen Lichtern auf dem nassen Asphalt spiegelten. »Um mir das zu sagen, haben Sie den ganzen Zirkus veranstaltet?«

»Nein. Das war nicht der Grund.«

»Sondern?«

Boris schien ihr durch die Sonnenbrille direkt in die Augen zu blicken. »Damit Sie hören, was ich zu dem Mord zu sagen habe. Ich habe Judith Kellermann dazu angestiftet, sie hat die Bombe gezündet. Überlegen Sie sich eine vernünftige Verteidigungsstrategie und hören Sie auf, nach mir zu suchen. Ich kann Ihnen nicht helfen.« Er beugte sich über Rachels Schoß, öffnete die Beifahrertür und gab ihr ihr Handy zurück.

31

Rachel hatte eine unruhige Nacht hinter sich. Der bloße Umstand, dass ihre Mandantin tatsächlich einen Mord begangen haben könnte, stürzte Rachel nicht in Gewissenskonflikte. Die Situation hatte sie bei fast jedem Mordprozess. Hier war es freilich etwas anders. Rachel war von Judith Kellermanns Unschuld überzeugt gewesen. Und davon, dass jemand anderer den Mord begangen und man Kellermann eine Falle gestellt hatte. Warum hatte sie das gedacht? Die Geschichte, die Judith Kellermann erzählte, war eine ziemliche Räuberpistole, da musste sie Wittmann ausnahmsweise recht geben. Trotzdem sprach einiges dafür, dass sie stimmte. Und auch jetzt hatte Rachel kein klares Bild von den Geschehnissen. Welches Spiel spielte Boris? Wollte er tatsächlich nur, dass sie aufhörte, nach ihm zu suchen?

Rachel war letzte Nacht aus Boris' Wagen gestiegen und ungehindert zu ihrem Wagen gelangt. Bevor sie ihn starten und ihr Handy hochfahren konnte, war Boris schon lange im nächtlichen Großstadtverkehr abgetaucht. Sie hatte Baum angerufen und ihm erzählt, was passiert war. Er war nicht besonders erbost gewesen über all die Dummheiten, die sie begangen hatte, eher zerknirscht, dass er sich so hatte abkochen lassen. Baum schätzte, dass Boris tatsächlich im Bosnienkrieg gekämpft hatte und danach ins Security-Gewerbe eingestiegen war. Er schien ein Troubleshooter fürs Grobe zu sein. Wenn er jemanden dabei töten musste, verursachte ihm das keine schlaflosen Nächte, nur dem Auftraggeber höhere Kosten.

Rachel hatte lange nachgedacht, ob sie Kellermann von dem Treffen berichten sollte. Obwohl – das war nicht ganz richtig. Natürlich musste sie sie darüber informieren, aber wollte sie wirklich wissen, ob Boris die Wahrheit gesagt hatte, und hören, dass Kellermann den Mord an Sandner begangen hatte?

Rachel saß im Besucherraum der JVA Stadelheim, vor ihr die Frau mit der markanten Nase. Zwischen ihnen die neueste Ausgabe der *Bunten*.

Seit Kellermann wusste, dass sie auf absehbare Zeit nicht aus dem Gefängnis kommen würde, waren *Gala* und *Bunte* als letzte Verbindung zur schillernden Welt der Filmpartys enorm wichtig geworden. Rachel sah ihre zusammengesunkene Mandantin noch einmal genau an und entschied, dass sie es wissen wollte.

»Jetzt weißt du, dass es Boris tatsächlich gibt.« Kellermann war zwischen Hoffnung und Sorge gefangen. Sie blätterte nervös in der Zeitschrift und sagte, ohne aufzusehen: »Was … was sagt er denn?«

»Er sagte, dass er das Semtex besorgt hat. Und dass er mit dem Sprengstoff bei dir war und dir angeboten hätte, eine Bombe zu bauen, die du mit einem anonymen Handy zünden solltest.«

Kellermanns Blick war weiterhin in der Zeitschrift versunken. »Was ich aber nicht getan habe.«

»Tja, an diesem Punkt liegen wir ein bisschen auseinander. Er sagte …« Rachel versuchte vergeblich, Kellermanns Blick aufzufangen. »Er sagte, dass du es warst, die den Zünder ausgelöst hat. Mit einem Handy, das er dir besorgt hat.«

Kellermann hatte jetzt die Hände zwischen den Knien gefaltet und wippte mit dem Oberkörper vor und zurück wie ein hospitalisiertes Kind. »Hat er das gesagt?«

»Hat er.« Rachel ließ etwas Zeit verstreichen, damit sich Kellermann eine Antwort überlegen konnte. »Du musst nichts dazu sagen. Nur – wenn du was sagst, sollte es die Wahrheit sein. Sonst vergeuden wir unsere Zeit mit unsinnigen Recherchen.«

»Was würdest du tun, wenn ich sage, Boris hat recht?«

»Ich würde mir eine neue Verteidigungsstrategie überlegen. Die kann darin bestehen, sich gar nicht mehr zu äußern. Oder wir versuchen, auf Totschlag zu plädieren – das wird allerdings schwierig, wenn Sprengstoff im Spiel ist. Wir würden aber auf alle Fälle gründlich darüber reden.«

Kellermann nickte und widmete sich wieder der *Bunten*. Rachel war nicht klar, ob Kellermann noch nachdachte oder schon geistig weggetreten war.

»Willst du mir etwas dazu sagen?«, fragte sie schließlich.

Kellermann hielt mitten im Umblättern inne und klopfte mit den Fingern auf dem Heft herum, schloss die Augen und bewegte die Lippen. Dann, mit einem Mal, sah sie Rachel an, und in den dunklen Höhlen ihrer Augen schien sich Wasser zu sammeln.

»Das heißt?«, hakte Rachel nach.

»Das heißt ... das heißt, dass ich sehr wütend war.« Und schon tropfte es aufs Hochglanzpapier. »Ich war enttäuscht und verletzt und ... und eifersüchtig. Eifersüchtig auf diese schöne Frau, die wahrscheinlich gar nicht wusste, dass es mich gab. Und wenn sie mich gesehen hätte, hätte sie nie geglaubt, dass Eike was anderes von mir wollte als mein Geld. Alle haben das geglaubt.«

Rachel gab Kellermann zwei Papiertaschentücher und hielt vorsichtshalber weitere parat, die würden gewiss gebraucht werden.

»Er wollte gar nicht mein Geld. Aber mich wollte er auch nicht. Ich weiß nicht, was er wollte. Es war mir auch egal. Ich habe ihn in dem Moment einfach gehasst. Weil er mich ...« Rachel bot Nachschub an, Kellermann nahm die Tücher dankbar entgegen und schnäuzte sich. »Weil er mich gedemütigt hat. Wieso glauben alle diese Männer, dass sie mich behandeln dürfen wie einen Putzlumpen?

Gibt's da ein Gesetz? Judith Kellermann darf jeder mit Füßen treten? Steht das auf meiner Stirn? Ich war so wütend …« Kellermann beugte sich jetzt über den Tisch zu Rachel. »Aber ich habe den Dreckskerl nicht umgebracht! Im Kopf? Ja, hundertmal. Aber ich habe nicht die Nummer angerufen, die die Bombe zünden sollte. Es stimmt, die hat Boris mir genannt. Nein, ich habe stattdessen Boris angerufen. Ich wollte, dass er die Bombe entschärft. Keine Ahnung, warum der Anruf dann die Bombe gezündet hat.«

Rachel überlegte: »Vielleicht mit Rufumleitung. Oder er hat seine SIM-Karte in den Zünder gesteckt.«

»Du glaubst mir nicht, oder?«

Rachel nahm ihre Hand und drückte sie. Tränen flossen. Kellermann brauchte ihre Hand wieder, um die Augen auszuwischen.

»Ich glaube dir«, sagte Rachel und war insgeheim froh, dass Kellermann es leugnete.

»Warum sagt er so was?« Kellermann schien ehrlich empört.

»Damit wir wissen, was er im Zweifel aussagen würde und dass es uns nicht nützen würde, nach ihm zu suchen.« Sie sah Kellermann in die Augen. »Ich bin froh, dass wir das geklärt haben.«

»Wie geht's jetzt weiter?«

Rachel schwieg. Sie wusste es selbst nicht so genau. Vielleicht musste man vollkommen neu ansetzen. Aber im Grunde hatte sie keine Ahnung.

»Das kann nicht sein!!!«, rief Kellermann unvermittelt mit aufgerissenen Augen und schlug sich die Hand vor den Mund. Rachel war irritiert. Was hatte die Frau mit einem Mal so aufgebracht?

Kellermann starrte entsetzt in die Zeitschrift, die immer noch aufgeschlagen vor ihr lag.

»Was ist los?«

»Das … das ist Eike! Hier auf dem Foto! Schau doch!« Judith Kellermann hielt Rachel mit zitternder Hand die Zeitschrift entgegen. Es war auf die Entfernung nur ein Hafen mit Segelschiffen zu erkennen.

»Da! Auf dem Schiff im Hintergrund.« Die Fotoseite, die Kellermann aufgeschlagen hatte, zeigte eine Frau mit sommerlicher Kleidung in einem kleinen griechischen Hafen. Im Hintergrund Segelschiffe an der Kaimauer und griechische Häuser. Urlaubsidylle. Hinter der abgelichteten Dame, die offenbar den Geheimtipp-Artikel über die Insel Thassos verfasst hatte, lag nicht weit entfernt eine weiße Motorjacht. Aus der Kabine kam gerade ein etwa vierzigjähriger Mann aufs Achterdeck. Er blickte nicht in die Kamera, sondern zum Ufer, und war im Halbprofil zu sehen. Rachel kannte Eike Sandner nur von anderen Fotos, aber die Ähnlichkeit war nicht zu leugnen.

»Bist du sicher?«

»Hundertpro. Das ist Eike!«

Rachel nahm das Heft und schlug die Titelseite auf.

»Das ist die Ausgabe von dieser Woche. Aber wir wissen nicht, wann das Foto gemacht wurde. Das kann Monate her sein.«

»Und wenn das Foto … neu ist?« Judith Kellermann atmete heftig vor Erregung und Hoffnung.

32

Auf dem Weg zum Wagen rief Rachel bei Baum an und fragte ihn, ob er die neue *Bunte* gelesen habe, was er verneinte. Baum gab zu, ein eher sporadischer Leser dieses Magazins zu sein, versprach aber, sich das Heft unverzüglich zu besorgen. Zwanzig Minuten später war Rachel in Baums Büro. Sie verglichen mit einer Lupe das *Bunte*-Foto mit denen, die Baum von Eike Sandner besaß. Die Ähnlichkeit war deutlich zu erkennen, auch wenn der Mann auf dem Zeitschriftenfoto hellere Haare hatte. Aber Haare konnte man färben. Baum versprach, der Sache nachzugehen und innerhalb der nächsten achtundvierzig Stunden zu berichten.

Zurück in der Kanzlei, fand Rachel ein Schreiben von Andreas Kimmels Anwalt vor, in dem er den Gesellschaftsvertrag der *Jumpcut GmbH* kündigte. Aus wichtigem Grund. Durch Judith Kellermanns Anschuldigungen vor Gericht sei die Vertrauensgrundlage für die Fortführung der Gesellschaft entfallen. So könne man nicht länger miteinander arbeiten. Außerdem behielt sich Kimmel eine Verleumdungsklage vor. Rachel rief den Kollegen an, der Kimmel vertrat, und bat, Andreas Kimmel auszurichten, dass sie mit ihm reden wolle. Sie selbst konnte Kimmel, nachdem er einen Anwalt eingeschaltet hatte, nicht mehr direkt anrufen. Das wäre standeswidrig gewesen.

»Was wollen Sie mit ihm besprechen?«, fragte der Kollege einigermaßen misstrauisch.

»Ich will ihm nur Judith Kellermanns Motive erklären, nachdem sie das leider nicht selbst tun kann. Sie können gerne dabei sein.«

Eine Stunde später stand eine Verabredung. Die Unterredung sollte am nächsten Tag auf neutralem Gebiet in einer Trattoria in der Maxvorstadt stattfinden. Kimmel verzichtete auf die Anwesenheit seines Anwalts. Er würde sich lediglich anhören, was Rachel zu sagen hätte, und nichts in Bezug auf die GmbH vereinbaren.

Andreas Kimmel saß am Tisch und war in sein Handy vertieft, als Rachel das Lokal betrat. Er begrüßte sie, sein Lächeln wirkte gezwungen. Sie hielten ein bisschen Small Talk über den wechselhaften Sommer des Jahres, bestellten Pasta, Calamari und eine Flasche San Pellegrino.

»Sie wollten mir was erklären«, kam Kimmel schließlich zur Sache.

»Hatten Sie Unannehmlichkeiten wegen unserer Verdächtigungen bei der Haftprüfung?«

»Die Polizei hat mein Haus auf den Kopf gestellt und mich drei Stunden lang verhört. Wie kommt Judith auf die Idee, mir einen Mord anzuhängen?! Ich bin wirklich schockiert. Und möchte sie in meinem Leben nie wiedersehen. Sagen Sie ihr das.«

»Ich versteh Sie. Wir haben Ihnen übel mitgespielt. Das Ganze habe ich Judith eingeredet.«

»Ist mir egal, wer ihr das eingeredet hat. Sie hat mich vor Gericht einen Mörder genannt!«

»Hat sie nicht. Wir haben nur geltend gemacht, dass Sie Sandner hassten und Ihnen Judiths Gefängnisaufenthalt nicht ungelegen kam. Versuchen Sie bitte, die Sache aus Judiths Sicht zu sehen. Da tauchen plötzlich Zusammenhänge mit dem Redakteur und geheime Verträge auf, die nur einen Schluss zulassen, dass Sie, zusammen mit Ihrem alten Freund Uhlbrünner, hinter Judiths Rücken versucht haben, sie auszubooten.«

»Das ist alles erst passiert, als Judith schon im Gefängnis war.«

»Aber still und heimlich und ohne dass Sie Judith oder

mich darüber informiert haben. Was hätten Sie denn an Judiths Stelle gedacht?«

Kimmel blickte ablehnend drein.

»Es ging für Judith darum, ob sie die nächsten zwanzig Jahre im Gefängnis verbringt. Können Sie sich so eine Situation auch nur annähernd vorstellen?«

Die Kellnerin brachte das Wasser. Währenddessen dachte Andreas Kimmel nach.

»Ja, kann sein«, sagte er schließlich, »dass ich auch um mich geschlagen hätte. Aber ich fürchte, die Sache ist jetzt eh gegessen. Ich glaube nicht, dass Herr Uhlbrünner noch Lust hat, weiter mit Judith zu arbeiten.«

»Wer weiß«, sagte Rachel. »Ich habe eher den Eindruck, dass er die Zusammenarbeit nicht so schnell aufkündigen wird.«

Kimmel wirkte erstaunt, doch dann ging ihm auf, was Rachel meinte. »Stimmt, Sie erpressen ihn mit dieser Geschichte von damals. Dass er bei Sandners Firma beteiligt war.«

»Niemand erpresst ihn. Es ist allein der Umstand, dass Herr Uhlbrünner weiß, dass Judith weiß, dass er an der Firma beteiligt war. Da werden Entscheidungen automatisch ... anders getroffen.«

»Nur – was will er machen, wenn es *Jumpcut* nicht mehr gibt?«

»Alte Projekte müssen noch abgearbeitet werden. So schnell wird *Jumpcut* nicht beerdigt. Oder was hat Ihr Anwalt gesagt?«

»Damit haben wir uns noch nicht vertieft beschäftigt.«

»Gut. Dann tun Sie das. Und denken Sie drüber nach, ob Sie die Kündigung wirklich aufrechterhalten wollen.«

Er schenkte Rachel und sich Wasser in die Gläser. »Wie sieht's denn aus für Judith?«

»Möglicherweise gar nicht so schlecht. Es gibt neue Entwicklungen, über die ich im Augenblick nicht reden kann. Es ist aber im Bereich des Möglichen, dass sie noch vor dem Drehbeginn für 11/18 freikommt.«

»Und das hat nichts damit zu tun, dass ich Sandner umgebracht haben soll?«

»Nein. Da sind Sie vermutlich aus dem Schneider. Es könnte aber trotzdem sein, dass Sie ein schmutziges Spiel spielen.« Sie sah ihn provozierend an. »Was haben Sie mit Boris besprochen?«

»Sie verdächtigen mich immer noch.«

»Sagen wir, es ist ein Restverdacht, der bestehen bleibt. Aber das ist mein beruflicher Argwohn. Ich denke, Judith tut es aufrichtig leid, dass wir Sie des Mordes verdächtigt haben.«

Kimmel nickte und sah Rachel misstrauisch von der Seite an.

»Aber im Ernst. Was haben Sie mit Boris besprochen?«

»Nichts von Belang. Ich bin ihm in das Lokal gefolgt, habe so getan, als würden wir uns zufällig treffen, und hab mich zu ihm an den Tisch gesetzt. Wir hatten uns ja schon kurz gesehen, und Judith hatte uns vorgestellt. Ich hab halt versucht, ihn ein bisschen auszuhorchen, herauszufinden, ob er finanzielle Absichten in Bezug auf Judith hat.«

»Und?«

»Er hat erzählt, er sei im Chartergeschäft und würde sich hier nach Booten umsehen.«

»In Bayern?«

»In der Nähe von Würzburg gibt es eine der größten Bootswerften in Deutschland.«

»Was hat er über Judith erzählt?«

»Dass er sie nett und unterhaltsam findet und gerade ein bisschen freie Zeit hat.« Kimmel lachte mit einem Mal. »Er hat mich gefragt, ob ich eifersüchtig wäre. Und ich müsste mir keine Sorgen machen. Er würde sie nur nett finden.«

»Ihr Eindruck von ihm war also …?«

»Harmlos. Er wirkte seriös, wie ein Geschäftsmann, der für ein paar Tage Gesellschaft sucht, weil er hier niemanden kennt. Und ich hatte den Eindruck, dass er Geld hat.«

»Hat er noch irgendwas über diese Bootsgeschichte erzählt? Wo die Charterfirma sitzt?«

»Nicht direkt. Er hat in einem anderen Zusammenhang Pula erwähnt. Das ist in Istrien, an der Südspitze.« Er sah Rachel an. »Das war alles gelogen, oder?«

»Das meiste.«

Das Essen wurde serviert, und das Thema Boris war beendet. Kimmel hatte Spaghetti alla puttanesca, Rachel die Calamari.

»Wie kam es, dass Sie mit Judith zusammen die Firma gegründet haben?«

»Wir haben uns ergänzt. Ich hatte kein Geld mehr nach der Pleite von Sandners Firma, aber gute Kontakte zu Redakteuren und das Know-how, wie man Filme produziert. Judith hatte Geld und eine gute Hand für Stoffe. Sie ist eine der besten Dramaturgen, die ich kenne. Das wissen auch die Sender zu schätzen.«

»Über das Berufliche ist Ihre Beziehung nie hinausgegangen?«

Kimmel lachte. »Nein. Ich bin verheiratet. Und Judith … na ja, sie hatte meist was am Laufen. Auch wenn das nie gut ging.«

»Weil?«

»Weil die Kerle sie immer ausgenutzt haben. Entweder sie waren aus der Filmbranche und haben sich Jobs erhofft, oder sie haben sich von ihr aushalten lassen. Das hat mich offen gesagt ein bisschen beunruhigt, weil so was auch die Firma belasten kann.«

»War da nie einer dabei, der einfach nur Judith wollte? Ich meine, sie ist witzig, charmant, hat ein gewisses Charisma.«

»So sind Männer eben. Da geht es mehr ums Äußere. Ich will nicht sagen, dass Judith nicht attraktiv ist.«

»Auf ihre eigene Art schon ...«

»Absolut. Aber wir wissen, worüber wir reden. Im klassischen Sinn würde man sie eben nicht als schön bezeichnen. Wie sind die Calamari?«

»Sehr gut. Wussten Sie, dass Calamari nicht koscher sind?«

»Nein. Aber nachdem ich katholisch bin, habe ich mich damit auch nicht vertieft beschäftigt.«

»Dann wissen Sie es jetzt, wenn Sie mal jüdische Gäste haben. Kann ja sein im Filmgeschäft.«

»In Hollywood vielleicht.«

Rachel legte ihr Besteck auf den Tellerrand und sah nachdenklich zur Theke des Restaurants, wo der Mann für die Getränke mit einer jungen Bedienung flirtete. »Gab es nie jemanden in Judiths Leben, der ehrliche Absichten hatte?«

Kimmel hielt beim Drehen seiner Spaghetti inne. »Doch. Einen hat es gegeben. Aber das war, bevor wir uns kannten.«

»Was ist passiert?«

»Er ist gestorben.«

»Woran?«

»Hat sie nie gesagt. Ihr Bruder hat mal angedeutet, dass er sich umgebracht hat.«

»Warum?«

»Ich weiß es nicht. Sie spricht nicht über ihn. Ich weiß fast nichts über den Mann. Er hieß Jürgen. Und sie trauert immer noch um ihn.«

33

Februar 2012

Man hatte Judith zum zweiten Mal in die Ettstraße einbestellt. Schwaiger machte einen etwas besorgten Eindruck und setzte eine Lesebrille auf, als er in seine Akte blickte.

»Seit unserem letzten Gespräch haben wir noch andere Zeugen befragt«, begann er, ohne den Blick von der Akte zu nehmen. »Dabei haben sich ein paar Ungereimtheiten ergeben, die Sie hoffentlich aufklären können.« Erst mit den letzten Worten sah er Judith an und nahm die Lesebrille ab.

»Schauen wir mal. Ich habe eigentlich alles gesagt, was ich weiß …«

»Es handelt sich um …« Schwaiger wandte sich wieder den Papieren in seinem Aktendeckel zu und verschob diverse Schriftstücke, als suche er etwas Bestimmtes. »Es handelt sich um das Mordopfer Claudia Heltschacher, genauer um ihren Aufenthalt in der Bar des Hilton Munich City letzten Sonntagabend. Sie sagten bei der ersten Vernehmung …«, Schwaiger zog ein Schriftstück aus dem Wust hervor und setzte die Lesebrille wieder auf die Nase, »… Sie hätten Frau Heltschacher gesehen, wie sie allein, also ohne Begleitung, die Bar betrat. Um einundzwanzig Uhr sechsundfünfzig hätten Sie Ihre Getränke bezahlt und seien dann auf Ihr Zimmer gegangen. Nachdem Sie Claudia Heltschacher bemerkten, hätten Sie aber keine Notiz mehr von ihr genommen und nicht gesehen, ob später noch jemand anderer in ihrer Gesellschaft war.«

Judith zuckte unsicher mit den Schultern. »Ja. So in etwa.«

»Was heißt, so in etwa?«

»Ich kann mich nicht mehr an alle Einzelheiten erinnern. Ob ich jetzt um einundzwanzig Uhr sechsundfünfzig gezahlt habe …«

»Das steht auf der Rechnung. Aber vielleicht ist Ihnen in der Zwischenzeit noch etwas eingefallen.«

Judith tat eine Weile, als würde sie nachdenken, dann schüttelte sie den Kopf. »Tut mir leid. Möglicherweise habe ich etwas übersehen. Aber ich kann mich wirklich nicht erinnern.«

»Einer der Zeugen, die wir inzwischen befragen konnten, hat Sie gesehen.«

»Haben Sie ihm ein Foto von mir gezeigt?«

»Nein. Er arbeitet in der Fernsehbranche und kennt Sie. Nicht privat. Aber Sie haben offenbar einen Namen in diesen Kreisen.«

»Aha …« Judith brannte die Frage unter den Nägeln, was der Zeuge sonst noch gesehen hatte. Dass sie an dem Abend die Bar besucht hatte, wusste Schwaiger ja bereits.

»Der Zeuge hat gesagt, dass es mit Sicherheit schon nach zehn war, als er Sie gesehen hat.«

»Kann sein, dass ich nicht sofort aufs Zimmer gegangen bin. Ich hab, glaube ich, noch ausgetrunken.«

»Sie erinnern sich nicht, wann genau Sie auf Ihr Zimmer gegangen sind? Das wäre nicht unwichtig.«

»Kurz nach zehn wahrscheinlich. Genauer kann ich es nicht sagen.«

Schwaiger nickte, und Bedauern lag in dieser Geste. Er notierte etwas auf dem Schriftstück vor ihm, offenbar das Vernehmungsprotokoll vom letzten Mal. »Der Zeuge hat außerdem gesagt, dass Sie sich mit einem Mann unterhalten hätten.«

»Kann sein.«

»Wie – kann sein? Sie sagten, Sie saßen allein an der Bar.«

»Hab ich das gesagt?« Sie schüttelte mit nachgerade verärgertem Gesichtsausdruck den Kopf. »Dann ist das falsch protokolliert worden. Darf ich mal sehen?«

Schwaiger überflog das Protokoll, blätterte um, las weiter, blätterte zurück und ließ das Papier schließlich sinken. »Nun gut, es steht nicht ausdrücklich drin, dass Sie allein waren. Aber Sie haben auch nichts davon gesagt, dass da noch jemand dabei war. So was erzählt man doch normalerweise.«

»Da war niemand dabei, wie Sie das vielleicht vermuten.«

Schwaiger schaute sie mit hochgezogenen Augenbrauen an.

»Der Mann saß auch am Tresen der Bar und hat mich angesprochen. Da hatte ich aber schon bezahlt. Ich glaube, er wollte wissen, ob ich den Wein empfehlen kann, den ich getrunken habe. Da haben wir ein paar Worte gewechselt, und dann bin ich gegangen.«

Der Kommissar blickte etwas ratlos drein. »Ich verstehe das nicht ganz. Ich meine, dass Sie diesen Mann, mit dem Sie geredet haben ... dass Sie ihn bei unserem letzten Gespräch mit keiner Silbe erwähnt haben. Das kommt mir seltsam vor.«

»Es war nicht wichtig.«

»Wie lange haben Sie mit ihm gesprochen?«

»Ein paar Sätze. Ein, zwei Minuten.«

»Wissen Sie, ob er auch im Hotel gewohnt hat?«

»Das weiß ich nicht. Aber Sie können es sicher herausfinden.«

Schwaiger nestelte in den Vernehmungsprotokollen herum. »Ich überlege gerade, ob er unter den Leuten ist, die wir schon befragt haben. Vielleicht fand er das Gespräch mit Ihnen ebenfalls so unwichtig, dass er es nicht erwähnt hat. Hat er sich Ihnen vorgestellt?«

»Nein. Wir haben nur Small Talk gemacht.«

»Können Sie ihn beschreiben?«

Judith hob die Hände. »Um die vierzig, dunkle Haare, grauer Anzug. Aussehen …? Durchschnittlicher Geschäftsmann.«

Schwaiger notierte beflissen. Dann zog er eins der Protokolle aus der Akte hervor und tippte mit seinem Stift drauf. »Es gibt noch etwas, das mich in Bezug auf Ihre Aussage beschäftigt …« Er sah Judith über den Rand seiner Lesebrille an. Judiths Mund wurde trocken. Sie versuchte, die Nervosität zu überspielen, und fragte sich, in was sie da hineingeraten war. Es war doch völlig unwichtig, ob die Polizei von Jürgen erfuhr. Also konnte sie jetzt auch die Wahrheit sagen. Andererseits – wenn sie das jetzt tat, würde sich Herr Schwaiger fragen, warum sie Jürgen verschwiegen hatte. Weil sie ihn schützen wollte? Das würde Jürgen in Schwaigers Augen wohl noch verdächtiger machen. Inzwischen war ihr selbst nicht ganz klar, warum sie ihn verschwieg. Der Gedanke, dass er diese Frau umgebracht hatte, war vollkommen abstrus. Und trotzdem hatte sie es für ratsam gehalten, der Polizei nicht zu sagen, dass er an dem Abend vielleicht als Letzter mit der Ermordeten Kontakt hatte …

»Frau Kellermann?«

Judith schreckte hoch. »Entschuldigung. Ich war in Gedanken. Was wollten Sie wissen?«

»Es gibt noch etwas, was mich an Ihren Angaben irritiert. Sie sagten, dieser Mann an der Bar hätte Sie angesprochen und Sie hätten ein paar Sätze gewechselt. Anschließend sind Sie auf Ihr Zimmer gegangen. Ist noch etwas anderes passiert, außer dass Sie mit dem Mann gesprochen haben?«

Judith dachte kurz nach und schüttelte den Kopf.

»Sie können sich an nichts weiter erinnern?«

»Nein.«

»Das ist merkwürdig. Und wissen Sie, warum?« Er ließ

seine Worte einen Moment wirken. Für Judith die letzte Gelegenheit, mit der Wahrheit herauszurücken. Aber sie schwieg. »Es gibt eine Aussage, wonach das spätere Mordopfer Claudia Heltschacher, von dem wir gerade sprachen, mit Ihnen zusammen an der Bar stand.«

Judith zog verunsichert die Mundwinkel nach unten.

»Die Frau, die Sie offenbar kurz vorher beim Betreten der Hotelbar gesehen hatten. Das müssen Sie doch wissen, wenn es so war.«

»Wenn Sie es jetzt sagen ... ja, es kann sein, dass der Mann von einer Frau angesprochen wurde. Ich wollte gerade gehen und habe nicht weiter drauf geachtet. Ich erinnere mich wieder. Aber dass es dieselbe Frau war, die ich vorher gesehen hatte, könnte ich nicht beschwören. Ich habe sie hauptsächlich von hinten gesehen. Sie kam und ...«, Judith beschrieb die Situation pantomimisch mit den Händen, »... hat sich zwischen uns gestellt. Ich weiß noch, dass ich das ziemlich unhöflich fand.«

»Das fällt Ihnen in diesem Moment alles so detailliert wieder ein?«

»Wie Sie selber sagten, Dinge fallen einem nach und nach ein. Aber mir war in der Situation nicht klar, dass es sich um dieselbe Frau handelte, die kurz vorher reingekommen war. Sonst hätte ich mich natürlich schon bei unserem ersten Gespräch daran erinnert.«

Schwaiger lehnte sich zurück und kaute an seinem Filzschreiber. »Was fällt Ihnen noch ein – wo Sie die Situation wieder vor Augen haben?« Er wartete, sie schwieg. »Vielleicht der Name des Mannes? Hat er sich gar nicht vorgestellt? Vielleicht nur der Vorname.«

»Man stellt sich nicht gleich vor, wenn man fragt, wie der Wein schmeckt.«

»Ja, natürlich.« Er sah sie an und sagte nichts mehr. Es entstand ein unangenehmes Konversationsloch. Unangenehm für Judith. Schwaiger wusste, was er tat. Er war

Profi, und Konversationslöcher gehörten zum Vernehmungsinstrumentarium. Aber Judith hatte von ihrem letzten Arbeitgeber teuer bezahlte Seminare für Verhandlungstaktik besucht und kannte den Trick. Sie gab vor, etwas in ihrer Handtasche zu suchen. Nach zwanzig Sekunden sah Schwaiger ein, dass es sinnlos war. »Ich fass mal zusammen, Sie stehen mit einem unbekannten Mann und dem Mordopfer in einer Hotelbar zusammen am Tresen und erinnern sich erst daran, als ich Sie darauf anspreche. Nicht an deren Gesichter oder Namen, sondern dass die beiden überhaupt da waren.« Er lehnte sich nach vorn. »Ich mach den Job hier schon ziemlich lange. Und aufgrund meiner Erfahrung kann ich Ihnen sagen, dass Ihre Geschichte alles andere als glaubwürdig klingt.«

»Ich weiß nicht, was ich Ihnen anderes sagen soll.«

»Wer war der Mann im Hotel?«

»Ich weiß es nicht. Er hat mich an der Bar angesprochen, und wir haben ein paar Sätze geredet. Mehr kann ich Ihnen wirklich nicht sagen.«

Wie er sie ansah, verursachte Judith Unbehagen. Es lag etwas Bedrohliches, Feindseliges im Blick des Kommissars.

»Denken Sie die nächsten Tage gründlich nach. Ich werde noch mal auf Sie zukommen.«

Als Judith schon fast aus der Tür war, sagte er: »Eine Kleinigkeit noch …«

Judith drehte sich vorsichtig um.

»Sie haben den Mann ja von vorn gesehen, als Sie mit ihm geredet haben.« Sie nickte. »Ist Ihnen nicht doch eine Besonderheit an ihm aufgefallen?«

»Nein. Was meinen Sie?«

»Hat er vielleicht … ein abstehendes Ohr gehabt? Nur eins …« Schwaigers Blick bohrte sich in Judiths Gesicht.

34

Juni 2017

Die Hitze stand im Besprechungsraum, in dem sie sich versammelt hatten. Baum, Rachel, Sascha und Carsten. Ein Ventilator in der Ecke neben dem Flipchart wälzte die stickige Luft um, aber das Fenster blieb zu, denn es war laut auf der Nymphenburger Straße. Baum hatte als Tribut an die Hitze den obersten Kragenknopf geöffnet und den Knoten seiner taubenblauen Krawatte ein wenig gelockert. Trotzdem stand ihm der Schweiß auf der Oberlippe. Hätte er, wie Carsten und Sascha, sein Jackett ausgezogen, wären vermutlich große Schweißflecken um die Achseln zu sehen gewesen.

»Erstens«, begann er und malte einen Spiegelstrich auf das Flipchart. »Das Foto in der *Bunten* wurde am 7. Juni aufgenommen, der Mord an Eike Sandner war aber schon am 23. Mai.«

»Und der Mann auf dem Foto ist tatsächlich Eike Sandner?« Sascha fächelte sich mit seinem Exemplar der *Bunten* etwas Luft zu.

»Wir haben das Foto ...«, Baum zog einen zweiten Spiegelstrich, »... wissenschaftlich exakt vermessen und mit den anderen Aufnahmen von Sandner verglichen. Der Mann auf dem Foto ist zu neunundneunzig Prozent Eike Sandner.«

»Und wie erklären Sie sich, dass Sandners Leiche durch eine DNA-Analyse identifiziert wurde?«, wollte Carsten wissen.

»Dafür gibt es zwei Möglichkeiten.« Hinter einen weiteren Spiegelstrich schrieb Baum *Erklärungen*. Darunter versetzt zog er zwei weitere Spiegelstriche. »Sandner hat einen Zwillingsbruder, von dem man nichts weiß, oder einen Doppelgänger.«

»Ziemlich unwahrscheinlich, oder?«

»Statistisch gesehen hat jeder Mensch sieben Doppelgänger. Das ist eine ganze Menge. Nur dass einer davon zufällig auf einem Foto in der *Bunten* abgebildet wird, ist so unwahrscheinlich, wie dass wir ihn auf der Straße treffen. Hat von Ihnen schon mal jemand einen seiner sieben Doppelgänger getroffen?« Schweigen. »Eben. Also sagen wir mal, es ist die unwahrscheinlichere Möglichkeit. Der Sache mit dem Zwillingsbruder müsste man eventuell noch nachgehen.« Baum nahm einen großen Schluck Eiswasser, bevor er weitermachte. »Zweite Möglichkeit: Die Leiche war eben doch nicht Sandner. Oder anders gesagt: Sandner lebt noch.«

»Aber wie gesagt ...«, Carsten breitete die Hände auseinander, »... die Polizei hat eine DNA-Analyse durchgeführt, und der zufolge war die Leiche eindeutig Sandner.«

»Für die DNA-Analyse wurden Vergleichsproben aus Sandners Wohnung in Köln verwendet, wenn ich das richtig in Erinnerung habe?«

Die Frage war an Rachel gerichtet. Sie nickte.

»Vielleicht ist da was schiefgelaufen. Oder die Proben wurden vertauscht. Wenn jemand Sandners Tod inszeniert hat, dann hat er auch an die Identifizierung gedacht. Ich habe in den Akten übrigens nichts darüber gefunden, dass Sandners Zahnbild zur Identifizierung herangezogen wurde. Das ist doch wohl die übliche Methode bei verbrannten Leichen. Können wir das herausfinden?«

»Ich kümmere mich drum«, sagte Rachel.

»Gut. Bevor wir der eher abseitigen Möglichkeit mit dem geheimen Zwillingsbruder nachgehen, sollten wir feststellen, ob der Mann auf dem Foto nicht doch Sandner ist.« Hinter einen weiteren Spiegelstrich schrieb Baum *Spuren*. »Auf dem Foto hier rechts am Schiffsrumpf,

Richtung Bug, steht die Kennung. Wir haben sie entziffert. Die Jacht gehört einem Vercharterer in Thessaloniki. Das ist Luftlinie etwa zweihundert Kilometer von Thassos entfernt, wo das Foto aufgenommen wurde. Wir haben auch herausgefunden, wer das Boot zu der Zeit gemietet hatte. Es war ein Mann namens Laurits – mit ts – Gustavsen, dänischer Staatsangehöriger. Wir konnten nur einen Gustavsen aus Norwegen ausfindig machen, der mit einem seiner Vornamen Lauritz heißt, allerdings mit tz geschrieben. Und er sieht dem Mann hier«, Baum tippte auf das Foto in der Illustrierten, »nicht im Entferntesten ähnlich. Wer immer das Boot gemietet hat, hat einen falschen Namen benutzt. Spricht auch dafür, dass es der – inzwischen untergetauchte – Sandner war.«

»Können Sie ihn finden?«, wollte Rachel wissen.

»Wir versuchen es. Ist aber schwierig. Er wird sich hüten, Bilder von sich ins Netz zu stellen, und öffentliche Plätze meiden. Deswegen ist er vermutlich auf dem Wasser unterwegs. Im kleinen Jachthafen auf Thassos wäre er normalerweise sicher gewesen. Dass neben seinem Boot ausgerechnet ein Shooting für die *Bunte* stattfindet, war einfach Pech.«

Carsten meldete sich zu Wort. »Das Boot hat er wieder zurückgegeben?«

»Ja. Der Chartervertrag lief nur bis zum 10. Juni. Inzwischen kann er sonst wo sein.«

»Wie wollen Sie ihn dann finden?«

»Das Problem ist, dass er seinen Tod vorgetäuscht und deswegen seine alte Existenz komplett aufgegeben hat. Freunde, Familie, Rentenversicherung – alles weg. Da haben wir also keinen Anknüpfungspunkt.«

»Warum gibt jemand sein ganzes Leben auf?«

»Für Geld. Viel Geld. Es muss für Sandner gereicht haben, um sich eine neue Existenz aufzubauen – Segelurlaub inklusive. Daher bezweifle ich auch, dass Andreas

Kimmel oder dieser Fernsehredakteur dahinterstecken. Die denken nicht in solchen Größenordnungen. Dass sich Sandner neu erfinden muss, ist nicht nur für uns problematisch, sondern auch für Sandner. Meistens gibt es jemanden, der einem so nah ist, dass man den Kontakt nicht vollständig abbrechen will. Wer das in Sandners Fall ist, müssen wir noch rausfinden.«

»Sie meinen, er meldet sich irgendwann bei dieser Person?«, fragte Carsten.

»Gut möglich.«

»Und wie würden wir davon erfahren? Ich meine, er wird ja nicht mit dem Wagen vorfahren, sondern anrufen oder mailen oder was auch immer.«

Baum blickte regungslos auf den Tisch und überließ die Zurechtweisung Rachel.

»Du bist ziemlich neugierig, Carsten. Überlass die Details doch einfach Herrn Baum. Er weiß, was zu tun ist. Wir brauchen nur die Ergebnisse.«

»Natürlich. Verstehe.« Carsten klang reumütig. Es hätte ihm mittlerweile klar sein müssen, dass die Ermittlungsmethoden der Detektei Baum kein Gesprächsthema waren.

Baum machte den Knoten der Krawatte noch ein Stück weiter auf und blies sich auf die schweißfeuchten Hände, aber das Jackett blieb an. »Es wäre jetzt auch interessant, die Frau zu finden, mit der Sandner Frau Kellermann betrogen hat. Es kann sein, dass sie in die Sache eingeweiht war. Haben wir einen Ansatzpunkt, um sie zu finden?«

»Judith Kellermann hat die Frau kurz im Segelclub gesehen«, sagte Rachel. »Ich bezweifle, dass sie eine brauchbare Beschreibung abgeben kann. Und selbst wenn – bringt das was?«

Baum machte eine vage Geste. »Wir brauchten vermutlich ein Foto.«

»Was ist denn mit dem Segelclub? Vielleicht gibt es da jemanden, der sich an sie erinnert«, schlug Carsten vor.

»Unwahrscheinlich. Aber Sie haben recht. Wir müssen alles versuchen. Ich schicke jemanden hin. Noch andere Vorschläge?«

»Mir fällt gerade was ein«, meldete sich Rachel. »Boris wollte hier in Deutschland angeblich Segeljachten kaufen und kannte sich damit wohl auch aus. Das hat auch Andreas Kimmel bestätigt. Und ihm gegenüber hat Boris mehrfach Pula erwähnt. Vielleicht vermietet er ja Segelboote oder ist an einer Charterfirma beteiligt.«

»Ich nehme nicht an«, sagte Baum, »dass sein Klarname – den wir nicht kennen – in der Firma oder sein Gesicht auf der Homepage auftaucht. Wenn, dann steckt sein Geld in irgendeinem Bootsverleih – als stiller Teilhaber oder über einen Strohmann. Aber wenn dem so ist, dann gibt es vielleicht eine Verbindung zu dem Vercharterer in Griechenland. Ist das Ihr Punkt?«

»Wenn Boris und Eike Sandner unter einer Decke stecken, dann hat Boris Sandner möglicherweise auch den Kontakt für die Motorjacht gemacht. Jemand, den Boris kennt, der nicht viele Fragen stellt und sich Dokumente nicht so genau ansieht. Ich weiß nicht, wie Bootsverleiher untereinander vernetzt sind. Aber es könnte doch sein, dass Boris andere Vercharterer kennt, wenn er in der Branche aktiv ist.«

»Denkbar …« Rachel konnte sehen, dass es in Baums Kopf arbeitete. »Interessanter Gedanke. Vielleicht kommt was dabei raus.« Er machte sich eine Notiz.

»Was wollen wir eigentlich mit Boris?« Sascha hielt sich ein Glas Eiswasser an die Schläfe. »Er wird uns im Prozess nichts nützen. Ganz im Gegenteil.«

»Da hast du recht. Aber wir suchen ihn auch nicht, damit sich die Polizei mit ihm unterhalten kann. Der Punkt ist: Vielleicht führt uns Boris zu Sandner. Und Sandner ist alles, was wir brauchen. Wenn wir beweisen können, dass Sandner lebt, ist Judith Kellermann frei.«

35

Sarah saß auf der Terrasse und arbeitete an ihrem Laptop, als Rachel nach Haus kam. Es war halb acht und immer noch drückend heiß.

»Hallo, Spatz. Wie war dein Tag?«

»Durchwachsen. Was gibt's zu essen?«

»Ich bin noch schnell beim *Canal Grande* vorbeigefahren ... es gibt Meeresfrüchtesalat, Carpaccio und alles, was du sonst liebst. Steht in der Küche.«

»So finde ich nie einen Kerl.«

»Weil ich abends nicht koche?«

»Weil ich nicht koscher esse. Meeresfrüchtesalat – mit Calamari, oder?«

»Schätze, die sind immer drin.«

»Carpaccio mit Parmesan?«

»Was ist daran wieder falsch?«

»Fleisch und Milch zusammen – geht gar nicht.«

Rachel setzte sich zu Sarah an den Terrassentisch. »Was hat das alles mit der Suche nach einem Mann zu tun?«

»Ich gebe gerade mein Profil auf BtJ Match ein.«

»BtJ?«

»Bund traditioneller Juden.«

»Du möchtest einen traditionellen Juden als Freund?« Rachels Frage klang vorsichtig, und es schwang die Hoffnung mit, dass Sarah das als Unsinn abtun würde.

»Ich wollte mich mal umsehen. Muss ja kein ultraorthodoxer sein. Wird es auch nicht, denn die wollen wissen, wie mein Kashrut-Grad ist.«

»Was gibt's da zur Auswahl?«

Sarah hatte bei dem entsprechenden Punkt das Klappmenü geöffnet, Rachel, trotz Brille etwas kurzsichtig, konnte die vier Unterpunkte aber nicht entziffern.

»›Streng koscher‹, ›Zu Hause‹, ›Teilweise‹ oder ›Keine‹.« Sarah ließ den Cursor über dem Menü schweben. »›Keine‹ ist wahrscheinlich blöd. Wer will auf so einem Portal schon eine Schickse, die sich an gar keine Essensregeln hält. Nehmen wir ›Teilweise‹.«

»Kluge Entscheidung. Du kannst den Parmesan ja morgen zum Frühstück essen.«

Sarah klickte »Teilweise« an. »Könnte ich, wenn ich morgens was essen würde. Wie halt ich's denn mit dem Sabbat?« Mit der Sabbat-Einhaltung beschäftigte sich der nächste Punkt im Formular. Auch hier gab es vier Auswahlmöglichkeiten: »Vollständig«, »Teilweise«, »Auf meine eigene Art und Weise« und »Keine«.

»›Auf meine eigene Art und Weise‹ klingt gut«, befand Rachel. »Was wird das? Du suchst doch nicht wirklich einen jüdischen Freund mit traditionellen Vorstellungen über die Rolle der Frau? Abgesehen davon – war da nicht was mit Niklas?«

»Niklas!« Sarah breitete die Arme auseinander. »Niklas ist schon ewig Geschichte.«

»Noch vor drei Wochen wolltet ihr nach dem Abi zusammen auf Weltreise gehen.«

»Ja, ich weiß. Aber das kam durch eine vorübergehende Oxytocin-Überproduktion.«

»Das heißt auf Deutsch?«

»Ich war verknallt und nicht ganz bei mir. Hat sich aber schnell gelegt. Letzte Woche hatten wir unser Trennungsgespräch. Er war wirklich tapfer.«

»Okay. Und jetzt suchst du jemanden, der gerne schwarze Anzüge und Schläfenlocken trägt?«

»Wie du an den Fragen siehst«, Sarah deutete auf den Bildschirm, »vermitteln sie auch Leute, die nicht so streng religiös sind. Mich interessiert, wer sich da meldet. Ich bin einfach neugierig. Das geht übrigens weltweit. Die übersetzen die Profile.«

»Wie lange dauert das, bis sich einer meldet?«

»Keine Ahnung. Sobald das online ist, können alle drauf zugreifen, denke ich mal.« Sarah klickte mit der Maus, bis ein Foto aufploppte. Es zeigte sie selbst perfekt ausgeleuchtet und geschminkt und noch ein bisschen attraktiver, als sie von Natur aus schon war. »Und wenn ich *das* als Profilbild reinsetze ...«

»... werden jüdische Jungs auf der ganzen Welt durchdrehen. Überleg dir das mit dem Foto.«

»Logisch nehme ich das. Ich will, dass sich möglichst viele melden, schon wegen der Auswahl. Vielleicht ist ja wirklich einer dabei. Aus Buenos Aires oder Tel Aviv oder ... Paris.« Sie drückte das Bild weg und schloss auch andere Fenster. »Ich mach's nach dem Abendessen.«

Unter einem der geschlossenen Fenster war eine Mail, deren Auftauchen Sarah offenbar selbst überraschte. Sie beeilte sich, die Datei zu schließen.

»Was war das?«, fragte Rachel.

»Eine Mail. Privat.« Sarah lächelte. Es sollte wohl schelmisch, frech wirken. Aber es gelang irgendwie nicht.

»Okay ...« Rachel sah ihre Tochter fragend an.

Sarah atmete schwer. »Willst du es unbedingt lesen?«

»Wenn es für dich privat ist, will ich es nicht lesen. Geht es um mich?«

»Es ist wieder dieser Verrückte.« Sarah sah ihre Mutter besorgt an. »Wegen Hannah.«

Ein kleiner, aber heißer Adrenalinschub schoss durch Rachels Blutbahnen. Sarah klappte den Computer auf und holte die Mail zurück auf den Bildschirm. Rachel drehte den Rechner zu sich, wagte aber nicht zu lesen und nahm die Brille ab. »Was will er?«

»Lies selber. Wieder so ein Mist. Vielleicht kannst du mir ja erklären, was er meint.«

Liebe Sarah,

diesmal sende ich meine Nachricht als Mail, zum einen wegen der Abwechslung, zum anderen, um zu verhindern, dass sie bei WhatsApp im Spam-Ordner landet und dort ungelesen verrottet. Auch wenn ich Deinen Wunsch, keine Nachrichten mehr von mir zu bekommen, respektiere, ist es mir doch ein Anliegen, dass Dir diese eine Mail noch zur Kenntnis gelangt. Sie ist wichtig!
Ich nehme an, dass Deine Mutter Dir irgendeine Geschichte über den Tod ihrer Schwester Hannah erzählt hat. Falls noch nicht: Sorry, ich wollte nicht spoilern. Aber nehmen wir es mal an. Ich hoffe, die Geschichte hat Deine Neugier befriedigt und dazu beigetragen, dass keine dunklen Familiengeheimnisse mehr Dein weiteres Heranwachsen beschatten. Nur um sicherzugehen, dass Rachel auch alles akkurat berichtet hat, hier eine Frage, die Dir als Lackmustest für die Wahrhaftigkeit ihrer Offenbarung dienen möge: Kam in der Erzählung auch vor, dass Deine Mutter nach Hannahs Tod für einige Zeit nicht mehr auf die Schule ging, keinen Kontakt mit ihren Freunden hatte oder anders gesagt auf mysteriöse Weise verschwunden war? Falls dieses Feature in der Geschichte fehlt, solltest Du noch einmal nachfragen. Es könnte sein, dass Dir die pikantesten Dinge vorenthalten wurden.

Ich wünsche Dir ein schönes und unbeschwertes Leben, und ich werde Dich nicht weiter mit Nachrichten behelligen (hab ich mir jetzt mal vorgenommen, aber nagle mich nicht drauf fest). Grüß mir Deine Mutter, die ich immer noch liebe, auch wenn meine Liebe nicht erwidert wird. Sei's drum. Die Liebe sucht nicht das Ihre, sie lässt sich nicht erbittern, sie erträgt alles, sie hofft alles, sie duldet alles – 1. Kor. 13, 4–7 (Anmerkung: Kor. steht nicht für Koran).

Mach's gut
Heiko Gerlach (geb. Opitz)

Rachel schob den Laptop weg und presste sich an die Rücklehne der Bank, auf der sie mit Sarah saß.

»Interessant, was er alles herausgefunden hat.«

»Wann hat er das alles denn rausgefunden? Ja wohl nicht im Gefängnis.«

»Das war vor über zwanzig Jahren, als wir noch zusammen waren. Heiko ist sehr obsessiv. Wie sehr, habe ich erst spät gemerkt. Und auch da hatte ich keine Ahnung, dass er heimlich in mein früheres Privatleben eingedrungen war. Er war schon damals krank.«

»Was ist passiert nach Hannahs Tod?«

Rachel ließ die Vergangenheit im Kopf noch einmal aufleben. Sarah sagte nichts und wartete geduldig auf Antwort.

»Es ging mir sehr schlecht. So schlecht, dass ich nicht zu Hause bleiben konnte.«

»Weil dich deine Eltern für Hannahs Tod verantwortlich gemacht haben. Ich wäre genauso durchgedreht.«

»Es war aber noch schlimmer. Ich bin völlig durchgedreht und war suizidgefährdet. Sie haben mich in eine psychiatrische Klinik gesteckt und vier Monate stationär behandelt.«

»Mein Gott, wenn ich das alles höre, krieg ich echt das Kotzen. Ich werde auf keinen Fall zu Omas Geburtstag fahren.«

»Es war nicht ihre Schuld. Glaub's mir. Die Dinge waren sehr viel komplizierter, als du denkst.«

»Vielleicht kannst du's mir ja mal erklären.« Sarah sah

auf die Uhr. »Ich bin um neun verabredet. Schlimm, wenn ich nicht mit dir zu Abend esse?«

»Dann muss ich wieder Reza anrufen.«

»Gute Idee. Habt ein bisschen Spaß!« Sie küsste Rachel und stand vom Tisch auf. »Du solltest ihn fragen, ob er dir nicht einen Heiratsantrag machen möchte.«

»Ich *bin* verheiratet.«

»Das würde ich auch mal in Ordnung bringen. Typisch Anwälte! Kriegen nicht mal ihre eigene Scheidung gebacken!«

Rachel hatte es sich mit einem Glas Lugana und den Antipasti auf der Terrasse gemütlich gemacht, als eine Mail auf ihrem Handy ihre Aufmerksamkeit erregte. Sie stammte von Baum und lautete schlicht:

Bitte um Rückruf. Es geht um die Geliebte von Eike Sandner

36

Baum war noch in seinem Büro. Er arbeitete gerne abends, was vielleicht damit zusammenhing, dass viele Recherchen und Observationen am Abend und in der Nacht stattfanden. Baum war als Chef von dreißig Angestellten nur noch selten im Außendienst. Aber die Arbeitszeiten waren ihm geblieben.

»Sie haben was für mich?«, meldete sich Rachel am Telefon.

»Könnte sein. Eine Mitarbeiterin von mir war heute im Segelclub am Starnberger See und hat sich umgehört. Eine Kellnerin, die am 19. Mai bedient hat – also an dem Tag, an dem Sandner und die unbekannte Frau da waren –, konnte sich tatsächlich an die Frau erinnern. Und zwar deshalb, weil sie nach einem Kuchenrezept gefragt hat. Zur Erklärung hat Sandners Begleitung gesagt, sie hätte ein Café im Bamberg und würde den Kuchen dort gerne anbieten.«

»Cafébesitzerin? Dann wird sie schon etwas älter sein.«

»So um die dreißig. Es gibt ja auch junge Leute, die Cafés betreiben. Ich habe jedenfalls meinen Kontakt in Bamberg angerufen, und der wusste, wovon ich rede. Ich habe Ihnen gerade einen Link geschickt.«

Rachel öffnete ihren Laptop. Baums Mail war bereits eingetroffen. Der Link führte zur Website des Cafés Zöllner in Bamberg. Die Rubrik *Über uns* zeigte das Foto einer sehr attraktiven Frau um die dreißig hinter dem Tresen eines Lokals. Viel Holz, Antiquitäten.

»Das ist Constanze Zöllner, einunddreißig Jahre alt, Besitzerin des Cafés Zöllner. Sehr netter Laden, wie mir mein Bamberger Kontakt versicherte. Die Dame hat einen Freund, den sie demnächst heiraten will. Eine rundum bürgerliche Existenz, singt im Gospelchor und ist Mitglied in zwei Bürgerinitiativen. Man kennt und schätzt sie in Bamberg.«

Eine weitere Mail traf ein.

»Und jetzt sehen Sie sich bitte dieses Foto an.«

Rachel öffnete die zweite Nachricht, eine JPG-Datei war angehängt. Das Foto zeigte anscheinend dieselbe Frau, in kurzem, edlem Kleid vor einem Sportwagen. Allerdings hatte sie einen farbigen kleinen Balken vor den Augen.

»Auch das ist Constanze Zöllner«, sagte Baum. »Das Bild stammt von der Website eines Escortservice in Frankfurt. Daher der Balken.«

»Sie sind sich sicher?«

»Wir haben das Foto im Internet mithilfe eines Gesichtserkennungsprogramms gefunden. Durch den Balken fehlen einige Vergleichspunkte. Aber ich würde sagen, zu fünfundneunzig Prozent.«

»Interessant. Aber wir wissen nicht, ob das die Frau ist, mit der Sandner im Segelclub war?«

»Nicht sicher. Der Bedienung aus dem Segelclub haben wir das Foto gezeigt. Sie meint, es wäre wahrscheinlich die Frau.«

»Wie kriegen wir Gewissheit?«

»Indem wir sie fragen.«

»Möglicherweise hat sie auch Dreck am Stecken. Warum also sollte sie mit uns reden?«

»Weil wir etwas über sie wissen, das ihr unangenehm ist.«

»Dass sie bei einem Escortservice arbeitet.«

»Sie führt – wenn sie es denn ist – ein Doppelleben. Bamberg ist eine kleine Stadt, und als Cafébesitzerin ist sie von öffentlichem Interesse.«

»Glauben Sie, die Sache mit Sandner hat was mit dem Escortservice zu tun?«

»Gut möglich. Das müssen wir noch herausfinden. Die

Frage ist jetzt, wie wir weitermachen. Soll ich der Frau auf den Zahn fühlen, oder wollen Sie mit ihr reden?«

»Viel mehr bekommen Sie auf anderem Weg nicht heraus über Frau Zöllner und ihr Verhältnis zu Eike Sandner?«

»Vermutlich nicht. Und wenn, wäre das äußerst aufwendig. Man muss ja auch die Kosten im Blick haben.«

»Da haben Sie wohl recht.« Rachel betrachtete die Frau mit dem Balken im Gesicht. »Ich werde mit ihr reden. Und jetzt erzählen Sie mir alles, was Sie noch über Constanze Zöllner wissen.«

Bamberg glich zu allen Jahreszeiten einer altdeutschen Puppenstube. Der Krieg hatte Gnade walten lassen mit der Altstadt, und die Architekten hatten es nach dem Krieg nur an wenigen Stellen geschafft, Löcher in das ehrwürdige Gesicht der Häuserfronten zu stanzen.

Rachel hatte keinen Sinn für die Schönheiten der Bischofsstadt und besuchte weder das Schlenkerla noch den Bamberger Reiter. Ihr Ziel war das Café Zöllner am Rande der Altstadt in einem Biedermeierhaus. Morgens um neun Uhr dreißig machte es auf, kurz nach zehn stand Rachel vor der Tür. Das Thermometer an der Apotheke gegenüber zeigte bereits fünfundzwanzig Grad. Von den vier Tischen vor der Tür waren drei belegt. Aber Rachel zog es hinein.

Der Gastraum des Cafés Zöllner war mit allerlei Antiquitäten eingerichtet, dazu neue Möbel in Shabby Chic, die man hier teilweise auch kaufen konnte. Rachel setzte sich an den Tresen. Dahinter stand eine Frau in schwarzem Designer-T-Shirt, die Frau von der Homepage – Constanze Zöllner. Zwei weitere, jüngere Servicekräfte komplettierten die Belegschaft. Zöllner war unverkennbar die Chefin und gab den jungen Dingern gerade einige Arbeitsanweisungen, die sie kopfnickend entgegennahmen. Dann wandte sie sich Rachel zu.

»Guten Morgen. Was kann ich für Sie tun?«

»Einen ganz normalen Kaffee bitte, wenn das geht.«

»Natürlich.« Zöllner begab sich zur zwei Schritte entfernten Kaffeemaschine.

»Schön haben Sie es hier. Wo haben Sie die Antiquitäten her?«

»Überall zusammengekauft. Ich liebe die alten Sachen.«

»Ja, in solche Räume muss man alte Möbel stellen. Kriegt man die Sachen hier in Oberfranken noch günstig?«

»Nein. Die Zeiten, wo sie's einem nachgeschmissen haben, sind auch hier vorbei. Ist vielleicht ein paar Euro billiger als in München oder Frankfurt. Aber die wissen heute auch, was Antiquitäten kosten.«

Zöllner stellte den Kaffee vor Rachel auf den Tresen. »Sie interessieren sich für Antiquitäten?«

»Wenn mich was Hübsches anspringt, sag ich nicht Nein.« Rachel schüttete Zucker und Milch in den Kaffee. »Sie sind Frau Zöllner?«

»Ja. Mir gehört das Café. Warum?«

»Weil ich Ihretwegen von München angereist bin.«

»Oh …« Das Erstaunen in Zöllners Gesicht war nicht zu übersehen. »Wie komme ich zu der Ehre?«

»Ich heiße Rachel Eisenberg und bin Anwältin.« Sie schob ihre Visitenkarte über den Tisch. Zöllner wich unwillkürlich mit dem Oberkörper zurück. Rachel kannte die Reaktion. Wenn ein Anwalt ungerufen zu dir kommt, bedeutet das in der Regel nichts Gutes. »Keine Sorge, es wird nicht allzu schlimm werden.« Rachel lächelte die Frau hinter dem Tresen mit ausnehmender Freundlichkeit an. »Haben Sie ein paar Minuten?«

Zöllner zögerte kurz, sah sich um, dann sagte sie: »Warten Sie, ich bin gleich wieder bei Ihnen.« Sie ging zu einer ihrer Mitarbeiterinnen und sagte leise etwas zu ihr, deutete nach draußen und in Richtung Kasse. Dann kam sie zurück. »Wir gehen am besten in mein Büro. Da sind wir ungestört.«

Zöllners Büro war winzig, und das Fenster ging auf einen Lichtschacht hinaus. Sie musste erst einen Karton mit Gläsern von dem einzigen Besucherstuhl räumen, damit sich Rachel setzen konnte. Zöllner nahm hinter ihrem überfüllten Schreibtisch Platz und sagte schließlich: »Also?«

»Waren Sie in letzter Zeit in München und Umgebung?« Rachel bemerkte, dass die Erwähnung des Reiseziels erhöhte Achtsamkeit bei ihrer Gesprächspartnerin hervorrief.

»Ja. Warum?«

»Auch am 19. Mai?«

»Kann sein. Aber Sie haben mir noch nicht gesagt, was Sie das angeht.«

»Vielleicht kommen Sie selber drauf. Sie waren an jenem Tag mit einem Mann namens Eike Sandner zusammen und haben einen Ausflug an den Starnberger See gemacht.«

Zöllner sah Rachel geschockt und gleichzeitig argwöhnisch an, und es arbeitete sichtbar hinter ihrer Stirn. Sie fasste sich an den Hals. »Ich finde, jetzt wird es sehr privat. Woher wollen Sie das wissen?«

Sehr gut. Der Punkt war abgehakt. Nach dieser Reaktion bestand für Rachel kein Zweifel mehr, Constanze Zöllner war die Frau, die sie suchte.

»Herr Sandner wurde damals ermordet.«

Rachel stellte den Satz einfach mal so in den Raum, ließ ihn nachhallen und versuchte, aus Zöllners Gesicht etwas herauszulesen. Überraschte sie diese Nachricht? Es hatte den Anschein.

»Das … das tut mir leid.« Zöllner schluckte und wurde weiß im Gesicht.

»Sie wussten das nicht?«

Zöllner schüttelte den Kopf. »Sie suchen seinen Mörder?«

»Seine Mörderin sitzt bereits in Untersuchungshaft. Sie behauptet allerdings, sie war es nicht. Und da komme ich ins Spiel. Mich würde interessieren, was kurz vor Herrn Sandners Tod passiert ist.«

»Das wird die Polizei doch schon ermittelt haben.« Zöllners Ton war leise, vorsichtig und leicht fragend.

»Für die Polizei ist der Fall klar. Die sehen keinen weiteren Ermittlungsbedarf. Ich schon. Deshalb würde ich gerne wissen, was für eine Beziehung Sie zu Herrn Sandner hatten.«

»Tut mir leid. Ich kann Ihnen nicht helfen. Mir ist nie ein Herr ... wie sagten Sie?«

»Sandner.«

»... ein Herr Sandner begegnet.«

»Vielleicht hat er sich mit einem anderen Namen vorgestellt.«

»Ich war im Mai auch nicht in München. Wer immer das recherchiert hat – muss mich verwechselt haben.«

»Netter Versuch. Aber ich *weiß,* dass Sie in München waren.«

Ein leichtes Zucken ging durch Zöllner.

»Es tut mir leid. Ich muss jetzt wieder ins Café.«

Sie stand auf und ging zur Bürotür, Rachel blieb auf dem Besucherstuhl, der Rollen besaß, sitzen und drehte sich zur Tür.

»Ich kann mir vorstellen, dass Sie eine gewisse Scheu haben, in den Fall hineingezogen zu werden. Versteh ich, absolut. Vielleicht war Ihr Aufenthalt in München ja ... dienstlich.«

Zöllner biss sich auf die Unterlippe und setzte an, Rachel zu bitten, das Büro zu verlassen. Aber Rachel kam ihr zuvor.

»Das wäre mir an Ihrer Stelle auch unangenehm. Ihr

Frankfurter Job passt nicht zu dem netten Café, das Sie betreiben. Vor allem nicht in einer kleinen Stadt wie Bamberg. Aber bedenken Sie bitte, wenn es zu einem Prozess gegen meine Mandantin kommt, kann ich Sie vorladen lassen. Dann müssen Sie in einer öffentlichen Verhandlung aussagen. Und die wird einiges Medieninteresse auslösen. Meine Mandantin ist in der Filmbranche tätig.«

Zöllner stand mit versteinertem Gesicht vor Rachel.

»Wenn wir uns hier ganz unverbindlich unterhalten und Sie mir sagen, was passiert ist, komme ich eventuell zu dem Schluss, dass wir Ihre Aussage nicht brauchen. Im Idealfall zieht die Staatsanwaltschaft sogar die Anklage zurück. Aber wenn ich nicht weiß, was Sie zu erzählen haben, kann ich das nicht beurteilen. Und die einzige Möglichkeit, es herauszufinden, ist, Sie vor Gericht als Zeugin zu befragen.«

Zöllner zögerte kurz, dann öffnete sie die Bürotür. »Würden Sie jetzt bitte gehen.«

Rachel stand auf. »Denken Sie drüber nach.«

Als Rachel, immer noch von Zöllner eskortiert, das Lokal verließ, drehte sie sich ein letztes Mal um und sah in Zöllners beunruhigtes Gesicht. »Ihre Reaktion hat mich ausgesprochen neugierig gemacht.«

Rachel lächelte vor dem Lokal die junge Bedienung an, die gerade einen Tisch von schmutzigen Tassen befreite, schritt über das sonnengleißende Kopfsteinpflaster auf die andere Straßenseite, betrat die Apotheke und sah hinüber zum Café. Zöllner stand am Fenster und sah ihrerseits zur Apotheke. Rachel kaufte eine Packung Aspirin, verließ die Apotheke und setzte sich in ein anderes Café, das dem Café Zöllner schräg gegenüber lag. Dort bestellte sie ein Mineralwasser und führte ein paar Telefonate. Als das Wasser serviert wurde, trat auch Constanze Zöllner an Rachels Tisch.

»In fünf Minuten in meinem Büro.«

37

Constanze Zöllners Schultern waren hochgezogen, sie saß auf dem Sessel hinter ihrem Schreibtisch, die Miene angestrengt. Die Tür war offen, und Rachel sagte leise Hallo, als sie den Raum betrat. Sie setzte sich wieder auf den Stuhl, auf dem sie vor einigen Minuten schon gesessen hatte.

»Über den Tod dieses Mannes – wie hieß er …?«

»Eike Sandner.«

»Über seinen Tod kann ich Ihnen nichts sagen. Ich wusste bis eben nicht, dass er tot ist und dass er Eike Sandner hieß.«

»Wie hat er sich genannt?«

»Leo. Den Nachnamen musste er beim Escortservice angeben. Aber den habe ich vergessen. Meier, Müller, Schmidt – irgendein Allerweltsname vermutlich.«

»Ich will auch nichts über seinen Tod wissen. Ich brauche Hinweise, wo ich ihn finden kann.«

Zöllner blickte sie mit dem Ausdruck profunder Verständnislosigkeit an. »Ich verstehe nicht ganz … ich denke, er ist ermordet worden …?«

»Wir vermuten, er lebt und hat seinen Tod nur vorgetäuscht.«

»Jetzt wird's aber ziemlich schräg.« Zöllner schüttelte fassungslos den Kopf.

»Wenn wir ihn finden, sind Sie aus dem Schneider. Denn dann findet kein Gerichtsverfahren statt. Es gibt keinen Mordprozess, wenn das Opfer lebt.«

»Verstehe. Wie kann ich helfen?«

»Erzählen Sie, wie das Ganze abgelaufen ist.«

Constanze Zöllner zuckte mit den Schultern. »Ich habe von der Agentur die Informationen bekommen, wo wir uns treffen. Er wollte, dass ich nach München komme. In einen Vorort namens Straßlach.«

»Er hatte da ein Haus?«

»Ja. Das war etwas abgelegen am Waldrand. Viel Holz und gemütlich mit Außen-Jacuzzi und teuren Designermöbeln.«

»Wann war das, und wie lange sind Sie mit ihm zusammengeblieben?«

Zöllner konsultierte den Kalender ihres Smartphones. »Am 18. Mai bin ich hingefahren, am 21. zurück.«

»Wie verliefen die zwei Tage?«

»Am Abend des ersten Tages sind wir in Grünwald essen gegangen, am nächsten Tag, das war ein Freitag, haben wir einen Ausflug zum Starnberger See gemacht und in einem Segelclub zu Mittag gegessen. Abends waren wir in einem Biergarten in München. Ich weiß nicht mehr, wo genau. Ich kenne mich in München nicht aus.«

»War Sex inklusive?«

»Für zweitausend Euro pro Tag? Ja.«

»Was hat er über sich erzählt?«

»Über seine Geschäfte gar nicht so viel. Die meisten Männer reden stundenlang darüber, was für tolle Hechte sie im Beruf sind. Er war sehr charmant, hat mich gefragt, wie ich München finde, und war aber … weiß auch nicht, irgendwie abwesend. Er hat dann gedankenverloren vor sich hin gestarrt. Wenn ich ihn angesprochen habe, war er sofort wieder lebhaft und hat gelacht und Scherze gemacht.«

»Hat er was über sich privat erzählt?«

Zöllner nickte. Ein Lächeln huschte über ihr Gesicht und vertrieb die Anspannung für einen Augenblick. »Eigentlich hat er mir seine ganze Lebensgeschichte erzählt. Er hat sehr früh seine Eltern verloren. Sein Vater hat sich aus dem Staub gemacht, da war Leo – oder Eike – fünf. Seine Mutter ist an einem Aneurysma gestorben, da muss er zehn oder elf gewesen sein. Soweit ich mich erinnern kann, ist er ständig herumgereicht worden. Erst an die Großeltern, aber die hatten selber Probleme: Alkohol und Tabletten. Dann war er in einer Pflegefamilie, und schließlich kam er in ein Internat.«

»Internat? Das kostet doch Geld. Hatte er was von seiner Mutter geerbt?«

»Nein. Das hat jemand bezahlt. Ein Onkel. Das war kein richtiger Onkel. Er hat nur Onkel zu ihm gesagt – wie heißt so was?«

»Nennonkel?«

»Ja, das hat er gesagt. Ein Nennonkel. Wenn ich das richtig verstanden habe, war das ein ehemaliger Verehrer seiner Mutter gewesen. Einer, der sie wirklich geliebt hat, aber nie zum Zug gekommen ist. Und der war kurz vor dem Tod der Mutter nach Los Angeles gegangen.« Sie schüttelte den Kopf. »Unglaublich, was er mir alles erzählt hat.«

»War vielleicht das letzte Mal, dass er's konnte.«

»Sie meinen, weil …«

»Egal. Sie waren bei diesem Nennonkel.«

»Ja, richtig. Der Onkel kommt also ein paar Jahre später nach Deutschland zurück und erfährt, dass die Frau, die er vergeblich geliebt hat, tot ist. Und da hat er sich auf die Suche nach dem Kind gemacht und Eike Schrägstrich Leo das Internat finanziert. Aus Verbundenheit mit der toten Mutter.«

»Hatte er noch Kontakt zu dem Nennonkel?«

»Das weiß ich nicht mit Sicherheit. Aber seine Stimme bekam immer so was Warmes, wenn er von dem Onkel gesprochen hat. Ich glaube, das war einer der ganz wenigen Menschen, die ihm wirklich was bedeutet haben.«

Rachel machte sich ein paar Notizen in ihrem Laptop, den sie inzwischen aus ihrer Tasche geholt hatte. »Wissen Sie, wie der Onkel geheißen hat?«

»Den Nachnamen weiß ich nicht mehr. Aber der Vorname war Harry. Also vermutlich Harald.«

»Wissen Sie, wo der Onkel gelebt hat?«

»In Kassel.« Sie zögerte, prüfte ihre Erinnerung. »Genau gesagt in Oberkassel.«

»Oberkassel ist ein Stadtteil von Düsseldorf.«

»Ach deswegen! Hab mich schon gewundert. Onkel Harry hatte nämlich ein Boot am Rhein.«

»Es gibt auch noch einen Stadtteil von Bonn, der Oberkassel heißt.« Rachel hatte das gerade auf ihrem Handy gegoogelt. »Hat Sandner irgendwas von Düsseldorf oder Bonn gesagt?«

Zöllner blies die Backen auf. »Puh … daran kann ich mich nicht erinnern. Nein, nur dass Harry ein Boot auf dem Rhein hatte.«

»Was war der Onkel von Beruf?«

Zöllner trommelte mit den Fingernägeln auf ihrer Schreibunterlage und dachte nach. »Zahnarzt«, sagte sie schließlich. »Er ist damals nach Amerika gegangen, weil er an einer berühmten Zahnklinik arbeiten wollte.« Sie betrachtete ihre rot lackierten Fingernägel. »Ja, das weiß ich sicher. Er war Zahnarzt.«

»Eine letzte Frage noch: Wie lief der Telefonkontakt mit Sandner?«

Zöllner schien zunächst nicht zu verstehen, auf was Rachel hinauswollte, doch dann wechselte ihr Gesichtsausdruck. »Ach so! Stimmt. Man hat mir vor meiner Reise nach München ein Handy zugeschickt. Der Kontakt mit Sandner lief ausschließlich über dieses Handy.«

»Kam Ihnen das nicht komisch vor?«

»Glauben Sie mir, das war ein relativ normaler Sonderwunsch.«

Rachel schickte umgehend eine Mail an Baum, in der alles stand, was sie von Constanze Zöllner erfahren hatte.

Auf dem Rückweg von Bamberg nach München rief Baum an und sagte, es gebe erste Ergebnisse. Er war gerade dienstlich auf dem Weg nach Nürnberg. Sie vereinbarten ein Treffen in der Raststätte Greding an der A 9.

Auf der Terrasse eines Fast-Food-Restaurants mit annehmbarem Cappuccino konnte man sich einigermaßen ungestört unterhalten. Baum hatte einen Platz an der Hauswand gewählt, von wo aus er die ganze Terrasse im Blick hatte. Falls jemand sie belauschen wollte, würde er sich schwertun.

»Es gibt einen Prominentenzahnarzt in Düsseldorf. Harald van Thesen«, begann Baum das Gespräch. »Der scheint mir ein guter Kandidat zu sein. Wir checken das. Außerdem überprüfen wir einige Jachtcharterfirmen in Pula, ob Boris an einer davon beteiligt ist.«

»Stell ich mir schwierig vor. Wir wissen doch gar nicht, wie Boris wirklich heißt.«

»Nein. Aber wir haben ein Foto von ihm. Wenn er da unten Geschäfte betreibt, finden wir's raus.«

»Dann hätten wir zwei Spuren, die uns vielleicht zu Sandner führen. Sieht doch gar nicht so schlecht aus.«

Baum rührte ein wenig im Milchschaum seines Cappuccinos, bevor er sagte: »Hm. Sieht ganz gut aus.«

»Klingt nicht sehr euphorisch. Haben Sie Bedenken?«

»Ich hab immer Bedenken. Ist Teil meines Berufs.«

Rachel musterte Baums Haltung und Miene. »Sie haben mehr Bedenken als sonst. Warum?«

»Seit sich Boris bei Ihnen gemeldet hat, hab ich das Gefühl, dass er uns schon länger beobachtet. Nach dem, was Sie mir erzählt haben, weiß er ziemlich gut, was läuft. Das beunruhigt mich. Zum anderen frage ich mich, woher er so viel weiß.«

»Ich rede mit niemandem drüber. Außer mit Ihnen, meinem Mann und noch einem Anwalt in unserer Kanzlei.«

»Was ist mit Ihren Sekretärinnen?«

»Die kriegen natürlich alles mit, was schriftlich läuft. Ich kann mir nicht vorstellen, dass die von jemandem angezapft werden. Aber gut – man weiß nie. Ich werde die Augen offen halten.«

»Bleiben noch der Richter, die Staatsanwältin, deren Büro, die Protokollführerin und so weiter. Die können wir nicht alle überprüfen. Ist auch nicht unbedingt nötig. Wir müssen uns nur im Klaren sein, dass wir beobachtet werden.«

»Deswegen wollten Sie nicht telefonieren?«

Baum nickte. »Wir werden in Zukunft nur noch über sichere Verbindungen kommunizieren. Ist etwas aufwendiger, scheint mir aber angebracht.«

38

Das *Fushan* war in den letzten Wochen nicht besser, aber etwas voller geworden. Sogar einige chinesische Touristen ließen sich durch die vertrauten Schriftzeichen anlocken.

Der Gesprächspartner von Boris blätterte einmal mehr ratlos in der endlosen Speisekarte. »Ich hätte Lust auf Fisch. Wenn man schon mal in Hamburg ist.«

»Davon würde ich dringend abraten. Besonders bei der Hitze.«

»Warum? Waren Sie mal in der Küche?«

»Nehmen Sie was Scharfes«, sagte Boris und klappte seine Karte zu. »Das desinfiziert.«

Nachdem der übellaunige Kellner die Bestellung entgegengenommen hatte, kamen sie zum Zweck des Treffens.

»Judith Kellermann sitzt noch, wie Sie vermutlich wissen. Der Haftbefehl wurde vom Richter bestätigt.« Boris stellte erst mal den Erfolg heraus, bevor weniger erbauliche Themen drankamen. Er hatte auch überlegt, ob er von seinem nächtlichen Treffen mit der Anwältin berichten sollte. Aber das ging nur ihn was an.

»Den Zeugen nachzuschieben war wohl nicht so gut?«

»Die Sache wäre fast nach hinten losgegangen. Aber ist ja noch mal gut gegangen. Haben Sie ein Protokoll der Verhandlung?«

»Bin ich noch nicht drangekommen.«

Boris legte einen Umschlag auf den Tisch. »Bitte schön.«

»Danke. Hätte ich nicht mit gerechnet.« Er schickte sich an, den Inhalt aus dem Umschlag zu holen.

»Das müssen Sie nicht jetzt lesen«, murmelte Boris. »Ich sag Ihnen, was drinsteht.«

Der Umschlag verschwand in einer Aktentasche auf der anderen Seite des Tisches.

»Es lief eigentlich sehr gut«, begann Boris seinen Bericht. »Ich kenne den Mann persönlich. Er war nicht das erste Mal als Zeuge vor Gericht. Aber wir haben den Zeitpunkt, an dem Frau Kellermann angeblich bei ihm war, auf den 19. Mai mittags gelegt. Da war sie mit mir unterwegs, und ich bin der einzige Zeuge für dieses Alibi. War eigentlich wasserdicht. Dann legte die Verteidigerin plötzlich ein Foto vor, auf dem Frau Kellermann im Hintergrund zu sehen ist. Das war in dem Segelclub am Starnberger See.«

»Wo sie dann Sandner mit der Frau gesehen hat?«

»Richtig. Wir sind zufällig im Hintergrund auf dieses Foto geraten. Ich hab keine Ahnung, wo die Eisenberg das aufgetrieben hat. Vielleicht im Internet. Aber das sind Unwägbarkeiten, mit denen man immer rechnen muss, wenn man mit falschen Zeugen operiert.«

»Aber anscheinend hat es der Richter geschluckt.«

»Nein. Hat er nicht. Ich würde sagen, er hat den Haftbefehl trotz der Zeugenaussage aufrechterhalten.« Boris deutete auf die Aktentasche auf der anderen Tischseite. »Bisschen Glück braucht man eben auch. Es gibt allerdings Entwicklungen, die weniger erfreulich sind.«

»Ich höre ...«

»Sandner hat sich nicht mehr gemeldet.«

»Wann war der letzte Kontakt?«

»Vor vier Tagen.«

»Sollte er nicht längst in Südamerika sein?«

»Wir hatten Probleme, einen wirklich guten Pass zu organisieren. Sie wissen, die Lesegeräte am Flughafen ...«

»Ich weiß. Das ist heutzutage weitaus komplizierter als früher.«

Boris nickte und nahm einen Schluck Jasmintee. »Also haben wir ihn erst mal auf ein Boot in der Ägäis gesteckt.

Vor etwa einer Woche hat er dann den Pass bekommen, und gestern erfahre ich, dass er anscheinend immer noch nicht weg ist. Ich hab keine Ahnung, was er im Schilde führt. Aber wir müssen ihn finden, bevor er Dummheiten macht.«

»Tun Sie, was Sie für nötig halten. An den Kosten soll es nicht scheitern.«

»Danke für die Freigabe. Aber die Kosten sind nicht der einzige Punkt.«

»Was noch?«

»Wir müssen über eine dauerhafte Lösung nachdenken. Ich hab nämlich den Eindruck, dass die Gegenseite Verdacht geschöpft hat.«

»Woraus schließen Sie das?«

»Sie haben das Callgirl gefunden, und die Anwältin hat mit ihr geredet.«

»Aber die weiß ja nichts.«

»Nein. Nur ist jetzt klar, dass sie nicht Sandners Geliebte war, sondern bezahlt wurde. Keine Ahnung, was die daraus für Schlüsse ziehen. Vielleicht die richtigen. Ganz dumm sind sie ja nicht.«

»Warum wissen wir nicht, was sie daraus schließen? Sie reden doch sicher drüber.«

»Vieles wird mündlich besprochen. Da können wir meistens nicht dabei sein. Und jetzt hat Baum auch Telefon und Mail dichtgemacht.«

»Er ahnt was?«

»Natürlich. Er ist Profi.«

»Okay. Was kann schlimmstenfalls passieren?«

»Sie finden Sandner und liefern ihn der Polizei aus. Dann kommt Judith Kellermann frei, und unser Schicksal hängt davon ab, was Sandner der Polizei erzählt. Darauf sollten wir es nicht ankommen lassen.«

Boris' Gegenüber nickte.

»Wir müssen Sandner finden und sicherstellen, dass

die Polizei ihn nicht findet.« Er machte eine Pause. Es war offensichtlich, dass der andere wusste, was das bedeutete und dass er eine schwere Entscheidung treffen musste – zu der es allerdings keine Alternative gab, so wie Boris das einschätzte.

»Scheiße«, sagte der andere.

»Sie sind nicht naiv. Sie haben gewusst, worauf Sie sich einlassen.«

Der andere schwieg und kaute auf seiner Unterlippe herum.

»Okay, wir machen es so: Ich kriege noch zwanzigtausend. Dann kümmere ich mich darum, dass wir unsere Ruhe haben. Wie ich das im Einzelnen mache, kann Ihnen egal sein. Und wenn es Sie beruhigt, ich werde sowieso dafür sorgen, dass ich meine Ruhe habe.«

»Dann muss ich ja nicht zahlen.«

Boris lächelte amüsiert. »Netter Versuch.«

Der Kellner brachte mit eisiger Miene die Suppenschüsseln, deren Dampf jetzt wie ein Vorhang zwischen den beiden Männern aufstieg.

»Tun Sie, was nötig ist«, sagte der Mann, in dessen Auftrag Boris handelte und dem jetzt klar sein musste, dass nicht mehr er es war, der den Lauf der Dinge bestimmte.

39

Die Detektei Baum hatte für eine abhörsichere Kommunikation gesorgt, sodass sie ohne fremde Mithörer telefonieren und Mails, Fotos und Videos austauschen konnten.

»Wir sind auf einer heißen Spur«, sagte Baum. Er klang ungewöhnlich euphorisch für seine Verhältnisse. »Wir haben inzwischen Einblick in das Handy des Düsseldorfer Zahnarztes van Thesen.«

»Und?«, fragte Rachel.

»Uns ist dabei eine WhatsApp aufgefallen, die eigentlich ganz harmlos klingt: *Wir sehen uns in München, ich melde mich bei dir.* Die Nummer ist allerdings von einer ausländischen SIM-Card und nicht zuordenbar. Das hat uns stutzig gemacht, plus die Nachricht ist nicht unterschrieben. Der Sender will seine Identität Dritten nicht preisgeben, und der Empfänger scheint eingeweiht zu sein. Mit anderen Worten: Wir haben eine heiße Spur.«

»Wissen Sie, wann van Thesen nach München fahren will?«

»Morgen findet eine große Fachtagung auf dem Messegelände statt. Ich könnte mir vorstellen, dass es dort zur Kontaktaufnahme kommt. Ich werde drei Leute hinschicken. Die sind mit Kameras ausgestattet. Das heißt, Sie können die Operation am Bildschirm mitverfolgen.«

»Klingt spannend.«

»Klingt aber nur so. Die werden sich vermutlich stundenlang die Beine in den Bauch stehen. Aber wir geben Bescheid, wenn was passiert.«

Nächster Tag. Die Messehalle war hell und modern, ein Brunnen mit Grünpflanzen brach das ansonsten marmorblank polierte Ambiente. Hinter dem Brunnen führte eine weiße Treppe ins Obergeschoss, wo sich die Konferenzräume befanden. Geschäftsmäßig eilig durchquerten Zahnärzte und Pharmareferenten die Halle. Es war die Bodycam-Aufnahme einer Mitarbeiterin von Baum. Ab und zu kam eine Fachzeitschrift ins Bild, die die Frau anscheinend zur Tarnung dabeihatte. Oben rechts auf dem Bildschirm waren zwei Fenster mit weiteren Bewegtbildern, die man anklicken und dadurch zum Hauptbild machen konnte. Eines zeigte im Augenblick den Gebäudeeingang, vom oberen Ende der großen Treppe aus gesehen, das andere stammte von einer Bodycam außerhalb des Kongressbaus.

Baum hatte recht. Es passierte nichts. Ein ständiges Kommen und Gehen von unbekannten, belanglosen Männern in grauen Anzügen und Frauen in grauen Businesskostümen, gelegentlich ein Hosenanzug. Dennoch wurde Rachels Blick immer wieder zum Bildschirm gezogen, ihre Augen suchten nach Interessantem, und wenn das Bild nichts mehr hergab, wechselte sie zu den anderen Fenstern. Auch Sascha und Carsten schauten an diesem Vormittag ungewöhnlich oft bei Rachel vorbei, fragten, ob sich etwas tue, und glotzten auf den langweilig vor sich hin strahlenden Bildschirm. Als Carsten gerade den Raum verlassen wollte, raunte eine Geheimagentenstimme: »Er kommt. Ich geh näher ran.« Es war der Mitarbeiter vor dem Gebäude. Das Bild zeigte jetzt die Straße. Zwei Männer und eine Frau kamen der Kamera entgegen, sie gehörten nicht zusammen, waren wohl nur gleichzeitig eingetroffen. Einer der Männer wirkte relativ jung, in den Dreißigern, der andere mochte um die fünfundsechzig sein. An dem älteren ging Baums Mitarbeiter jetzt vorbei, das Gesicht des Mannes erschien wenige Augenblicke groß und trotz schlechter Bildqualität deutlich auf dem Bildschirm. »Ja, das ist van Thesen«, sagte Baums Stimme aus dem Off.

Dr. Harald van Thesen wurde anschließend von den Kameras bis zu einem Konferenzsaal verfolgt, in dem er verschwand.

»Das dauert jetzt zwei Stunden«, sagte der im Gebäude operierende männliche Mitarbeiter.

»Du hast es gehört, Carsten. Komm mittags wieder.« Rachel zwinkerte Carsten zu.

»Die sagen ja Bescheid, wenn sich was tut?«

»Ja, mach dir keine Sorgen. Du wirst dabei sein.«

Alle Kanzleimitarbeiter waren angespannt. Noch vor wenigen Wochen hatten sie sich gefragt, ob Judith Kellermann Eike Sandner umgebracht hatte. Jetzt fragten sie sich, wie es sein konnte, dass der Tote noch lebte. Und den Moment der Auferstehung wollte jeder miterleben.

Die nächsten zwei Stunden ging es mit Rachels Schriftsatz, den sie in einer anderen Sache verfassen musste, leidlich voran. Dann kam mit einem Mal Leben in einen der Bildausschnitte. Menschen fluteten aus Türen und verteilten sich, die meisten strebten zur Haupttreppe. Rachel stellte den Ton lauter.

»Jetzt kommt er gerade raus«, sagte Baums Stimme.

Baum war es einen Augenblick früher aufgefallen als Rachel und dem Mitarbeiter, dessen Bodycam das Bild lieferte. Es zeugte von Baums jahrzehntelanger Erfahrung auf dem Gebiet. Der Mitarbeiter setzte sich in Bewegung. Auch die beiden anderen wurden verständigt und begaben sich in Position, wie Rachel an den Videos sehen konnte.

Van Thesen ging mit vielen anderen Konferenzteilnehmern die Treppe hinunter. Unten im Foyer traf er einen Bekannten, hielt an, und sie redeten zwei Sätze, kurzer Gruß per Hand, van Thesen setzte seinen Weg fort zum Gebäudeausgang. Sein Schritt war nicht ganz so eilig wie bei den meisten anderen.

»Sieht aus, als wenn er jemanden sucht«, sagte die Mitarbeiterin im Foyer, die jetzt am nächsten dran war.

»Da kommt jemand von hinten auf ihn zu.« Wieder war es Baum, der die Situation am schnellsten erfasst hatte. Kurz darauf wurde der suchend um sich blickende van Thesen von hinten angestupst. Jemand mit Kappe und Sonnenbrille. Van Thesen drehte sich um, lachte erfreut, wollte den anderen umarmen. Aber der Bekannte hatte andere Pläne, deutete in eine Richtung, die beiden setzten sich in Bewegung.

»Wo gehen die hin?«, fragte Baum.

»Richtung Toiletten«, sagte die Frau, von der die Aufnahme stammte. Die Kamera ging den beiden Männern hinterher, das Bild wackelte, aber man konnte erkennen, dass die zwei in der Herrentoilette verschwanden. »Tja, da kann ich schlecht hinterher«, sagte die weibliche Stimme.

»Kein Problem. Die Toiletten haben keine Fenster. Das hattet ihr ja gecheckt, oder?«

»Jap.«

»Jan – kannst du mal schauen, was die in der Toilette treiben. Vielleicht kriegst du ja einen O-Ton.«

»Bin unterwegs.« Der andere im Gebäude befindliche Kollege ging auf die Toiletten zu, die Tür öffnete sich, ein Mann in Arbeitermontur kam heraus. Die Kamera ging durch die Tür und justierte die Helligkeit nach, denn hier gab es nur Kunstlicht. Am Waschbecken gleich hinter der Tür standen zwei Männer, nur kurz und im Anschnitt zu sehen. Sie wuschen sich die Hände. Wasserrauschen war das dominante Geräusch. Dazwischen Satzfetzen: *ich komm vorbei, bis später.* Dann kamen Kacheln ins Bild. Der Mitarbeiter hatte sich offenbar an ein Urinal gestellt.

»Du willst ja jetzt nicht auspacken, oder?«, ranzte Baum ihn an. »Geh den beiden hinterher.«

»Dann kann ich ihnen ja gleich meine Visitenkarte geben. Ich dachte, ich soll nicht auffallen.«

Von Baum kam nur ein genervtes Stöhnen zurück.

Inzwischen hatte die Kamera der Frau die beiden Männer wieder im Bild. Sie bewegten sich auf den Ausgang zu. Während der jüngere mit der Sonnenbrille im Freien anlangte und zügig in Richtung Taxis weiterging, blieb van Thesen an einem großen Aschenbecher stehen und zündete sich eine Zigarette an. Der Außenmitarbeiter übernahm und behielt den Mann mit der Sonnenbrille bis zu den Taxis im Bild, ohne ihm hinterherzugehen.

»Er steigt ins Taxi«, sagte Baum. »Carolin – du übernimmst jetzt. Alles klar?«

»Am Taxi dranbleiben?« Es war eine andere Frauenstimme als die im Kongressgebäude. Gleichzeitig sah man am Bildrand einen Wagen anfahren.

»Er fährt wahrscheinlich in sein Hotel. Ich will nur wissen, in welches.«

Von der Fahrerin kam ein Okay. Gleichzeitig wurden die bisherigen Kamerabilder durch ein neues ersetzt. Es war aus einem Autofenster gefilmt und zeigte Straßenverkehr. Zwei Fahrzeuge weiter war ein Taxi zu erkennen.

»Frau Dr. Eisenberg – sind Sie schon dran?«, fragte Baum aus dem Lautsprecher.

»Ja. Ich habe keine Sekunde verpasst«, sagte Rachel.

»Konnten Sie sein Gesicht erkennen?«

»Nein. Das war zu schnell und zu verwackelt.« Es klopfte, und Carsten betrat das Büro.

»Hey, da tut sich ja was!« Er zeigte leicht vorwurfsvoll auf den Bildschirm.

»Da vorn im Taxi, das ist wahrscheinlich Sandner.«

»Aber ihr wisst es nicht?«

»Noch nicht.«

Eine Viertelstunde später war das Taxi in der Maximilianstraße und überquerte den Altstadtring. Nach zweihundert Metern kam ein Hotel ins Bild, das Taxi bog in die Arkaden des Hoteleingangs ab. Der Wagen mit der Kamera hielt auf der Straße.

»Ist beim Vier Jahreszeiten vorgefahren. Kleinen Moment.« Die Kamera zeigte weiter die Maximilianstraße in Richtung Oper, sie war anscheinend irgendwo am Rückspiegel installiert. Carolin meldete sich wieder. »Er ist ausgestiegen und reingegangen. Bin gleich wieder da.« Unmittelbar darauf hörte man das Ploppen einer Autotür.

»Was macht sie?«, wollte Rachel wissen.

»Wenn sie schnell ist, kriegt sie noch mit, welchen Schlüssel unser Mann an der Rezeption bekommt.«

Wenig später ein weiteres Ploppen der Autotür, und Carolin meldete Vollzug. Es war Zimmer 3014.

»Wie sieht's aus, Frau Dr. Eisenberg? Kommen Sie mit?«, fragte Baum.

»Was denken Sie denn! In fünfzehn Minuten an der Rezeption.«

Auf der Etage waren noch die Zimmermädchen zugange. Es war kurz nach zwölf. Sandner war sicher harmloser als Herr Mangelsdorfer in Köln. Aber Rachel wusste nicht, wie er reagieren würde, wenn er mit dem Rücken zur Wand stand. Baum bewegte sich ruhig und ohne Eile durch den Korridor, war wachsam und kontrolliert, eigentlich wie immer. Nur ein paar Schweißtropfen auf seiner Oberlippe verrieten eine gewisse Anspannung. An der Klinke von Zimmer 3014 hing ein Schild, das darum bat, nicht zu stören. Rachel sah Baum unschlüssig an, als sie vor der Tür standen. Ihr Herz schlug schneller.

»Es ist besser, wenn Sie klopfen. Zimmerservice ist meistens weiblich. Vorher sollten Sie sich überlegen, was …«

Baum bekam den Satz nicht zu Ende. Rachel hatte sich ganz schnell ein Herz genommen und geklopft.

»Wer ist da?«, rief es aus dem Zimmer.

»Zimmerservice.«

»Kommen Sie bitte später wieder.«

»Ich habe eine Nachricht von einem Herrn van Thesen.«

Baum sah Rachel skeptisch an und flüsterte: »Da würden die ihn von der Rezeption aus anrufen.«

»Warum haben Sie mich nicht angerufen?«

Baum fluchte leise, aber Rachel war nicht gewillt, klein beizugeben.

»Es ist ein verschlossener Umschlag. Es wurde gebeten, dass er sofort übergeben wird. Aber wenn es nicht passt, nehme ich ihn wieder mit und Sie holen ihn an der Rezeption ab.«

Eine kurze Pause. Dann von drinnen: »Warten Sie!«

Drei Sekunden später öffnete sich die Tür. Nur einen Spalt. Der Mann im Zimmer musterte Rachel, die ihn anlächelte.

»Wo ist der Umschlag?«

Mit diesen Worten flog dem Mann die Tür gegen den Kopf. Baum drängte mit seinem breiten Körper ins Zimmer. Der andere stolperte und fiel zu Boden, stand aber behände wieder auf. Rachel folgte Baum und schloss die Tür von innen. Das Nicht-stören-Schild blieb an der Klinke.

»Was soll das? Wer sind Sie?« Der Mann war etwa vierzig Jahre alt, trug eine helle Hose, wie schon im Kongressgebäude, und sah ziemlich gut aus. Die Fotos von Sandner wurden ihm nicht wirklich gerecht. Er war sichtlich erschrocken über diese plötzliche Wendung, auch wenn er vermutlich ständig achtsam und misstrauisch war.

»Das ist Frau Dr. Eisenberg, Verteidigerin von Judith Kellermann. Mein Name ist Baum. Ich helfe Frau Dr. Eisenberg ein bisschen bei den Recherchen.«

»Ich kenne keine Judith Kellermann. Sie müssen mich verwechseln.«

Rachel trat vor. »Wir denken, Sie sind Eike Sandner. Irren wir uns?«

»Ach Gott! Nicht schon wieder!« Der Mann schüttelte den Kopf und breitete in einer Geste der Verzweiflung die Arme aus. »Das passiert mir jetzt schon zum zweiten Mal, dass mich jemand für einen Herrn Sandner hält. Wer ist der Mann?«

»Sie sehen ihm verdammt ähnlich.« Rachel holte die *Bunte* aus ihrer Tasche, schlug die Seite mit dem Bericht über Thassos auf und zeigte dem Mann das Foto mit der Motorjacht. »Hier, der Mann, der gerade aus der Kajüte an Deck kommt – sind Sie das?«

Der Mann zögerte kurz. »Ja. Das war in Griechenland. Ich habe da Ferien gemacht.« Er nahm die Zeitschrift und betrachtete das Foto scheinbar fasziniert. »Unglaublich. Dürfen die das?«

»Da müsste ich Sie an meinen Mann weiterverweisen. Der kennt sich im Presserecht aus.« Sie nahm ihm die Zeitschrift wieder aus der Hand. »Wer sind Sie dann?«

»Ich möchte nicht unhöflich wirken. Aber ich finde, das geht Sie nichts an.«

»O doch«, sagte Rachel. »Das geht uns sehr viel an. Sie müssen natürlich nicht mit uns reden. Mit der Polizei schon.« Sie zog ihr Handy hervor.

»Okay, okay. Machen wir es nicht komplizierter als nötig. Mein Name ist Laurits Gustavsen. Ich bin dänischer Staatsbürger.«

»Laurits mit ts?«

Der Mann zuckte fast unmerklich, bevor er Rachel anlächelte. »Ja, mit ts. Wird häufig falsch geschrieben.«

»Laurits Gustavsen ...« Rachel ging zwei Schritte zurück, verschränkte die Arme und betrachtete den Mann eingehend. Baum hatte ihn ebenfalls sorgfältig im Blick. »Herr Gustavsen – Sie sprechen nicht nur so gut Deutsch wie Eike Sandner – und das auch noch mit leicht rheinischem Tonfall –, Sie sehen nicht nur aus wie Eike Sandner, Sie haben auch den gleichen Bekanntenkreis. Auch

Eike Sandner stand Dr. van Thesen sehr nahe, der Mann, den Sie vorhin auf dem Messegelände getroffen haben?«

»Ich nehme an, Herr van Thesen kennt viele Leute.«

»Vermutlich. Aber wissen Sie, was mich am meisten irritiert?«

Der Mann wartete schweigend die Antwort ab.

»Dass es gar keinen Laurits Gustavsen gibt in Dänemark. Nur in Norwegen. Aber selbst der Norweger sieht Ihnen nicht ähnlich.«

»Sind Sie vom Geheimdienst, oder woher wollen Sie das alles wissen?«

»Nur ein paar ganz normale Recherchen«, sagte Baum und machte Platz für Rachel, die jetzt näher an den Mann herantrat.

»Also gut, Herr Sandner. Hören wir auf mit dem Unfug, bevor's albern wird. Wir haben viele Fragen an Sie, und wir wollen, dass Sie sich der Polizei stellen.«

»Und ich will, dass Sie diesen Raum hier verlassen. Sie haben kein Recht, hier zu sein.«

»Haben wir das nicht?« Baum sah zu Rachel.

»Das hier nennt man rechtfertigenden Notstand. Judith Kellermann sitzt Ihretwegen im Gefängnis und wird die nächsten zwanzig Jahre da bleiben, wenn wir Sie wieder verschwinden lassen.« Rachel wählte eine eingespeicherte Nummer, behielt Sandner aber im Blick. »Schönen guten Tag, hier ist Rachel Eisenberg ... die Anwältin, richtig. Würden Sie mich bitte mit Kommissar Mantell verbinden. Es ist dringend – danke ...« Es dauerte nur wenige Sekunden, bis der Kommissar in der Leitung war. »Herr Mantell, hier Eisenberg. Ich bin gerade im Vier Jahreszeiten, Zimmer 3014. Außerdem ist Herr Eike Sandner hier im Raum ... ja, *der* Eike Sandner ... deswegen möchte ich, dass Sie sich selbst von der Identität des Herrn überzeugen. Und beeilen Sie sich. Herr Sandner ist nicht so begeistert und macht einen nervösen Eindruck ... bis gleich.«

Sie steckte ihr Handy ein und sah Sandner an. »Wir können inzwischen ja schon mal ein bisschen reden. Setzen Sie sich doch.«

Sandner tat zunächst, als würde er Rachels Bitte nachkommen und sich auf einem der zwei Sessel im Raum niederlassen. Doch mit einem Mal sprang er nach vorn Richtung Zimmertür und stieß Baum mit einem Ellbogenschlag gegen die Brust zur Seite. Zumindest versuchte er es. Baum war auf derlei vorbereitet, wich dem Schlag aus, bekam Sandners Arm zu fassen, und einen Moment später lag Sandner auf dem Bauch, einen Arm nach oben, im Schraubstockgriff des Detektivs.

»Was soll der Mist? Seien Sie friedlich und setzen Sie sich.«

Baum zog Sandner vom Boden hoch und bugsierte ihn zum Sessel, wo er gezwungenermaßen Platz nahm. Er rieb sich das rechte Jochbein, mit dem er auf den Teppichboden geprallt war. Ein Bluterguss begann sich auszubreiten.

Rachel nahm auf dem anderen Sessel Platz. »Wenn die Polizei Ihre Identität festgestellt hat, Herr Sandner, ist Judith Kellermann eine freie Frau und mein Job erledigt. Auf Sie wartet hingegen ein Strafverfahren wegen schwerer Freiheitsberaubung, Vortäuschen einer Straftat und Urkundenfälschung und vielem mehr. Es wird Ihnen einige Jahre Haft ersparen, wenn Sie der Polizei Ihren Auftraggeber nennen. Ich gebe Ihnen schon jetzt Gelegenheit, sich kooperativ zu zeigen.«

Sandner atmete schwer. Der kurze Kampf mit Baum hatte ihn physisch wie emotional mitgenommen. »Ich …« Er brach noch einmal ab und überlegte. »Ich bin nicht Eike Sandner. Sie machen einen großen Fehler, und das wird Ihnen noch leidtun.«

Baum sah Rachel an. »Verdammt! Ich hab's doch gleich geahnt. Wir sollten ihn laufen lassen.«

Rachel wollte gerade eine launige Bemerkung hinzufügen, als es an der Zimmertür klopfte.

Rachel rief ein »Ja?« in Richtung Tür.

»Polizei. Wir suchen einen Herrn Sandner.«

»Die sind heute ja flott«, sagte Baum und ging zur Tür. Als er sie öffnete, ereilte ihn das gleiche Schicksal wie vor wenigen Minuten Eike Sandner. Die Tür flog auf und traf Baum am Kopf. Er torkelte, kam fast zu Fall, und als er sein Gleichgewicht wieder im Griff hatte, stand ein Mann mit Pistole vor ihm, ein weiterer betrat das Zimmer, und draußen auf dem Gang war ein dritter postiert, der offenbar als Wächter fungierte und die Tür von außen zumachte. Der Mann mit der Pistole war Boris.

»Versuchen Sie's erst gar nicht. Hände nach oben«, sagte er und gab seinem Komplizen ein Zeichen.

Der ging zu Rachel, bedeutete ihr leise, aber bestimmt, die Hände auf den Rücken zu tun, legte einen Kabelbinder um ihre Handgelenke und zog zu.

»Komm, gib Gas!«, sagte Boris und machte einen für seine Verhältnisse hektischen Eindruck. »Wenn du Stress machst«, flüsterte er in Richtung Baum, »schieß ich deiner Anwältin ins Knie.«

Offenbar hatte das Wohlergehen seiner Klienten hohe Priorität für Baum. Er ließ sich widerstandslos fesseln. Auch die Füße.

Der ganze Vorgang dauerte keine zwei Minuten. Zum Abschluss fiel die Zimmertür ins Schloss, und Sandner, Boris und dessen Leute waren weg.

»Das war übrigens Boris«, sagte Rachel.

Baum nickte, wie wenn er es geahnt hätte. »Netter Kollege. Wir sollten mal 'n Bier trinken gehen.«

40

Sie nahmen die Treppe nach unten. Mit zügigen Schritten, aber nicht hastig. In der Lobby herrschte reger Betrieb, alle Mitarbeiter an der Rezeption waren beschäftigt, folglich beachtete man die beiden Herren nicht weiter, als sie das Haus verließen. Die zwei Männer in Boris' Begleitung hatten einen Seitenausgang genommen. Auf der Maximilianstraße bestiegen Boris und Sandner eins der wartenden Taxis und ließen sich nach Ramersdorf fahren. Nachdem sie das Taxi verlassen hatten, folgte Sandner Boris in die nächste Nebenstraße. Nach weiteren zweihundert Metern erreichten sie einen SUV, den Boris mit einer Fernbedienung öffnete. Der Fußmarsch sollte verhindern, dass der Taxifahrer den Wagen zu Gesicht bekam. Die ganze Fahrt über hatten sie nicht geredet. Auch auf dem Weg zum Wagen nicht.

»Wo fahren wir hin«, fragte Sandner schließlich, als sie im Wagen saßen, unterwegs in Richtung Süden, der A8 entgegen.

»Hofoldinger Forst«, sagte Boris. »Wir müssen raus aus der Stadt und ungestört reden.«

Eike Sandner nickte still und schuldbewusst. Die gesamte Münchner Polizei würde bereits nach ihnen suchen.

»Ist ziemlich blöd gelaufen«, sagte Sandner. Die Stille war ihm unheimlich.

»Ziemlich«, sagte Boris.

Fünfzehn schweigsame Minuten später waren sie von der Autobahn abgefahren und befanden sich auf einem Forstweg. Hier waren nur zwei Rentner mit dem Mountainbike unterwegs, ein Reh kreuzte. Boris lenkte den Wagen auf einen Weg, der zu einem Bauwagen für Forstarbeiter führte. Im Hochsommer war wenig zu tun im Wald und der Bauwagen verwaist. Boris stellte das Auto ab und ließ das Fenster runter. Heiße Luft sickerte ins Wageninnere.

»Sollten Sie nicht in Südamerika sein?« Boris entnahm dem Fach unter seiner Armlehne eine Zigarettenschachtel und hielt sie Sandner hin. Der schüttelte den Kopf und sagte tonlos etwas. Boris zündete sich eine an. »Was sollte das jetzt?«

»Ich wollte mich von einem sehr alten Freund verabschieden. Nur ganz kurz.«

»Von wem?«

»Kennen Sie nicht.«

»Ich würde es trotzdem gerne wissen.«

»Wozu? Ich werde ihn nie wiedersehen.«

Boris blies den Rauch durchs offene Fenster in den heißen Sommer. »Der Mann weiß, dass Sie leben.«

»Der würde nie was sagen.« Sandner klang kleinlaut und verzweifelt.

»Hoffen wir's. Wenn Sie mir trotzdem den Namen sagen würden ...«

Sandner schwitzte, entfaltete ein Papiertaschentuch und wischte sich die Stirn und den Hals ab. »Eine Scheißhitze ist das.«

»Der Name!«

»Van Thesen. Harald van Thesen. Lassen Sie ihn in Ruhe. Er ist harmlos.«

»Die Naiven sind die Schlimmsten. Ihr Freund geht zur Polizei und erzählt, dass Sie erst tot waren und dann plötzlich ganz lebendig wiederaufgetaucht sind. Der macht sich Sorgen.«

Sandner formulierte erfolglos mit den Lippen eine Entkräftung dieser Aussage. Boris hatte recht. Das einzige Argument, das er zum Schutz des Onkels vorbringen konnte, war, es wussten jetzt ohnehin mehrere Personen, dass er noch auf Erden wandelte. Aber Sandner war nicht sicher, ob es klug war, das ins Feld zu führen.

»Haben Sie ihn schon getroffen?«

Sandner zögerte deutlich zu lange.

»Ist jetzt 'ne Testfrage«, sagte Boris. »Also erzählen Sie mir keinen Scheiß.«

»Ich hab ihn nur ganz kurz angesprochen und gesagt, er soll ins Hotel kommen.«

Boris verzog den Mund zu einer seltsamen Grimasse, wischte sich mit der Hand übers Gesicht und nahm einen tiefen Zug. Beim Ausblasen des Rauchs schüttelte er nachdenklich den Kopf. »Nicht gut«, murmelte er.

»Ich weiß gar nicht, ob er mich erkannt hat. Ich hatte eine Sonnenbrille auf. Und eine Baseballkappe.«

Langsam wandte Boris seinen massigen Kopf Sandner zu, die halb gerauchte Zigarette hing im Mundwinkel. »Jetzt wollen Sie mich aber verarschen, oder?«

Wieder setzte Sandner zu einer Entgegnung an, sah ein, dass es sinnlos war, und sackte in sich zusammen.

Mit einem Mal hielt Boris ihm ein fabrikneues Handy vor die Nase. Es war ein einfaches Modell ohne Smartphone-Funktion.

»Rufen Sie den Herrn an. Sagen Sie ihm, er soll vergessen, dass Sie ihn treffen wollten. Und dass Sie und er in Lebensgefahr sind, wenn er zur Polizei geht. Schaffen Sie das?«

Sandner nahm nickend das Handy entgegen und wählte eine Nummer.

Während des Gesprächs verließ Boris den Wagen und vertrat sich die Füße, blieb aber in Hörweite. Sandner machte seine Sache nicht schlecht. Er war ein routinierter Lügner, und die Gefahr, die er van Thesen beschreiben sollte, war durchaus real.

»Hat er's begriffen?«

»Mit Sicherheit. Er wird nichts sagen.«

»Hoffen wir's.« Boris setzte sich wieder zu Sandner in den Wagen und zündete sich eine neue Zigarette an. »Was wollten die beiden im Hotel von Ihnen?«

»Na, was wohl?«

»Bin ich Hellseher? *Sie* waren dabei. Also – was ist abgelaufen?«

»Sie kamen rein. Also nicht dass ich sie reingelassen hätte. Der Kerl hat mir die Tür vor den Kopf gehauen. Und dann – die wollten, dass ich zugebe, dass ich Eike Sandner bin.«

»Und?«

»Hab ich natürlich nicht. Ich hab gesagt, dass sie mich verwechseln und dass mir das schon mal passiert ist. Dass ich anscheinend aussehe wie dieser Sandner.«

»Und das haben die Ihnen geglaubt?«

»Schon. Oder ich sag mal: Die waren sich gar nicht mehr sicher, wer ich bin.«

»Tatsächlich?«

»Die haben mich beide noch nie vorher gesehen. Nur auf Fotos. Da kann man sich nie sicher sein.«

»Hm«, grunzte Boris. »Das ist keine schöne Entwicklung. Das ist Ihnen schon klar?«

»Es hat sich nichts geändert. Die erzählen der Polizei vielleicht, sie hätten Eike Sandner gesehen – oder jemanden, der ihm ähnlich sah. Na und? Welchen Beweis haben sie dafür? Glauben Sie, die Staatsanwaltschaft lässt sich ihren schönen Mordfall kaputt machen, nur weil die Verteidigerin sagt, sie hätte gesehen, dass der Tote noch lebt? Überlegen Sie mal. Das ist absurd.«

»Alles an dieser Sache ist absurd. Und doch ist sie passiert.«

»Hören Sie, ich verschwinde noch heute nach Bolivien, und dann gibt es mich nicht mehr. Nur noch Laurits Gustavsen.«

»Der ab jetzt im Fokus der Polizei steht.«

»Kann sein. Dann besorgen Sie mir neue Papiere. Ich bezahl's auch.«

Im Wagen war es jetzt so heiß wie draußen, die Luft stand, und Boris blies Rauchringe. Leichter Schweißgeruch mischte sich in den Zigarettendunst. Boris kannte den Geruch sehr gut. Es war Angstschweiß. »Das Problem ist, dass Sie nicht so zuverlässig sind, wie wir gehofft haben. Wir hatten doch sehr klare Abmachungen. Die haben Sie aber ignoriert.«

»Das tut mir echt leid. Aber das war eine Ausnahme. Der Mann bedeutet mir sehr viel, und ich wollte ihn nicht in dem Glauben lassen, dass ich tot bin, verstehen Sie? Ich verdanke ihm wirklich sehr viel.«

Boris nickte. »Natürlich. Kann ich verstehen, wenn man da emotional wird.«

Sandner machte eine unsichere Geste, die irgendwie Dankbarkeit für das Verständnis ausdrücken sollte.

»Andererseits – wenn Sie dem Mann so viel verdanken, sollten Sie ihn nicht in Gefahr bringen. Das ist kein guter Weg, jemandem seine Wohltaten zu vergelten.«

Die Frage, was Boris damit genau meinte, brannte wie ein Schneidbrenner unter Sandners Fingernägeln. Aber er wagte nicht, sie zu stellen.

»Wenn die Sache auffliegt, hat unser gemeinsamer Auftraggeber nicht nur sehr viel Geld nutzlos investiert, er könnte auch in Unannehmlichkeiten geraten. Sie verstehen, dass er sich Sorgen macht?«

»Absolut. Würde ich mir an seiner Stelle auch machen. Aber wie ich schon sagte, ich verschwinde jetzt einfach und tauche nie wieder auf. Es gibt keinen Beweis, dass ich noch lebe.« Er sah Boris mit Optimismus im Blick an. »Kellermann ist im Gefängnis und das Verfahren am Laufen. Glauben Sie, die machen jetzt einen Rückzieher, weil irgendwer behauptet, dass ich vielleicht doch noch leben könnte? Natürlich nicht!«

»Ja, die Polizei … sturer Haufen.« Boris nahm noch einen letzten Zug und drückte die Zigarette im Aschenbecher des Wagens aus. »Wenn die sich erst mal festgelegt haben …«

»Ich meine, wem erzähl ich das. Sie haben sicher schon mehr mit der Polizei zu tun gehabt als ich.«

»Ich hab versucht, es zu vermeiden.« Boris lächelte undurchsichtig. »Wie wär's, wenn wir uns ein bisschen die Füße vertreten?«

Sandner brauchte ein, zwei Sekunden, bis er vollständig realisiert hatte, dass das vermutlich kein Angebot zu einem harmlosen Spaziergang mit seinem neuen Kumpel Boris war. Andererseits weigerte sich sein Verstand, sich auszumalen, was am Ende dieses Spaziergangs hier, mitten im großen, menschenleeren Wald, passieren würde.

Boris stieg aus und deutete in die Bäume. »Dahinten ist, glaube ich, ein Kiosk. Könnte jetzt ein kühles Bier gebrauchen.« Boris sah auffordernd in den Fahrgastraum.

Sandners nass geschwitzter Kopf nickte. Sandner hatte Angst. Sein Herz schlug bis zum Hals. Er war ziemlich sicher, dass es im Hofoldinger Forst keinen Kiosk gab.

»Dann wollen wir mal!«, sagte Boris, als Sandner den Wagen verlassen hatte, und setzte sich, nachdem er die Pistole hinten im Gürtel zurechtgeschoben hatte, mit langsamen Schritten in Bewegung.

41

Kommissar Mantell ließ sich mehr Zeit als gedacht. Und so hatten Rachel und Baum einige Momente der Kontemplation. An sich hätte Rachel, deren Füße nicht gefesselt waren, Hilfe holen können. Aber die Schmach, mit auf den Rücken gefesselten Händen durch ein First-Class-Hotel zu laufen, wollte sie sich ersparen. Eine Verfolgung von Boris und Sandner war sinnlos, und die Polizei würde ja jeden Augenblick kommen. So nahm sie zumindest an.

»Wie hat er das rausbekommen?«, fragte Rachel, nachdem sie aufgestanden war und sich aufs Bett gesetzt hatte.

»Ich glaube nicht, dass er sichere Verbindungen gehackt hat. Er wird uns einfach beschattet haben.« Baum legte die Stirn in Falten. »Ich würde mir gerne mal Ihre Handtasche ansehen. Wäre das möglich?«

»Ich gewähre Männern nie Einblick in meine Handtasche. Muss das sein?«

»Denke schon. Hatten Sie die Handtasche bei Ihrem Treffen mit Boris dabei?«

»Ja, warum?«

»Weil er möglicherweise die Gelegenheit genutzt hat, Ihnen einen Peilsender unterzuschieben. Im Futter versteckt zum Beispiel.«

»Den musste er nur reinwerfen. Ich hätte ihn nie gefunden.«

Baum, der noch am Boden hockte, angelte mit den zusammengebundenen Beinen nach Rachels Handtasche und schaffte es, sie zu ihrer Besitzerin zu schieben.

»Wollen wir nicht warten, bis die Polizei da ist?«, schlug Rachel vor.

»Wir haben doch eh nichts Besseres zu tun, und der Gesprächsstoff geht uns auch bald aus.«

Rachel stand seufzend vom Bett auf, ging in die Hocke und griff nach dem Henkel. Da sie hinter ihrem Rücken schlecht sehen konnte, brauchte sie mehrere Versuche und Baums leitende Hinweise, bis sie die Tasche zu fassen bekam und aufs Bett entleeren konnte. Baum kniete sich davor und inspizierte erst den verstreuten Tascheninhalt, dann die Tasche selbst, Letzteres nur durch Inaugenscheinnahme, denn der Kabelbinder stand einer haptischen Untersuchung im Weg.

»Da!«, sagte er schließlich. »Da wölbt sich was.«

»Ja, ich sehe, was Sie meinen.« Rachel drehte sich rücklings der Tasche zu und betastete die etwa streichholzgroße Beule unter dem Leder. »Fest und kompakt. Sie meinen, das ist ein Peilsender?«

»Wir werden es hoffentlich gleich wissen.«

Von draußen hörte man Stimmen und sich dumpf nähernde Schritte auf dem Teppichboden. Es klopfte.

»Polizei! Machen Sie bitte auf, Frau Dr. Eisenberg!«, rief es durch die Tür.

»Sie müssen leider selber aufmachen. Fragen Sie die Zimmermädchen.«

»Wieso? Sind Sie in Gefahr?«

»Nein. Nur nicht in der Lage, die Tür zu öffnen.«

Mantell staunte, als er Rachels ansichtig wurde, die damenhaft mit hinter dem Rücken verschränkten Händen auf einem der Sessel Platz genommen hatte, neben ihr stand Baum wie der Hausherr von *Downton Abbey* mit ebenfalls hinter dem Rücken verschränkten Händen.

»Wo ist Sandner?«, kam Mantell gleich zur Sache.

»Das ist eine längere Geschichte. Vielleicht sollten wir Frau Wittmann dazubitten«, sagte Rachel. »Und vorher brauchten wir ein scharfes Messer.«

Es war nicht wie im Film, wo sie mit jedem Spatenstich literweise sandige, lockere Erde aus dem Boden schaufelten. Auch mit solchen Verhältnissen hatte es Boris schon zu tun gehabt. Etwa, als er vor einigen Jahren einen jungen Mann südlich von Berlin in einem Kiefernwald vergraben musste. Aber das hier war kein märkischer Sand, sondern der Hofoldinger Forst. Die Erde hier war zäh und lehmig und mit einem Geflecht von Wurzeln durchzogen. Zu diesen Misslichkeiten gesellten sich Hitze und Fluggetier. Gut möglich, dass sie mittlerweile achtzig Prozent aller Insekten ausgerottet hatten. Die Bremsen gehörten leider nicht dazu. Außer dem Spaten kam auch eine Hacke zum Einsatz, die Boris für solche Gelegenheiten immer im Wagen mitführte. Er hieb mit Wucht in den Waldboden, bis wieder ein Eimer voll Erde zum Ausschaufeln gelockert war. Dann kam der Spaten an die Reihe.

Das ging nun schon eine ganze Weile, der Schweiß lief Boris in die Augen, und das Hemd klebte am Leib. Zwischendurch mussten Bremsen erschlagen werden, dann weiter.

Nach zwanzig Minuten hörte er etwas durch den Wald brummen. Es war weit weg. Aber es war auch nicht die Autobahn. Die kam nur als atmosphärisches Rauschen daher, wenn der träge Wind auf West drehte. Nein, es war ein Fahrzeug. Ein großes Fahrzeug. Und es kam näher. Noch beunruhigte es Boris nicht zu sehr. Denn der Wald war groß, und vielleicht war es nur ein Laster auf der Teerstraße, auf der auch er gekommen war. Boris hackte weiter in den Waldboden, und das Geräusch war wieder weg. Als er innehielt, um zu schaufeln, kam es wieder, lauter als zuvor. Kräftiger Dieselsound, es wurde geschaltet, und dann tackerte der Motor weiter und weiter und immer weiter in seine Richtung. Boris dachte einen Augenblick nach, dann fiel ihm etwas ein, das ihm den Schweiß in die Achselhöhlen getrieben hätte, wäre da noch Platz gewesen. Er hatte angenommen, er würde im Sommer nur an wenigen Tagen benutzt. Natürlich war heute so ein Tag. Als wenn nicht schon genug schiefgegangen wäre. Er lief fünfzig Meter durchs Unterholz zurück, bis er den Bauwagen sehen konnte. Dahinter, ein paar Hundert Meter entfernt zwischen den Bäumen, bewegte sich etwas. Es war ein Lastwagen.

Das Loch hätte deutlich tiefer sein müssen. Aber das ging nicht mehr. Er zerrte Eike Sandners Leiche in das ausgehobene Grab und schaufelte eilig Erde darauf. Hinter den Büschen hörte er den Lastwagen bremsen und den Dieselmotor erlöschen. Er schaufelte wie besessen weiter. Stimmen kamen vom Bauwagen. Er konnte Satzfetzen verstehen. Einer davon, der wesentliche, war: *Der kann da nicht bleiben*. Mit der Hacke raffte Boris trockene Zweige zusammen und legte sie als Tarnung über das zugeschüttete Grab, dazu Blätter und was er auf die Schnelle sonst noch finden konnte. Die Stimmen redeten davon, dass sie den Wagenbesitzer suchen müssten. Er warf einen letzten verschwitzten Blick auf sein Werk. Es war der Pfusch eines Anfängers. Aber mehr Zeit hatte er nicht. Hacke? Spaten? Er warf sie, so weit er konnte, in den Wald. Es war nicht klug, mit den Totengräberwerkzeugen bei den Waldarbeitern aufzutauchen.

»Servus!« Boris hob jovial die Hand zum Gruß, als er hinter dem Busch hervortrat. »Der Wagen stört, oder?«

»Wär gut, wenn Sie ihn wegfahren«, sagte ein Mann mit gelbem Helm und kariertem Hemd, das aus der Hose hing. Im Hintergrund stand ein Tieflader, der einen Harvester geladen hatte.

»Macht ihr jetzt schon Holz?«, sagte Boris und deutete auf den Harvester.

»Wir stellen ihn hier nur ab«, sagte der Gelbhelm. »Was macht man denn bei der Hitze freiwillig im Wald?«

»Hab mir ein bisschen die Beine vertreten. Muss den ganzen Tag Auto fahren.«

Der Mann nickte und sah kurz zu seinem Kollegen, der keinen Helm, aber ebenfalls ein kariertes Hemd trug. Dann starrte er Boris an, und spöttischer Argwohn war in seinem Blick. »Beine vertreten?«

»Ja, Beine vertreten. Ist da was falsch dran?«

»Sie haben ganz schön geschwitzt beim Beinevertreten.«

Der Mann grinste und wirkte aggressiv, offenbar im Bewusstsein, dass er jünger war und noch einen Kumpel dabeihatte. Es widerstrebte Boris, sich solche Frechheiten gefallen zu lassen. Die Pistole steckte hinten in der Hose, das Hemd lose drüber. Aber wenn er die beiden jetzt erschoss, lief alles aus dem Ruder. Vielleicht hatte jemand schon die zwei Schüsse für Sandner gehört. Und die beiden Nasen hier auch noch vergraben?

»Ja, ist wirklich heiß«, sagte Boris und ging zu seinem Wagen. »Ich kauf mir jetzt ein Bier.« Er ließ die Knöpfe durch einen Druck auf die Fernbedienung hochploppen und stellte bei einem Blick zum Laster fest, dass der die Ausfahrt zum Forstweg versperrte. Boris wandte sich an den gelben Helm. »Jemand müsste den Laster ein Stück nach vorn fahren.«

»Ach ja? Bist reingekommen. Da wirst du auch rauskommen. Die Karre ist doch fürs Gelände, oder?« Er deutete in die Umgebung. Boris hätte durchs Unterholz fahren können. Dafür musste er aber nicht nur einige Büsche plattmachen, sondern auch den Schwanz einziehen vor diesem Pinscher.

»Fahren Sie bitte den Laster weg«, sagte Boris, und es klang ein wenig ungeduldig.

»Mein Kollege hat jetzt leider Mittagspause. In einer Stunde kann er wieder fahren.« Der Mann grinste. »Vielleicht doch lieber durch die Pampa?« Er ging auf Boris'

Wagen zu, umrundete ihn und sagte dabei: »Was zahlt man dafür? Siebzig, achtzig Riesen?«

»Das geht dich einen Scheiß an.« Boris starrte dem Mann in die Augen. »Fahr den Laster weg.«

»Oh, là, là! Seit wann duzen wir uns?« Der Mann sah zu seinem Kollegen, der eine kampfbereite Stellung eingenommen hatte. »Ich fass es nicht! Parkt uns hier den Platz zu und wird auch noch frech.« Er hatte den Wagen jetzt einmal umrundet und stellte sich vor Boris auf. »Was machen wir denn, wenn der Laster da stehen bleibt?«

»Der bleibt nicht da stehen.«

»Doch. Tut er.«

»Tut er das?« Boris griff nach hinten und holte die Pistole aus der Hose. »Hör zu, du kleiner Arschficker ...«

Der Mann mit dem gelben Helm starrte mit aufgerissenen Augen auf die Pistole in Boris' Hand und murmelte: »Heilige Scheiße!« Dann blickte er unwillkürlich in die Richtung, aus der Boris gekommen war.

»Ich hatte heute einen anstrengenden Tag«, fuhr Boris mit seiner Ansprache fort. »Ist einiges schiefgelaufen. Dazu noch die Hitze. Ich hatte wirklich vor, den Nachmittag in Aying gemütlich im Biergarten ausklingen zu lassen.«

»He, Kumpel, wir haben ein bisschen Spaß gemacht ...« Jetzt war der Mann mit dem Helm klatschnass am ganzen Körper und hielt Boris beschwichtigend die Hände entgegen.

»Halt's Maul!«, schrie ihn Boris an und feuerte einen Schuss vor die Arbeitsstiefel. Der Mann erstarrte und fing an zu zittern. »Scheiße, Mann, der Rest des Tages hätte echt smooth und gechillt verlaufen können. Aber es gibt so Tage, da hast du die Scheiße an der Hacke. In dem Fall seid ihr das. Versteht ihr? Ihr seid die Scheiße an meiner Hacke. Nicht die ganze, aber ein großer Teil dieser stinkenden Scheiße. Kommt einfach daher und scheißt mich an. Ohne Grund. Oder? Gab's irgendeinen Grund? War ich nicht freundlich? War ich arrogant? Gab es einen Grund, mich so zu behandeln?«

Der Mann mit dem Helm schüttelte stumm und mit geschlossenen Augen den Kopf.

»Okay. Es gab keinen Grund. Dann haben wir das ja mal geklärt. So, ihr beiden Clowns. Ihr werdet jetzt diesen Lastwagen wegfahren, und zwar pronto!«

Die beiden Männer machten sich gleichzeitig auf den Weg, immer noch wackelig in den Knien, aber mit Hoffnung im Blick, die Sache zu überleben. Als sie an Boris vorbeigegangen waren, hob er die Pistole und sagte: »He, Freunde …«

Die beiden Männer drehten sich um, sahen die auf sich gerichtete Waffe und hatten Todesangst in den Augen.

Mit einem Mal steckte Boris die Pistole wieder in den Gürtel: »Ihr solltet mal eure Gesichter sehen!« Er lachte kurz. »Mann, ich hab Spaß gemacht.«

Die zwei Waldarbeiter machten sich fast in die Hose vor Erleichterung.

»Also kommt, Jungs – fahrt die Kiste weg.«

Eine Minute später war alles erledigt und Boris auf dem Weg zur Autobahn. Er schüttelte den Kopf über sich selbst. Fast hätte er die beiden erschossen. So mit den Nerven runter war er schon ewig nicht mehr gewesen. Dass es nicht lange dauern würde, bis irgendjemand Sanders Leiche finden würde, war ihm klar. Er hoffte, bis dahin nicht mehr im Land zu sein.

42

Mantell hatte die Fenster zugelassen, da es draußen heißer war als drinnen. Auf dem Aktenschrank drehte sich ein Ventilator und verquirlte die stickige Luft im Raum. Am Besprechungstisch: der Kommissar mit seinen drei Besuchern. Rachel rieb sich immer wieder die Handgelenke, denn die Kabelbinder hatten stark ins Fleisch geschnitten. Baum schwitzte im Gesicht, war aber ruhig wie immer. Staatsanwältin Wittmann fächelte sich mit einer Akte Luft zu, anscheinend reichte ihr der Ventilator nicht.

Die vier saßen vor einem Laptop, auf dessen Schirm sich lebhafte Szenen abspielten. Das Bild wackelte, war meist schräg und zeigte das Hotelzimmer im Vier Jahreszeiten. Jemand hastete zur Tür hinaus, die unmittelbar darauf ins Schloss fiel. Eine Weile Stille. Dann hörte man aus dem Off Rachels Stimme: *Das war übrigens Boris.* Darauf Baum, ebenfalls aus dem Off: *Netter Kollege, wir sollten mal* .... An dieser Stelle stoppte Baum die Aufzeichnung. Rachel und Baum warteten, was Wittmann und der Kommissar zu den Aufnahmen sagen würden, die man Baums Bodycam zu verdanken hatte. Mantell faltete die Hände über dem Bauch und verzog den Mund zu einer skeptischen Grimasse. Wittmann tupfte sich den Schweiß mit einem Papiertaschentuch von der Stirn.

»Hat er ein einziges Mal gesagt, dass er Sandner ist?«, fragte Mantell schließlich.

»Nein, hat er nicht«, antwortete ihm Rachel. »Er hat behauptet, er sei Laurits Gustavsen. Unter diesem Namen hat er auch im Hotel eingecheckt. Ein Däne dieses Namens existiert aber nicht, wie Sie schnell feststellen werden.«

»Na gut«, sagte Wittmann. »Vielleicht hat dieser Mann eine falsche Identität angenommen. Das beweist noch nicht, dass er Eike Sandner ist.«

»Sie haben die Aufnahmen doch gesehen.« Rachel deutete auf den Laptop.

Kommissar Mantell schlug die Akte auf, die vor ihm auf dem Tisch lag, und blätterte, bis ein Bild von Sandner auftauchte. Es war ein Passfoto. Dann sagte er: »Darf ich?«, und spulte den Film am Computer zurück, bis das Gesicht des Hotelzimmerbewohners zu erkennen war, und ging auf Standbild. Die Videoaufnahme war im Gegenlicht entstanden, denn Sandner stand mit dem Rücken zum Fenster, und war folglich an den entscheidenden Stellen dunkel, außerdem verwaschen und verwackelt, da sich sowohl Sandner wie auch Baum bewegt hatten. Mantell und Wittmann verglichen das Foto in der Akte mit dem Standbild auf dem Laptop. Sie sahen sich an. Wittmann ließ Mantell – er war der Gastgeber – mit einer Geste den Vortritt.

»Mal ehrlich ...«, wandte er sich an Rachel, »... würden Sie eine Million Euro wetten, dass es sich um ein und dieselbe Person handelt?«

Rachel schwieg.

»Ich bestreite ja nicht«, fuhr Mantell fort und sah dabei kurz zur Staatsanwältin, »dass die Gesichter eine vage Ähnlichkeit haben. Aber die Aufnahmequalität ist einfach zu schlecht.«

»Und was sagen Sie *dazu?*« Rachel legte die *Bunte* auf den Besprechungstisch, schlug die Seite mit dem Hafenbild auf und deutete auf den Mann, der gerade das Deck seiner Motorjacht betrat. Dann legte sie noch eine Vergrößerung des Bildausschnitts mit der Jacht dazu.

Mantell zuckte mit den Schultern, Wittmann vertiefte sich mit spitzem Mund in die Aufnahmen. »Von wann ist das?«, fragte sie.

»Vom 7. Juni. Zwei Wochen nach dem angeblichen Mord an Sandner.«

Mantell zuckte erneut mit den Schultern. »Ja, kann sein. Eine gewisse Ähnlichkeit ist da. Und trotzdem bedeutet das nichts.«

»Das müssten Sie mir erklären«, sagte Rachel, und auch Wittmann schien ein wenig erstaunt.

»Wissen Sie, wie viele Doppelgänger jeder Mensch rein statistisch hat?«

»Sieben«, sagte Rachel und blickte kurz zu Baum, dem sie die Information verdankte. »Und wie viele dieser Doppelgänger laufen – statistisch gesehen – unter falschem Namen durch die Gegend?«

»Auch das wird vorkommen.«

»Vielleicht bei einem von zehn Millionen. Sie können Frau Kellermann doch nicht auf der Grundlage einer Konstellation anklagen, deren Wahrscheinlichkeit eins zu zehn Millionen beträgt.«

»Das müssten Sie mir jetzt mal erklären«, sagte Wittmann. Sie rieb dabei ihre Nasenwurzel und die korrespondierende Auflagefläche ihrer Brille trocken, damit die Brille nicht ständig nach unten rutschte.

»Ich sag's mal anders: Dass dieser Mann ...«, Rachel deutete auf die *Bunte,* »... Sandner ist und sich Laurits Gustavsen nennt, weil er seinen Tod vorgetäuscht hat und nicht mehr als Eike Sandner durch die Gegend laufen kann, ist eine absolut schlüssige Erklärung für die Fakten, die uns vorliegen. Dass es sich um einen Doppelgänger handelt, der aus völlig unklarem Grund unter falschem Namen agiert, ist hingegen eine absurde, abwegige Erklärung.«

»Diese Bewertung überlasse ich dem Gericht«, sagte Wittmann. »Aber wenn Sie schon von Fakten reden, wie konnte die Leiche dann mittels DNA-Text als Eike Sandner identifiziert werden?«

»Woher stammten die DNA-Proben?«, schaltete sich Baum ein.

Wittmann sah zu Mantell. Das war seine Zuständigkeit.

»Aus Sandners Kölner Wohnung«, sagte er.

»Und die haben Sie mit was verglichen?«

»Na, mit der DNA von der Leiche. Die war zwar stark verbrannt, aber die Rechtsmediziner konnten noch brauchbare Spuren sichern.«

»Und wo genau haben Sie die Vergleichsproben in der Wohnung genommen?«

»Das haben die Kölner Kollegen gemacht. Ich nehme an, das waren Hautschuppen von Kleidungsstücken und was man sonst noch in einer Wohnung findet.«

Baum betrachtete den Kommissar mit einem gewissen Spott in der Miene. »Wissen Sie – wenn ich so einen Mord vortäuschen wollte, dann würde ich mir eine Leiche besorgen und die Wohnung des Opfers mit DNA-Spuren ebendieser Leiche präparieren. Das war sicher nicht sehr schwer, denn Sandner dürfte bei allem ja mitgewirkt haben.«

»Sehr, sehr spekulativ«, raunte Wittmann.

»Was ist eigentlich mit Sandners Zahnbild?«, fragte Rachel.

»Zahnbild?« Wittmann blickte zu Mantell.

»Das ist doch das übliche Verfahren bei verbrannten Leichen«, legte Rachel nach.

Mantell räusperte sich. »Das haben wir natürlich auch in Erwägung gezogen und den Zahnarzt von Sandner ausfindig gemacht.«

»Zufällig ein Dr. van Thesen?«

»Nein, der hieß anders. Warum?«

»Nur so ein Gedanke. Was war jetzt mit dem Zahnarzt.«

»Der konnte uns leider keine Unterlagen zur Verfügung stellen. Die waren … abhandengekommen.«

»Was heißt *abhandengekommen?*« Rachel war fassungslos.

»Sie … sie waren einfach nicht mehr da. Es konnte sich keiner erklären.«

»Und im Computer?«

»Auch im Computer war nichts.« Mantell wurde immer leiser.

»Was heißt das? Hat der Zahnarzt keine Patientenunterlagen im Computer geführt?«

»Doch, schon …«

Mehr sagte Mantell nicht.

»Jetzt lassen Sie sich nicht alles aus der Nase ziehen. Was ist mit den Unterlagen im Computer des Zahnarztes?«

»Es gibt dort keine mehr. Die sind wohl versehentlich gelöscht worden.«

»Versehentlich gelöscht? Sind auch andere Patientenunterlagen gelöscht worden?«

»Das weiß ich nicht.«

»Wieso sind Sie dem nicht nachgegangen? Das ist doch in höchstem Maß verdächtig.«

»Jetzt machen Sie mal einen Punkt!«, sprang Wittmann dem Kommissar zur Seite. »Rückblickend mag das verdächtig aussehen. Aber es gibt tausend Gründe, warum Daten gelöscht werden: ein Versehen der Arzthelferin, ein Virus, Hacker … aus damaliger Sicht war es einfach so, dass diese Methode zur Identifizierung halt nicht zur Verfügung stand, was aber kein Problem war. Denn man konnte ja einen DNA-Test durchführen. Hätten wir vor Wochen gewusst, was wir jetzt wissen, wären wir der Frage nachgegangen, wieso diese Daten verschwunden sind. Das werden wir natürlich der Ordnung halber nachholen. Auch wenn sich wahrscheinlich nichts an unserer Bewertung ändert.«

»Mit viel Glück werden Sie noch nachweisen können, dass die Zahnarztpraxis einem Hackerangriff zum Opfer gefallen ist. Was allerdings die Frage aufwirft: Warum wurden nur die Unterlagen von Eike Sandner vernichtet? Wenn bei Ihnen da nicht die Alarmglocken klingeln, finde ich das äußerst bedenklich.«

»Abgesehen davon«, schaltete sich Baum ein, »müssen Sie in jedem Fall unverdächtige DNA von Eike Sandner finden und analysieren. Vielleicht gibt es noch Kleidungsstücke bei Verwandten oder Freunden. Sie werden feststellen, dass diese DNA nicht mit der verbrannten Leiche übereinstimmt.«

»Danke für den Hinweis, Herr Baum.« Mantell war rot im Gesicht, was vielleicht nicht nur an der Hitze lag. »Aber wir brauchen niemanden, der uns unseren Job erklärt.«

»Nachdem ich Ihre bisherigen Arbeitsproben gesehen habe, würde ich dem entschieden widersprechen.«

»Okay, jetzt hören Sie mal zu …«

Mantell hatte sich über den Tisch gebeugt. Wittmann legte eine Hand an seine Schulter. »Das reicht erst mal, okay?«

Mantell schnaubte und schluckte sein überschüssiges Testosteron hinunter.

»Vielleicht gibt es hier Punkte«, wandte sich Wittmann an Rachel, »die eine andere Interpretation erlauben. Aber das ist bei jeder Ermittlung so. Wir werden jedenfalls nicht völlig abseitigen Hypothesen nachgehen. Es gibt schließlich Grenzen dessen, was man dem Steuerzahler zumuten kann.«

»Frau Wittmann – auch wenn es nicht immer den Anschein hat: Ich schätze Ihre Arbeit sehr. Aber Sie sollten Folgendes bedenken: Wir werden in der mündlichen Verhandlung starke Hinweise präsentieren, dass das angebliche Mordopfer noch lebt und dass es durchaus möglich war, den DNA-Test zu manipulieren. Das Gericht wird die Anklagevertreterin voraussichtlich fragen, was unternommen wurde, um diese Zweifel auszuräumen. Wenn Sie darauf keine Antworten haben, werden Sie ein sehr interessantes Gespräch mit Dr. Schwind führen.«

»Wollen Sie …?«

»Nein. Ich will Ihnen nicht drohen. Ich will nur, dass die Staatsanwaltschaft das tut, wozu sie gesetzlich verpflichtet ist. Auch allen Hinweisen nachzugehen, die zugunsten der Beschuldigten sprechen.«

»Ich weiß, was unsere gesetzlichen Pflichten sind.«

»Das beruhigt mich«, sagte Rachel und holte ihr Handy hervor. »Im Übrigen würde ich anregen, dass Sie sich mit Dr. Harald van Thesen in Verbindung setzen.« Rachel wählte eine Nummer auf dem Handy. »Ich ruf ihn gerade mal an. Er hat Sandner heute Vormittag auf der Messe getroffen. Van Thesen kennt Sandner, seit er auf der Welt ist, und hat von Angesicht zu Angesicht mit ihm geredet.« Rachel betrachtete ihr Handy. »Nur die Box.«

»Wir reden mit ihm. Und wenn er sagt, er hat Sandner wirklich getroffen, dann werden wir alles tun, um das aufzuklären. Aber jetzt würde ich Sie bitten, uns unsere Arbeit machen zu lassen. Wir halten Sie auf dem Laufenden.«

Bei Letzterem hatte Rachel ihre Zweifel. Aber die Unterredung war zu Ende. Jetzt konnte Rachel nur noch hoffen, dass Wittmann und Mantell nicht allzu vernagelt oder in ihrem Ermittlerstolz getroffen waren, um dem Offensichtlichen nachzugehen.

Als Rachel und Baum das Büro verließen, klingelte Mantells Telefon. Das veranlasste die beiden, in der offenen Tür kurz innezuhalten, als Mantell den Anruf entgegennahm.

Mantell sagte knapp »Ja« ins Telefon, zog kurz darauf die Augenbrauen hoch, drehte sich zu den scheidenden Gästen, die noch in der Tür verharrten, und hielt die Hand auf den Hörer. »Wenn Sie jetzt bitte gehen. Das ist vertraulich.«

»Natürlich. Sorry«, lächelte Rachel.

Baum schloss die Tür, ließ aber das Schloss nicht einrasten, sodass sie noch einen Spalt offen blieb. Im Inneren hörte man Mantell mit sichtlich erregter Stimme sagen: »Wo, sagen Sie …? Konnten Sie den Toten identifizieren?«

Während er redete, öffnete sich sehr langsam die Tür durch einen Luftzug. Wittmann bemerkte das und machte sie zu.

Wenige Minuten später öffnete sich die Tür wieder, und der Kommissar kam in Begleitung von Staatsanwältin Wittmann heraus. Zu ihrer Überraschung stellten die beiden fest, dass Rachel und Baum auf einer Bank im Gang saßen und offenbar auf sie gewartet hatten.

»Gibt es einen Toten?«, fragte Rachel, als die beiden wortlos an ihnen vorbeigehen wollten.

»Lesen Sie morgen die Zeitung«, knurrte Mantell sie an.

Rachel stand auf und rief ihnen nach: »Frau Wittmann! Muss ich immer erst Ihren Chef fragen?«

Wittmann hielt an, drehte um und sah Rachel säuerlich, aber unentschlossen an.

»Ich weiß, dass wir auf verschiedenen Seiten stehen«, sagte Rachel. »Aber gehört es nicht zum erwachsen-kollegialen Umgang, dass man sich nicht sinnlos Knüppel zwischen die Beine wirft?«

»Behandeln Sie mich nicht wie eine Jurastudentin im zweiten Semester.«

»Tu ich das?«

»Ja!« Wittmann wollte sich umdrehen, überlegte es sich dann aber anders. »Wenn es Ihnen ein Essen mit Dr. Schwind erspart: Im Hofoldinger Forst wurde ein Toter gefunden. Er heißt Laurits Gustavsen.«

43

Das *Fushan* hatte als Treffpunkt ausgedient, denn die Besitzer waren eines Abends wegen Geldwäsche verhaftet worden. Der alte Kellner befand sich inzwischen auf dem Weg zu der Kleinstadt in Sichuan, aus der er vor zwanzig Jahren weggegangen war. Er würde mit dem Ersparten ein Restaurant eröffnen, die Frau heiraten, die ihn vor zwanzig Jahren nicht haben wollte, und seine Gäste künftig mit drolligen Geschichten unterhalten, wie die von der Suppe, die die Langnasen vor dem Hauptgang essen.

Und so trafen sie sich in einem derzeit nicht benutzten Apartment in Milbertshofen. Boris hatte einen neuen Wagen besorgt, falls ihn doch jemand im Wald gesehen hatte.

Sein Gesprächspartner war nervös und hatte eine Zeitung vor sich auf dem Tisch liegen. Der Lokalteil berichtete halbseitig von einer Leiche im Hofoldinger Forst. »Das musste sein?« Der Mann klappte die Zeitung zusammen.

»Ich mach meinen Job auf meine Art. Und zwar so, dass ich nicht den Rest meiner Tage im Gefängnis verbringe. Wenn Sie das auch nicht wollen, dann sollten Sie sich damit abfinden.«

»Ich habe nichts gesagt. Andererseits …«

»Ja …?«

»Nun ja, der Plan sah ursprünglich anders aus.«

»Das ist das Verdammte mit Plänen. Mal funktionieren sie, mal wieder nicht. Wenn sie nicht funktionieren, muss man wenigstens den Schaden begrenzen. Und das tu ich gerade.«

»Was ist mit diesem Zahnarzt?«

»Van Thesen?«

»Ja. Der hat Sandner doch gesehen.«

Boris zuckte mit den Schultern. »Das ist leider völlig egal. Die Polizei hat die Leiche. Wie lange, glauben Sie, werden die brauchen, bis sie wissen, dass es Sandner ist?«

»Ein oder zwei Tage. Und dann wird Judith Kellermann auf freien Fuß gesetzt.«

Der andere stand auf, ging an die Dachgaube, durch die man auf die Schleißheimer Straße blickte, und atmete tief durch. Dann drehte er sich um und trat Boris wütend entgegen. »Es ist noch nicht vorbei.«

Boris runzelte die Stirn.

»Ich werde nicht zulassen, dass sie jeden Tag durch München läuft, sich auf Filmpartys amüsiert und ihr Leben genießt. Das musste ich mir lange genug ansehen. Ich ertrag das nicht mehr. Verstehen Sie, was ich meine?!«

»Ich denke, ja. Allerdings ist das Risiko jetzt um einiges höher.«

»Wegen Sandners Tod?«

»Natürlich. Die Polizei sucht seinen Mörder. Sie wissen, dass Sandner seinen Tod bei der Explosion nur vorgetäuscht hat und dass der Mord mit dieser Sache zu tun hat.« Boris zündete sich eine Zigarette an. »Das wird schon mal ziemlich ungemütlich. Für Sie mehr als für mich. Bevor die Polizei hinter die wirklichen Zusammenhänge gekommen ist, bin ich längst weit weg. Ihre Pläne kenne ich natürlich nicht.«

»Wenn Sie weg sind, wird es auch keine Spur geben, die zu mir führt. Ich vertraue mal darauf, dass Sie sorgfältig gearbeitet haben.« Er machte jetzt das Fenster auf. Es war heute nicht mehr ganz so heiß. Nach einem extrem warmen Juni hatte der Juli etwas Abkühlung gebracht. Der Zigarettenrauch zog nach draußen.

»Was wollen Sie jetzt von mir?«

»Ich sagte schon: Es wäre mir unerträglich, wenn sie weiter frei herumläuft.«

»Sie wird bald frei herumlaufen. Das werden wir nicht verhindern.«

»Dass sie freikommt, können wir nicht verhindern.« Er starrte über die Dächer des Münchner Nordens. Verbitterung presste seinen Mund zusammen. »Dass sie herumläuft, schon.«

Boris legte seine Beine auf den Sessel, auf dem sein Gesprächspartner bis vor Kurzem gesessen hatte, nahm einen tiefen Zug und schnaubte den Rauch durch die Nasenlöcher. Dabei grunzte er und verschränkte die Hände hinter dem Kopf. »Sie sind mir ja ein ganz Tougher.«

»Ich habe schon eine Menge investiert und finde, es sollte auch etwas dabei herauskommen. Oder haben Sie auf einmal ein Problem damit?«

Boris sah den Mann am Fenster an und lachte kurz in sich hinein. »Nein.« Er drückte seine Zigarette in dem Glasaschenbecher aus. »Nein, ich hab damit überhaupt kein Problem. Es ist natürlich alles eine Frage des Preises.«

Der andere nickte, und sein Nicken hatte etwas Spöttisches. »Klar. Andererseits – so richtig zu Ende gebracht haben Sie Ihren Auftrag ja nicht. Da kann man schon mal über Nachbesserung reden.«

»Vorsicht, mein Freund! Wir sind hier nicht bei den Fliesenlegern.«

Der andere schwieg. Ein wenig überkam ihn die Angst, zu weit gegangen zu sein. Er sah Boris' Jackett über der Stuhllehne. Es hing schief, auf einer Seite zog eine Pistole den Stoff nach unten.

»Es hieß, Sie garantieren die Durchführung Ihrer Aufträge.«

»In der Regel. Dieser Auftrag war aber so komplex, dass ich gesagt habe, ich versuche, was geht, wenn Sie sich erinnern wollen. Ich kann keine Gerichtsentscheidung garantieren. Nicht in Deutschland.« Er zündete sich noch eine Zigarette an. »Und jetzt hören Sie auf, mich mit Ihrem Gejammer zu langweilen. Sind Sie bereit, was nachzulegen? Dann kommen wir unter Umständen ins Geschäft.«

»Wie viel wollen Sie?«

»Ich will zweihunderttausend. Das ist nicht verhandelbar, und gehen Sie von dem Fenster weg.«

Der andere tat, wie Boris ihn angewiesen hatte, und lief im Raum umher, sichtbar in Gedanken, zweihunderttausend waren auch für ihn keine Kleinigkeit. Schließlich lehnte er sich gegen ein Aktenregal, verschränkte die Arme vor der Brust und sagte: »Ist jetzt auch schon egal. Wie wollen Sie es machen? Sobald sie entlassen wird?«

»Es ist keine gute Idee, jemanden mitten in der Stadt zu erschießen. Ich hab auch keine Lust, ewig den Tagesablauf der Zielperson zu studieren und mich dann tagelang auf die Lauer zu legen. Wenn, dann muss es schnell gehen.«

»Das heißt?«

»Ich brauche die Frau irgendwo auf dem Land, möglichst abseits gelegen. Ich muss das sorgfältig arrangieren. Und das ist natürlich mit Mehrkosten verbunden. Ich sag's nur …«

»Ja, Herrgott. Machen Sie, was Sie für richtig halten. Aber machen Sie es bald.«

44

Dreiundvierzig Stunden nachdem der Hund eines Joggers die Leiche im Hofoldinger Forst entdeckt hatte, konnte sie identifiziert werden. Die Kripo Düsseldorf hatte im Haus von Harald van Thesen drei ehemals Eike Sandner gehörende Kleidungsstücke sichergestellt und Hautpartikel darauf gefunden. Der DNA-Abgleich ließ keinen Zweifel, dass es sich bei der im Waldboden verscharrten Leiche um Eike Sandner handelte. Die Staatsanwaltschaft beantragte unverzüglich die Aufhebung des Haftbefehls, und Judith Kellermann konnte gegen Mittag das Gefängnis verlassen. Rachel holte ihre Mandantin ab und brachte sie nach Hause. Auf der Mailbox war Andreas Kimmel. Er und die Kellermanns, sagte er, erwarteten Judith am Nachmittag im Büro von *Jumpcut* und würden sich freuen, wenn auch Rachel kommen könnte.

»Frau – Doktor – Eisenberg! Lassen Sie mich Ihnen danken und meine Hochachtung aussprechen!« Bernd Kellermann kam mit ausgebreiteten Armen auf Rachel zu, umarmte sie aber nicht, sondern schüttelte ihr mit beiden Händen die Hand. »Danke, dass Sie mir mein Mädchen wiedergegeben haben, und Hochachtung davor, wie Sie das hinbekommen haben.«

»Zu viel der Ehre. Judith hat Sandners Foto in der *Bunten* entdeckt.«

»Aber Sie haben ihn aufgespürt. Darf ich Ihnen ein Glas Champagner anbieten? Wir feiern ein bisschen.«

Bernd Kellermann, makelloser Sommeranzug, ohne Krawatte, geleitete Rachel zu dem Tisch mit den Getränken, den man im Büro von *Jumpcut* aufgebaut hatte. Jemand hatte eine Flasche derart teuren Champagners spendiert, dass Rachel nicht ablehnen konnte. Außerdem waren exquisite Häppchen angerichtet, auf Geschirr und Servietten stand *Käfer*. Rachel vermutete, der alte Kellermann hatte das geordert. Er war eher als sein nüchterner Sohn der Lebemann. Vielleicht war es aber auch Andreas Kimmel gewesen. Rachel umarmte Judith Kellermann, die ihr ebenfalls noch einmal dankte. Dann Handshake mit Kimmel und Jonas Kellermann. Bei Andreas Kimmel spürte sie immer noch eine große Distanz, was sie ihm nicht übelnahm nach dem, was sie ihm zugemutet hatte.

»Gute Arbeit«, sagte auch Jonas Kellermann. »Seien Sie so nett und warten mit der Honorarnote bis nächste Woche. Ich will's noch ein bisschen genießen.« Er lachte über seinen eigenen Spaß.

»Ich zahl's dir zurück«, sagte Judith. »Wir produzieren jetzt 11/18, und da wird einiges Geld hängen bleiben.«

»Warten wir's ab. Das ist genau die Sorte Film, bei der du am Ende des Tages draufzahlst.« Jonas bediente sich an den Häppchen.

Seine Schwester verdrehte die Augen und hauchte ein tonloses *Arschloch* in Rachels Richtung.

»Du bist einfach eine Krämerseele.« Bernd klopfte Jonas im Vorbeigehen auf den Arm. »Deshalb hab ich dich zu meinem Nachfolger gemacht. Sonst wären wir längst pleite.« Er ging weiter zu Judith und legte seinen Arm um sie. »Kreative Köpfchen wie du sind hier besser aufgehoben.« Er schwenkte den Arm durch das Büro. Judith verdrehte erneut die Augen.

»Da haben Sie sicher recht«, sagte Rachel. »Aber jetzt müsste ich kurz mit Ihrer Tochter reden. Die Sache ist leider noch nicht zu Ende.«

»Ohne Familie?«, fragte Bernd.

»Wäre mir lieber.«

»Das Gespräch kostet uns Minimum fünfhundert Euro«,

jammerte Jonas mit vollem Mund. »Und ich darf nicht mal die Häppchen aufessen.«

»Iss, bis dir schlecht wird.« Judith ging zur Tür und winkte Rachel. »Komm, wir gehen in den Besprechungsraum.«

Der Besprechungsraum gehörte den Obermietern, konnte von *Jumpcut* aber mitbenutzt werden. Rachel hatte ihr Champagnerglas mitgenommen und ließ sich auf die Couch fallen, die auf der gegenüberliegenden Seite des Zimmers stand. Es war stickig und heiß, und sie hatte Lust, die Schuhe auszuziehen. Judith holte sich einen Stuhl und setzte sich zu Rachel.

»Was heißt, es ist noch nicht vorbei?«

»Wer immer es auf dich abgesehen hat, läuft noch da draußen rum. Wir sollten mit der Polizei kooperieren.«

»Okay. Aber was können wir tun?«

»Es ist klar, dass jemand dich für viele Jahre ins Gefängnis bringen wollte und dafür einigen Aufwand betrieben hat. Die Frage ist nach wie vor: Warum?«

»Ich weiß es nicht. Wenn es Andreas nicht war ...«

»Das ist immer noch denkbar. Aber keiner glaubt so recht daran. Wer hätte sonst noch durch dein Verschwinden einen Vorteil?«

Judith schüttelte den Kopf.

»Oder gibt es einen Menschen, der dich so hasst, dass er dir das antun würde?«

»Um Himmels willen, nein! Was müsste ich dem denn angetan haben? Ich hab niemanden totgefahren und Unfallflucht begangen oder irgend so was. Falls ich tatsächlich wem was angetan habe, dann ... dann weiß ich es nicht.«

»Was ist mit diesem früheren Freund? Der ... gestorben ist.«

Judith sah Rachel erstaunt an. »Woher weißt du davon?«

»Ich glaube, Andreas hat es mal erwähnt. Aber er wusste auch nichts Näheres. Es stimmt also?«

»Ja. Ist schon ein paar Jahre her.« Judith versank für einen Moment in Gedanken. »Er hieß Jürgen. Warum fragst du?«

»So ein Gefühl. Wahrscheinlich, weil er gestorben ist. Wie ist er denn gestorben?«

Judith atmete schwer aus und biss sich auf die Lippe. »Er hat sich erhängt. Im Gefängnis.«

»Oh«, sagte Rachel und war einen Moment sprachlos. »Was … ich meine, weswegen war er im Gefängnis?«

»Er soll mehrere Frauen umgebracht haben.«

Plötzlich tauchte etwas aus Rachels Gedächtnis auf: »Jürgen Milsky?«

Judith nickte.

»Ich hab das damals mitverfolgt. Ist vielleicht fünf Jahre her.«

»Er starb am 24. Juni 2012.« Judiths Stimme war belegt, und sie wischte sich etwas aus dem Auge.

Rachel nahm Judiths Hand. »Du glaubst nicht, dass er damals die Morde begangen hat?«

Judith schüttelte den Kopf, jetzt flossen die Tränen ungebremst, und Rachel schürfte hektisch nach der Packung Taschentücher in ihrer Handtasche. Es dauerte eine Zeit, bis sich Judith wieder beruhigt hatte.

»Tut mir leid«, sagte sie, nachdem sie wieder reden konnte. »Aber was soll denn Jürgens Tod mit meiner Sache hier zu tun haben?«

»Keine Ahnung. Dafür weiß ich zu wenig darüber. Macht dich vielleicht irgendjemand für seinen Tod verantwortlich?«

»Nein. Ich hab alles getan, um ihn vor der Polizei zu schützen.«

»Die Geschichte mit dem Messer, das war …?«

»Das war, als sie Jürgen bei mir in der Wohnung verhaften wollten. Ich hab die Polizisten hingehalten, damit er fliehen konnte. Sie haben ihn trotzdem verhaftet.« Sie machte eine kleine Pause, und es schien Rachel, als würde ihr in diesem Moment etwas einfallen. »Wer wirklich wütend auf mich war, das war dieser Kommissar.«

»Der die Ermittlungen geleitet hat?«

Judith Kellermann nickte.

»Mantell?«

»Nein. Der hieß Schwaiger. Ist wahrscheinlich schon in Rente.«

»Warum war der wütend? Wegen der Verhaftung von Jürgen Milsky?«

»Nein. In den Befragungen vorher. Ich … ich hab ihm nicht alles gesagt über Jürgen. Im Grunde habe ich ihn belogen, und er hat das natürlich gespürt. Nachdem sie Jürgen verhaftet hatten, hat mich Schwaiger angeschrien. Ich wär schuld am Tod dieser Schauspielerin. Er … war ganz außer sich und wollte mich anzeigen, weil ich gelogen hatte. Aber er konnte mir nichts beweisen.«

Rachel stand auf, schaltete ihr Smartphone auf Aufnahme und legte es auf den Besprechungstisch. »Erzähl mir, was damals passiert ist.«

Als sie zurückgingen, begegnete ihnen Andreas Kimmel auf dem Gang, während im Büro Jonas Kellermann immer noch erregt mit seinem Vater diskutierte.

»Geht wieder nur um Geld bei den beiden.« Kimmel schüttelte den Kopf. »Ich könnte so nicht arbeiten.«

»So werden wir auch nicht arbeiten. Ich bin froh, dass mein Vater Jonas zum Nachfolger gemacht hat.« Judith knuffte Kimmel sanft gegen die Schulter. »Bist mir echt lieber.«

Kimmel lächelte geschmeichelt. »Ach, bevor ich's vergesse …« Er sah jetzt Rachel an. »Kann Judith die Stadt verlassen?«

»Sie sollte nicht unbedingt nach Venezuela fliegen, aber sonst … wieso fragen Sie?«

Judith selbst antwortete. »Wir hatten für den Dreh ein Schloss, das uns ein Bekannter von Andreas überlassen wollte. Der ist aber letzte Woche abgesprungen. Meine Verhaftung und das Ganze waren ihm wohl zu viel schlechte Presse. Aber man hat uns jetzt ein anderes Schloss angeboten. Irgendwo in Mecklenburg-Vorpommern. Das will ich mir die Tage mal ansehen.«

»Kein Problem. Ist vielleicht ganz gut, wenn du mal rauskommst. Lass dir ordentlich den Ostseewind um die Nase wehen.«

45

Mecklenburg-Vorpommern

Die renovierte Bauernkate lag in der Nähe einer der vielen Seen. Kein Seeblick, aber man konnte das Geschrei der Möwen hören. Boris zog das bescheidene Ferienhaus einem Hotel vor. Im Hotel kam man mit zu vielen Menschen in Kontakt. Hier gab es nur die Frau vom nahe gelegenen Reiterhof, bei der er den Schlüssel abholen musste. Er verzichtete auf eine Hauseinweisung. Er habe ohnehin nicht vor zu kochen, und die Heizung werde er um die Jahreszeit auch nicht in Betrieb nehmen.

Am frühen Nachmittag fuhr Boris zu dem Anwesen, das *Jumpcut* als Drehlocation angeboten worden war. Das Jagdschlösschen war nach der Wende einer in Westdeutschland lebenden Adelsfamilie rückübertragen worden, die im Augenblick aber nicht das Geld hatte, ihren Besitz zu renovieren. Als ein Interessent anbot, das Schlösschen für dreitausend Euro eine Woche lang zu mieten, kam das sehr gelegen. Zumal nichts zu tun war, außer die Schlüssel an eine Packstation in der dem Schloss nächstgelegenen Kleinstadt zu versenden. Das Haus war bewohnbar, aber in schlechtem Zustand, und der Putz blätterte an einigen Stellen. Das würde die Filmleute nicht stören. Sie suchten für die Geschichte etwas Heruntergekommenes. Sein Weg führte Boris von dem Ferienhaus durch Kiefernwald und Maisfelder zu einer Landesstraße zweiter Ordnung, auf der kaum Verkehr herrschte. Nach drei Kilometern zweigte rechter Hand eine einsame Nebenstraße ab, die nach weiteren zwei Kilometern Wald an einer aufgelassenen Fischzucht endete. Kurz vor der ehemaligen Fischzucht gabelte sich die Straße, und Boris nahm den rechts abgehenden Forstweg, der zunächst eine sanfte Kurve beschrieb, um sein letztes Teilstück als Auffahrt zu dem verwunschenen Jagdschlösschen zu beschließen. Hier streifte der Weg eine Lichtung, auf der sich morgens und abends vermutlich Rehe und anderes Wild zum Grasen einfanden, weshalb hier jemand einen Hochsitz gebaut hatte. Die Front des Hochsitzes ging naturgemäß zur Lichtung, doch hatten die Seiten der Kabine Schlitze und boten einen exquisiten Ansitz, wenn man auf jemanden schießen wollte, der vom Schloss kam. Der Nachteil war, dass man einige Zeit brauchte, um vom Hochsitz wieder hinunterzuklettern. Das verzögerte die Flucht. Allerdings ging Boris nicht davon aus, dass es hektisch werden würde. Auch die Gefahr, von einem Jäger gestört zu werden, war gering. Drückjagden fanden um die Zeit ohnehin nicht statt, und wenn alles nach Plan lief, würde die Aktion am Nachmittag stattfinden, also außerhalb der Zeit, in der Jäger üblicherweise unterwegs waren. Ein Anruf beim Forstamt hatte im Übrigen ergeben, dass etliche Mitarbeiter bereits in den Sommerferien waren. Auch von dieser Seite war also wenig zu befürchten.

Boris besaß seit vielen Jahren ein Heckler & Koch G3. Er liebte es für seine Präzision. Wie auch immer das G36 in den Medien verrissen wurde – Boris' G3 traf zuverlässig. Allerdings würde es auch nicht überhitzen. Zwei Schüsse mussten genügen.

München-Neuperlach

Kommissar Schwaiger wohnte mit seiner Frau und zwei Katzen im zwölften Stock eines Hochhauses aus den Siebzigerjahren. Sie saßen mit kalten Getränken auf dem geräumigen Balkon mit Blick auf die Alpen. Es war ein klarer Sommertag, und man konnte von der Zugspitze im Westen bis zum Watzmann im Osten sehen. Im Süden die weißen Gletscherspitzen des Alpenhauptkamms.

»Weiß wirklich nicht, warum Neuperlach so einen schlechten Ruf hat. Von Schwabing aus hast du keinen solchen Blick. Also ich wohn gerne hier, und das seit dreißig Jahren.«

»Da haben Sie sicher recht.« Rachel konnte die Aussicht nicht so richtig genießen, weil die Katzen auf dem Balkongeländer spazierten. »Sind Sie sicher, dass die nicht runterfallen?«

Schwaiger drehte sich nachlässig zu den Tieren. »Das sieht nur gefährlich aus. Die haben ein phänomenales Gleichgewichtsgefühl.«

»Bestimmt. Aber könnten Sie nicht doch ... irgendwie macht's mich nervös.«

»Ja, wenn man das nicht gewohnt ist.« Er stand auf, pflückte routiniert die Katzen vom Balkongeländer und beförderte sie ins Wohnzimmer. »Wehe, ihr geht an die Möbel.« Mit einem ebenfalls lange eingeschliffenen Griff verriegelte er die Katzenklappe, die im Glas der Balkontür eingesetzt war, und nahm wieder Platz.

Schwaiger hatte die Ereignisse um Judith Kellermann, obwohl inzwischen pensioniert, mit Interesse verfolgt. Kellermann hatte damals eine dubiose Rolle in einer seiner wichtigsten Mordermittlungen gespielt und war ihm noch lebhaft in Erinnerung. »Frau Kellermann ...«, sagte er und nickte, wie um die schwere Bedeutung dieser Worte zu unterstreichen. »Ich hatte damals den Verdacht, dass sie dabei war, als Milsky sein drittes Opfer im Hilton getroffen hat. Das war im Winter 2012.«

»Aber – hat sie nicht zugegeben, Milsky und auch Claudia Heltschacher in der Bar getroffen zu haben?«

»Erst nachdem ich ihr gesagt habe, dass Zeugen sie zusammen gesehen hätten. Aber sie hat uns den Namen von Milsky nicht genannt. Angeblich wusste sie nicht, wie der Mann hieß, den sie an dem Abend getroffen hatte. Weil sie nur kurz geredet und er sich nicht vorgestellt hätte.«

»Was haben Sie damals geglaubt?«

Schwaiger zuckte mit den Schultern. »Ich denke, sie wusste, wer der Mann war. Aber sie wollte ihn schützen, weil sie sich in ihn verliebt hatte. Der Kerl hatte sich nach dem Mord an Claudia Heltschacher an Kellermann rangemacht und sie um den Finger gewickelt, damit sie ihn nicht verrät.«

»Vielleicht war es ja Liebe auf beiden Seiten.«

»Haben Sie mal Bilder von Milsky gesehen?«

»Nein.«

»Sah ganz gut aus. Kein George Clooney, aber eine andere Liga als Kellermann. Das ist wirklich nicht frauenfeindlich gemeint. Umgekehrt würde ich es genauso sagen. Es gibt einfach Paarungen, da weiß man, das stimmt vom Aussehen her nicht. Klar, es gibt auch Ausnahmen. Aber in neun von zehn Fällen hat bei solchen Paaren einer ein unsauberes Motiv.«

»Kellermann ist bis heute überzeugt, dass es Milsky nicht war.«

Schwaiger gab mit ausgebreiteten Armen zu verstehen, dass er dazu nichts zu sagen hatte.

»Wie haben Sie Milsky überführt? Hat er beim letzten Mord an Beatrice Heinlein Spuren hinterlassen?«

»Ein Barkeeper hat ihn mit dem Opfer zusammen gesehen.«

»Und der Zeuge hat Milsky später identifiziert?«

»Ja. Nachdem Milsky tot war, natürlich nur aufgrund von Fotos, was immer so eine Sache ist. Aber Milsky hatte eine seltene körperliche Anomalie, an der man ihn leicht erkennen konnte: ein einzelnes abstehendes Ohr.

Wir wissen auch, dass Milsky psychische Probleme hatte und bei einer Therapeutin in Behandlung war.«

»Probleme, die einen zum Mörder werden lassen?«

»Wahrscheinlich. Aber wir wissen es nicht genau. Die Therapeutin hat sich auf ihre Schweigepflicht berufen.« Der Kommissar zog die Augenbrauen zusammen und sah Rachel etwas irritiert an. »Worauf wollen Sie hinaus?«

»Könnte es nicht sein, dass jemand Judith Kellermann für den Tod von Beatrice Heinlein, dem letzten Opfer, verantwortlich macht? Ich meine, hätte sie Milskys Namen genannt, hätten Sie ihn festnehmen können. Und Beatrice Heinlein wäre noch am Leben.«

»Vielleicht. Dafür müsste derjenige erst mal wissen, welche Rolle Kellermann damals in den Ermittlungen gespielt hat. Das sind polizeiinterne Informationen. Außerdem liegt das fünf Jahre zurück. Wieso sollte er ausgerechnet jetzt Kellermann was antun wollen?«

»Vielleicht hat er jetzt erst davon erfahren, was für eine Rolle sie damals gespielt hat.«

Schwaiger nahm einen ordentlichen Schluck von seinem Radler. »Wen haben Sie in Verdacht?«

»Angehörige. Jemand, der Beatrice Heinlein geliebt hat.«

»Es gab die Eltern. Doris Heinlein, die Schauspielerin, und ihren Mann. Der ist aber inzwischen achtzig, und sie ist Mitte sechzig. Von einem Freund weiß ich nichts. Aber kann schon sein.«

»Na gut, dann danke ich Ihnen sehr. Darf ich Sie anrufen, wenn noch Fragen auftauchen?«

»Natürlich. Jederzeit.«

Rachel bemerkte etwas in ihrem Augenwinkel. Es war eine der Katzen. Sie war auf das Fensterbrett im Wohnzimmer gesprungen und starrte sie jetzt an. Rachel empfand den Blick als irgendwie vorwurfsvoll. »Ach – eine Sache hätte ich noch …«

»Ja?«

»Judith Kellermann sagte, Sie hätten sie damals angeschrien und wären fast handgreiflich geworden.«

Schwaiger kramte in den Tiefen seiner Erinnerung. »Fast handgreiflich? Wieso sollte ich so was tun?«

»Weil Sie Frau Kellermann für den Tod des letzten Opfers verantwortlich gemacht haben. Sagt Frau Kellermann.«

»Das ist vollkommener Unsinn. Ich habe sie nicht angeschrien, geschweige denn angefasst. Das habe ich weder mit Verdächtigen noch mit Zeugen je gemacht. Fragen Sie meine Kollegen.«

»Sie meinen, Kellermann hat sich das alles ausgedacht?«

»In ihrer Erinnerung wird es vielleicht so gewesen sein. Aber Sie kennen die Frau ja selbst. Sie neigt manchmal zu … sagen wir, Übertreibungen.«

46

Doris Heinlein hatte Nachtdreh. Drehort war ein prächtiges Bauernhaus bei Bad Tölz. Von Neuperlach aus brauchte Rachel eine Dreiviertelstunde. Sie hatte Sascha angerufen, der hatte von Heinleins Agentin erfahren, dass sie gerade drehte und für welche Produktionsfirma. Mit dem Produzenten wiederum war Sascha per Du, und so schaffte er es, ein Treffen noch am gleichen Abend zu organisieren. Es war noch hell, als Rachel auf dem Bauernhof vorfuhr.

Heinlein saß in der Maske und hatte Zeit zu reden, während die Maskenbildnerin sich mühte, ihr so viele Jahre wie möglich aus dem immer noch attraktiven, aber nicht mehr dreißigjährigen Gesicht zu schminken.

»Kommen Sie, kommen Sie! Nehmen Sie sich einen Stuhl.« Heinlein wedelte mit den Händen. Der Kopf blieb starr, denn die Maskenbildnerin war gerade mit einem Puderpad zugange. »Ganz groß, wie Sie die Judith rausgeholt haben. Aber ich hab auch nicht eine Sekunde gezweifelt, dass sie unschuldig ist. Wie geht's ihr denn?«

»Den Umständen entsprechend ganz gut. Sie sieht sich gerade ein Schloss in Mecklenburg an.« Rachel zog einen Plastikstuhl heran und setzte sich neben Heinlein.

»Für 11/18?«

»Ja, genau. Das, was sie vorher hatten, ist ihnen abgesagt worden.«

»Ich drück ihr so die Daumen für das Projekt.« Heinlein wurde gebeten, die Augen zu schließen, was ihren Redefluss aber nicht hemmte. »Das Casting ist wohl noch nicht abgeschlossen?«

»Das weiß ich nicht.«

»Ich hab mich nur gewundert. Bei so großen Produktionen werde ich normal angefragt.« Ein subtil indignierter Unterton hatte sich jetzt eingeschlichen.

»Das kann sein, dass sie noch nicht dazu gekommen sind. Jedenfalls noch nicht für alle Rollen. Da ist in letzter Zeit einiges liegen geblieben. Aber ich frag mal nach.«

»Ja, machen Sie das doch. Es würde mich einfach interessieren. Vor allem, weil ich für die Zeit schon einige andere Anfragen habe.«

»Oh, das sollte Judith unbedingt wissen. Ich frag sie gleich morgen.« Rachel war von ihrer Kriecherei über alle Maßen angewidert, aber sie wollte etwas von Heinlein erfahren und wusste, dass Filmdiven mit sinkendem Stern von ihren Gesprächspartnern ausführliche Huldigungen erwarteten. Anschließend stellte Rachel einige interessierte Fragen zum Film, den Heinlein im Augenblick drehte und in dem sie eine ziemlich *wichtige Nebenrolle, im Grunde eine Nebenhauptrolle* ausfüllte. Heinlein versuchte, Rachel zu vermitteln, dass der gesamte Plot ohne diese *Gänsefüßchen-Nebenrolle* quasi implodieren würde. Das Kunstwerk, das die Maskenbildnerin in Heinleins Antlitz zauberte, näherte sich bereits der Vollendung, als Rachel das Gespräch endlich auf Heinleins verstorbene Tochter Beatrice lenken konnte. Die lebhafte Frau wurde mit einem Mal still, der Blick in sich gekehrt.

»Das ist so lange her ... fünf Jahre?«

»2012.«

»2012! Mein Annus horribilis. Der Mörder von Bea hatte sich damals selbst gerichtet. Oder gibt es Neuigkeiten?«

»Nein. Nicht zum Tod von Beatrice. Aber in einer anderen Sache ist jetzt die Frage aufgetaucht, ob Ihre Tochter damals einen Freund hatte.«

Heinlein wendete vorsichtig den Kopf und zog eine Augenbraue hoch. »Was heißt ›andere Sache‹?«

»Das kann ich Ihnen leider nicht sagen, weil die Dinge

noch sehr in der Schwebe sind. Aber ich wäre Ihnen sehr dankbar, wenn Sie mir trotzdem weiterhelfen könnten.«

Heinlein sah Rachel über den Spiegel an, und ihr Blick war kalt geworden. »Geht es um Judith Kellermann?«

Es durchfuhr Rachel wie ein Stromschlag. Mit derartiger Geistesgegenwart hatte sie bei der eitlen Diva nicht gerechnet.

»Wie kommen Sie darauf?«

»Weil ich nicht blöd bin. Der Gedanke, dass sich jemand wegen Bea an ihr rächen wollte, ist mir auch schon gekommen.«

Rachel suchte Heinleins Blick im Spiegel, fand ihn und sah in, wie ihr schien, wissende Augen.

»Wo ist der Zusammenhang zwischen Judith Kellermann und Ihrer Tochter?«

»Fragen Sie sie. Aber Sie wissen es ja eh schon. Sonst wären Sie nicht hier. Bea hat übrigens 2012 einen Film gedreht, bei dem Judith Kellermann Redakteurin war. Judith war oft am Set.«

»Das heißt …?«

»Bei einem Dreh wird viel getratscht. Vielleicht hat Judith was gehört. Dass Bea eine Affäre mit einem Kollegen hatte oder so was in der Art.«

»Ihnen hat Bea nichts erzählt?«

Heinlein machte eine Pause, bevor sie antwortete.

»Nein.« Erneute Pause. »Sie hat mir nie von ihren Freunden erzählt. Ich weiß nicht, warum. Vielleicht hatte sie Angst, dass ich sie ihr wegnehme.« Sie zuckte bedauernd mit den Schultern. »Ich war natürlich im Gegensatz zu ihr ein bekannter Star. Und so was macht auch auf jüngere Männer Eindruck. Aber ich hätte ihr das natürlich nie angetan.«

Die Maskenbildnerin, ein wenig angewidert von Heinleins Eitelkeit, verkündete, Heinlein sei fertig, und mahnte zur Vorsicht beim Thema Finger im Gesicht.

Heinlein sah Rachel mit einem Mal traurig an. »Das hat mir am meisten zu schaffen gemacht, dass ich nicht teilnehmen durfte an ihrem Leben.«

Doris Heinleins Kinn begann, gefährlich zu zittern. Schließlich wandte sie den Kopf ab, schlug die Hände vors Gesicht und fing an zu weinen.

»Danke, dass Sie sich die Zeit genommen haben«, murmelte Rachel der sich auflösenden Frau zu und schickte sich an zu gehen. Die Blicke der Maskenbildnerin erdolchten sie beim Rausgehen.

Mecklenburg-Vorpommern

Das Herrenhaus Kaalzow war ein wenig so wie die Location, die sie morgen besichtigen wollte, nur frisch renoviert und propper. Ansonsten dem Jagdschlösschen sehr ähnlich, soweit man das von Fotos beurteilen konnte. Die Übernachtungspreise waren noch im Rahmen, darauf achtete sie, auch wenn es bei dem Millionenbudget von 11/18 kaum noch eine Rolle spielte. Judith hatte sich ein Cabrio als Mietwagen genommen und war von Berlin aus durch sommerträge, satte Landschaften gefahren. Jetzt saß sie auf der Terrasse des Herrenhauses beim Sundowner und blickte auf die Pferdekoppel vor den riesigen Silberweiden, Schäfchenwolken trieben im Abendwind. Das Abendessen war erstaunlich gut gewesen und im Übernachtungspreis inbegriffen. Es wurde langsam dunkel an diesem Sommerabend, durch die Silberweiden fuhr eine leichte Brise und ließ die Blätter rauschen. Das Handy klingelte. Auf dem Display konnte Kellermann sehen, dass es Rachel war.

Rachel berichtete kurz, dass sie sich mit Kommissar Schwaiger und Doris Heinlein getroffen hatte. »Ich will jetzt nicht zu sehr ins Detail gehen«, sagte sie. »Aber zwei

Dinge haben mich gewundert. Schwaiger behauptet, er hätte dich nie angeschrien. Und schon gar nicht angefasst. Hatte ich dich da falsch verstanden?«

»Natürlich hat er das. Ich übertreib ja manchmal. Aber das ist wahr. Der war außer sich vor Wut.«

»Ja, ja, ich glaub es dir.« Rachel fuhr gerade bei Holzkirchen auf die Autobahn, die Nacht brach herein. »Ich denke, es war ihm einfach unangenehm. Das Zweite ist der Umstand, dass Doris Heinlein anscheinend irgendetwas über dich und Milsky weiß oder zumindest ahnt, dass du ihn geschützt hast. Hast du eine Idee, wie sie darauf kommt?«

»Beim Film sind oft Polizisten als Berater tätig. Hauptsächlich für Krimis. Vielleicht hat da einer mal was erzählt.«

»Wenn Heinlein es weiß, wissen es wahrscheinlich noch andere. Wir sollten mal in Ruhe überlegen, wer noch infrage kommt. Zum Beispiel der Freund von Beatrice Heinlein. Hast du damals was mitbekommen? Sie hat anscheinend in dem ersten Film mitgespielt, den du als Redakteurin betreut hast.«

»Wüsste ich jetzt nicht. Aber das könnte man rausfinden.«

»Okay, pass auf, ich hab übermorgen einen Termin in Berlin. Ich könnte einen Tag früher fliegen, und wir treffen uns morgen Nachmittag. Wie weit ist das von Berlin?«

»Knapp hundert Kilometer.«

»Wann hast du deinen Besichtigungstermin?«

»Um zwei.«

»Sagen wir um vier in deinem Hotel?«

»Okay. Ich schick dir die Adresse.«

Judith Kellermann legte ihr Handy zur Seite und blickte gedankenverloren in Richtung Wald. Trotzdem konnte sie den Mann in der Jägerkluft nicht sehen. Er beobachtete die Hotelterrasse vom Waldrand aus mit dem Feldstecher und hob sich im abendlichen Dämmerlicht kaum vom Hintergrund ab. Man hätte ihn für den Oberförster halten können. Nur der Hund fehlte. Boris wollte sich vergewissern, ob alles seinen störungsfreien Gang ging. Tat es. Kellermann war in ihrem Cabrio wohlbehalten angekommen und würde morgen zum Jagdschlösschen fahren. Boris fragte sich, mit wem sie das Telefonat geführt hatte, und spähte ein letztes Mal durch sein Nachtglas. Es gab ihm einen kleinen Stich, sie dort sitzen zu sehen.

Sie hatten ja doch einige Zeit miteinander verbracht, und es waren angenehme Stunden gewesen. Jemand aus dem normalen Leben würde sagen: Sie waren Freunde geworden. Aber in Boris' Welt gab es keine Freunde. Wenn man sich mit jemandem anfreundete, konnte man seinen Job gleich an den Nagel hängen. Und doch war es bei ihr anders als etwa bei Sandner. Sandner war glatt und egoistisch, sein Charme mochte bei Frauen verfangen, aber Boris mochte ihn nicht.

Die Nacht zog auf, und Boris quälten schwere Gedanken. War er schon zu alt für den Job? Vielleicht. Zeit, aufzuhören. Die zweihundert Riesen für den Kellermann-Job noch mitnehmen und den Rest seiner Tage Segelboote an Touristen vermieten. Er würde auch selber ein bisschen skippern. Der Skipper greift immer die tollen Frauen ab. Jedenfalls erzählten das die Skipper. Doch was waren das für wirre, abschweifende Gedanken? Warum konnte er sich nicht mehr auf seine Aufgabe fokussieren wie früher? Das machte ihm Sorgen. Den Job hier noch – und das sollte es gewesen sein.

47

Am nächsten Tag fand in den Räumen der Staatsanwaltschaft am Landgericht München I eine Besprechung statt, an der neben Staatsanwältin Wittmann auch deren Vorgesetzter Schwind sowie Rachel und Baum teilnahmen. Der Oberstaatsanwalt war persönlich zugegen, weil es erhebliches Medieninteresse an dem seltsamen Fall gab, in dem das verbrannte Opfer nach einigen Wochen höchst lebendig wiederaufgetaucht war, um dann erneut ermordet zu werden. Da wollte er sich aus erster Hand unterrichten. Die Gesprächsleitung überließ er aber Wittmann.

»Wer der Mann in der gesprengten Hütte war, wissen wir noch nicht. Vermutlich wurde der Leichnam in einem Beerdigungsinstitut entwendet«, erläuterte sie die bisherigen, offenbar eher dürftigen Erkenntnisse. »Wir sind jetzt auf der Suche nach den Tätern. Die Sache in Straßlach erfüllt eine ganze Reihe Tatbestände: Freiheitsberaubung, begangen an Judith Kellermann, Vortäuschen einer Straftat bis hin zur Herbeiführung einer Sprengstoffexplosion. Wir nehmen an, dass der oder die Täter auch Eike Sandner ermordet haben.«

»Wie schön, dass Sie uns ausnahmsweise an Ihren Ermittlungen teilhaben lassen«, sagte Rachel. »Ich nehme an, das geschieht nicht ganz uneigennützig, sondern Sie wollen etwas.«

»Sie haben eigene Recherchen angestellt? Ist das richtig?«

»Ja, das ist richtig.«

»Wir würden gerne wissen, was Sie rausgefunden haben.«

Rachel tauschte einen Blick mit Baum. Der war naturgemäß wenig geneigt, der Polizei umsonst Informationen zu geben. Aber es war Rachels Entscheidung.

»Das muss ich mir noch gründlich überlegen. Alles, was ich an Erkenntnissen gewonnen habe, unterliegt erst mal der Schweigepflicht.«

Schwind mischte sich zum ersten Mal ins Gespräch. »Ist es nicht im Interesse Ihrer Mandantin, herauszufinden, wer hinter der Sache steckt? Ich meine, jemand wollte sie lebenslänglich ins Gefängnis bringen. Und es kann ja durchaus sein, dass der- oder diejenige ihr immer noch schaden will.«

»Das ist richtig. Ich sage ja auch nicht, dass wir uns kategorisch verweigern. Nur – solange der Prozess noch anhängig ist …«

Schwind sah fragend zu Wittmann.

»Es ist immer noch nicht geklärt, welche Rolle Judith Kellermann bei der Explosion gespielt hat«, sagte sie.

»Was meinen Sie damit?«

»Dass sie die Explosion wahrscheinlich ausgelöst hat. Mit ihrem Handy. Wir würden die Anklage unter Umständen auf versuchten Mord umstellen. Da kämen immer noch ein paar Jahre zusammen.«

»Jetzt kommen Sie!« Rachel war genervt, und es gelang ihr kaum, das zu verbergen. »Judith Kellermann sagt, dieser Boris hat ihr das Handy gegeben, und sie sollte ihn damit anrufen. Es sei ihr nicht bewusst gewesen, dass sie damit eine Explosion auslösen würde. Und inzwischen ist auch klar, dass man sie hereinlegen wollte. Wie also wollen Sie beweisen, dass meine Mandantin vorsätzlich gehandelt hat?«

»Abgesehen davon«, mischte sich Baum ein, »gibt es keinen direkten Beweis, dass das auslösende Signal tatsächlich von diesem Handy kam. Oder hab ich das in den Akten überlesen?«

»Wie gesagt, wir prüfen das noch«, sagte Wittmann

dünnlippig. Schwind schien anderer Meinung zu sein, wollte seiner Mitarbeiterin aber offenbar nicht in den Rücken fallen.

»Wenn das so ist, wieso sollten wir Ihnen unsere Rechercheergebnisse überlassen? Am Ende verwenden Sie sie gegen uns.« Judith Kellermann hatte Rachel zwar freie Hand für eine Zusammenarbeit mit der Polizei gelassen. Aber so ganz billig wollte sie sich dann doch nicht verkaufen.

»Ich denke, beide Seiten sollten mal in sich gehen«, sagte Schwind. »Vielleicht gibt es ja einen vernünftigen Interessenausgleich. Was wir uns jetzt fragen: Wer hatte ein Motiv, Frau Kellermann zu schaden? Schaden heißt, sie lebenslänglich ins Gefängnis zu bringen. Das muss also ein ziemlich starkes Motiv gewesen sein.«

Rachel stand jetzt und sah zum Fenster hinaus. Fünfzig Meter entfernt die Straße hinunter konnte sie die Bar Juve sehen, vor der drei kleine Tische mit Sonnenschirmen standen. Noch war die Sonne nicht hoch genug, um sie zu bescheinen. »Die finanziellen Motive von Frau Kellermanns Geschäftspartner Kimmel haben wir ja vorgetragen. Aber ich habe inzwischen auch Zweifel, ob er dahintersteckt.« Sie kehrte wieder an den Tisch zurück und gab Baum ein Zeichen. Der legte daraufhin einen DIN-A4-Umschlag auf den Tisch. »Hier drin finden Sie alles, was Herr Baum über Boris herausgefunden hat. Sie können es haben …«

»Aber …?«, ergänzte Wittmann.

»Natürlich erst, wenn Sie das Verfahren gegen Judith Kellermann einstellen.«

»Sind wir hier auf dem Basar?« Wittmann blickte empört zu ihrem Chef.

»Das sieht jetzt ein bisschen so aus. Aber Frau Eisenberg muss ja sicherstellen, dass sie ihrer Mandantin nicht schadet, wenn sie uns ihr Material übergibt«, sagte Schwind in sehr konziliantem Ton.

Wittmann kochte und vermutete offenbar schlimmste Dinge, die hinter ihrem Rücken passiert waren. Völlig zu Unrecht in dem Fall. »Gut, was machen wir also? Einstellung beantragen?«

Schwind gab mit einer Geste zu verstehen, dass er die Entscheidung in Wittmanns Hände gab. Aber die hatte kaum eine Wahl. Wenn sie jetzt weitermachte und die Sache ging schief, hatte sie keine Rückendeckung.

»Wir stellen ein, Frau Verteidigerin.« Gequält lächelnd griff Wittmann nach dem Umschlag und untersuchte seinen Inhalt. Einige Papiere in einer Klarsichthülle und ein USB-Stick kamen zum Vorschein.

»Es gibt möglicherweise Verbindungen zu einem Jacht-Vercharterer in Pula«, sagte Baum.

»Das ist wo?«, wollte Wittmann wissen.

»Istrien, also Kroatien. Passt zu seiner Behauptung, dass er mal im Jugoslawienkrieg gekämpft hat – und zu seinem Akzent. Frau Kellermann meinte, es habe nach Ex-Jugoslawien geklungen, auch wenn der Akzent sehr schwach war.«

»Außerdem«, übernahm Rachel, »haben wir vielleicht einen Ansatz für das Motiv des Täters.«

»Lassen Sie hören«, sagte Wittmann.

»In den Jahren 2011/2012 gab es eine Mordserie in München. Opfer waren Frauen um die dreißig. Der Täter wurde verhaftet und hat sich im Gefängnis umgebracht. Ein Jürgen Milsky.«

»Erinnere mich«, murmelte Schwind und checkte mit flüchtigem Blick seine Kaffeetasse. Es war aber nichts mehr drin. »Da hat doch Frau Kellermann auch eine Rolle gespielt.« Schwind sah fragend zu Wittmann, die schien aber mit der Sache nicht vertraut.

»Sie war bei Milskys Verhaftung dabei und hat angeblich einen Beamten mit einem Messer bedroht«, sagte Rachel. »Das konnte aber nicht bewiesen werden.«

Schwind schüttelte den Kopf. »Das meine ich nicht. Die Kellermann war auch Zeugin. Ich weiß noch, dass der Schwaiger, der das damals bearbeitet hat, ziemlich sauer war auf Frau Kellermann.«

»Er war der Ansicht, dass sie Milsky gedeckt hat, was keineswegs bewiesen ist. Aber Schwaiger sieht das so. Und möglicherweise noch mehr Leute, die Judith Kellermann für den Tod von Beatrice Heinlein verantwortlich machen.«

Wittmann sah Rachel fragend und irritiert an, und auch Schwind wusste nicht so recht, wie das alles zusammenhängen sollte.

»Okay«, sagte Wittmann, nachdem sie sich Rachels Theorie angehört hatten. »Wir werden dem nachgehen. Und ich wäre Ihnen dankbar, wenn Sie die Ermittlungsarbeit künftig uns überlassen.«

»Hängt von den Ergebnissen ab.« Rachel verabschiedete sich mit einem konzilianten Lächeln.

48

Alles war nass nach dem Regen in der Nacht, auch die dicken Leitersprossen zum Hochsitz hinauf. Man musste höllisch aufpassen, besonders beim Runterklettern. Boris sah nach oben. Die Wolkendecke riss auf. In zwei Stunden würde die Sonne herunterbrennen.

Einen kleinen Fehler hatte der Hochsitz: Er stand so, dass man die Auffahrt nur in Richtung Schloss im Blick hatte. Wenn Judith Kellermann mit dem Wagen angefahren kam, konnte er sie nicht von vorn anvisieren, sondern nur von hinten, wenn sie am Hochsitz vorbeifuhr und sich Richtung Schloss bewegte. Eigentlich eine gute Position, denn dann war auch keine Scheibe zwischen Gewehr und Kopf. Das Problem waren die Kopfstützen. Der Wagen musste also auf den Hochsitz zufahren. Das G3 hatte Boris bereits hinaufgeschafft, jetzt fuhr er mit dem Geländewagen ein Stück in den Wald hinein und parkte – nicht zu weit vom Hochsitz entfernt – hinter einer Gruppe junger Buchen. Anschließend ging er den Weg zum Schloss ab und kontrollierte, wie der Handyempfang war. Das hatte er schon gestern getan. Aber in freier Natur, weit weg vom nächsten Sendemast, gab es immer wieder Schwankungen. So auch heute. Auf einer Strecke von fünfzig Metern verlor er das Signal vollständig, doch als er sich dem Gebäude näherte, war wieder ein Balken auf dem Display, unmittelbar vor dem Eingangsportal dann zwei. So weit war alles in Ordnung. Natürlich konnte es immer noch Störungen geben, etwa von Waldarbeitern, wie jüngst gehabt, oder Fahrradtouristen. Bis jetzt hatte er aber noch niemanden gesehen, obwohl er gestern und heute Stunden in der Nähe des Schlösschens verbracht hatte.

Judith Kellermann hatte nach einem ausgiebigen Frühstück eine Reitstunde genommen und anschließend unter der Markise der Hotelterrasse mehrere Telefonate geführt. Die meisten betrafen die Produktion von 11/18. Vor einer halben Stunde hatte Rachel Eisenberg angerufen und mitgeteilt, dass sie in Berlin gelandet und auf dem Weg zur Autovermietung sei. Kellermann riet ihr dringend zu einem Cabrio. Es waren jetzt sechsundzwanzig Grad, und nur vereinzelte Cumulus-Wölkchen grasten in den Weiten des märkischen Himmels.

Um dreizehn Uhr vierzig bestieg Judith Kellermann ihren Wagen, der unter einer großen Linde geparkt war, und ließ das Verdeck nach hinten fahren. Sie hatte ihr Handy dabei, auch um zu fotografieren, sowie ein Maßband und einen Phasenprüfer. Diese Dinge hatten sich bei früheren Besichtigungen als nützlich erwiesen beziehungsweise schmerzhaft gefehlt. Das Wetter verlangte nach geblümtem Sommerkleid und Sandaletten. Doch Kellermann entschied sich, durch Erfahrung gewitzt, für Jeans und Wanderschuhe. Bei alten Häusern mit verfallenen Gärten wusste man nie, in welchem Gelände man sich bewegen würde.

Das abgelegene Schlösschen hatte tatsächlich eine Adresse, die das Navi kannte. Und so steuerte Judith Kellermann ihr Cabrio durch Felder und an kleinen Seen vorbei hinein in den ausgedehnten Wald. Kühler wurde es, sobald sie in den Schatten kam, der Geruch nach Kiefernnadeln lag in der Luft, und an einigen Stellen war die Straße noch nicht ganz getrocknet. Die Stimme des Navis, die irgendjemand auf Hans Moser eingestellt hatte, bat atemlos auf Wienerisch darum, rechts in eine kleine Nebenstraße abzubiegen, dann sich an einer Gabelung erneut rechts zu halten und den Weg bis zum Ende zu fahren. Nach einer lang gezogenen Kurve kam das Schloss in Sicht. Die letzten zweihundert Meter fuhr Kellermann durch eine Lichtung und stoppte den Wagen vor dem Einfahrtstor. Es war, wie ihr Kontaktmann gesagt hatte, nur angelehnt. Vor dem Schloss war ein gekiester Platz, dort gab es einiges Unkraut für den Dreh zu entfernen. Die Handlung spielte in den kalten Novembertagen des Jahres 1918. Da wuchs kein Unkraut mehr.

Kellermann betrachtete die schmutzige braune Fassade, Neorenaissance mit bröckelndem Putz. Sie machte Fotos und vermaß die Eingangstür.

Es roch nach Harz in der hölzernen Kabine des Hochsitzes. Durch den Seitenschlitz konnte Boris teilweise den Vorplatz des Schlösschens sehen. Zumeist behinderten Bäume und Büsche die freie Sicht, der Wagen aber war durch eine Lücke im wild wuchernden Bewuchs auszumachen, und auch Kellermanns Laufwege konnte er einigermaßen verfolgen, auch wenn sie immer wieder hinter etwas verschwand. Jetzt bekam sie einen Anruf und blieb neben dem Wagen stehen, drehte Boris den Rücken zu und lehnte sich beim Telefonieren mit den Oberschenkeln gegen den Kotflügel. Boris checkte die Distanz mit einem Entfernungsmesser. Es waren genau zweihundertachtunddreißig Meter. Und es war windstill. Er überlegte, ob er den Plan ändern sollte, was nicht seine Art war. Jede Planänderung erzeugte Unwägbarkeiten, auf die man sich nicht vorbereitet hatte. Wenn dich nichts zwingt, deinen Plan zu ändern – zieh ihn durch! Andererseits, jetzt konnte er es sicher erledigen. Je länger er wartete, desto größer wurde das Risiko, gestört zu werden. Außerdem hatte er eine exakte Entfernung und ein stehendes Ziel. Er legte das Gewehr in den Schlitz und blickte durch das Zielfernrohr. Der rote Laserpunkt bewegte sich zitternd über Judith Kellermanns T-Shirt hinauf Richtung Kopf. Er musste sehr aufpassen. Wenn er danebenhielt, sah Kellermann den tanzenden Punkt auf dem Kies.

Der junge Mann am anderen Ende der Leitung entschuldigte sich mehrfach. Eine familiäre Angelegenheit war ihm dazwischengekommen. Judith Kellermann sagte, das sei kein Problem, sie hätte ohnehin zwei Übernachtungen gebucht, und sie verabredeten sich für achtzehn Uhr. Sie steckte das Handy in die Jeans und besichtigte das Anwesen von außen. Als sie vom Wagen wegging, meinte sie, im Augenwinkel einen winzigen roten Punkt zucken zu sehen. Für einen Moment war sie leicht irritiert, dachte aber nicht weiter darüber nach und ging zur Eingangstür des Schlösschens. Sie drückte die Klinke, nicht in der Erwartung, die Tür zu öffnen, eher weil Klinken ihrer Natur nach dazu einladen, sie zu drücken. Zu ihrer Verwunderung spürte sie, dass sich etwas im Schloss löste, und die Tür ging auf.

Judith Kellermann hatte nicht lange genug am Wagen gestanden. Boris musste sein Gewehr erst noch auf die Entfernung justieren, aber da setzte sie sich schon wieder in Bewegung. Sie ging zur Tür. Hatten sie ihr den Schlüssel geschickt? Nein, natürlich nicht. Dass kurz darauf die Tür aufging und Kellermann in dem Gebäude verschwand, überraschte Boris einerseits, vor allem aber ärgerte er sich einmal mehr über sich selbst. Warum hatte er das nicht kontrolliert? Er hatte dreimal vor der Tür gestanden, und nie war ihm die Idee gekommen, sie könnte offen sein. Waren die Schlossherren so sorglos, weil hier wirklich nie jemand vorbeikam? Wahrscheinlich hatte jemand beim letzten Besuch einfach vergessen abzuschließen.

Es wurde langsam heiß im Unterstand, der mit schwarzer Dachpappe gedeckt war. Die Minuten vergingen langsam. Ein Bein war dabei, einzuschlafen. Er musste sich anders hinsetzen. Etwas in seinem Augenwinkel erregte Boris' Aufmerksamkeit. Am Waldrand ganz hinten in der Lichtung bewegte sich etwas. Als er hinsah, war nichts mehr zu sehen. Erst durch das Fernglas wurde es wieder sichtbar: zwei Rehe, mehr nicht. Boris wandte sich wieder dem Schloss zu und fluchte. Judith Kellermann war in den Wagen eingestiegen. Zumindest saß sie und bewegte sich kaum. Da bei Frauen erfahrungsgemäß einige Zeit verging zwischen Einsteigen und Losfahren, standen die Chancen nicht schlecht, einen Treffer zu setzen. Der rote Punkt wanderte wieder – auf der Beifahrertür nach oben, sprang dann auf Kellermanns Schulter, den Hals hoch bis zu der Stelle über dem Ohr, die er treffen musste. In diesem Moment bewegte sich der Kopf ruckartig aus dem Bild.

Das Handy klingelte wieder. Sie hatte es noch in der Jeanstasche und musste sich ziemlich verrenken, um dranzukommen. Es war Rachel Eisenberg.

»Hi, Rachel! Bist du schon da?«

»Laut Navi habe ich noch zehn Kilometer bis zum Hotel. Sollen wir uns da treffen? Oder bist du noch beim Besichtigen?«

»Der Typ ist nicht gekommen. Wir haben es auf heute um sechs verschoben. Treffen wir uns im Hotel. Ich fahr jetzt zurück.«

»Okay. Bis gleich.«

Sie drückte das Gespräch weg, legte das Handy auf den Beifahrersitz, startete den Wagen und fuhr los. Wieder meinte sie diesen flackernden roten Punkt gesehen zu haben. Vermutlich irgendeine Reflexion. Sie freute sich auf einen kühlen Weißwein.

Kellermann hatte kurz telefoniert, und das Handy hatte den halben Kopf abgedeckt, vor allem die Stelle über dem Ohr, die er treffen wollte. Die Sache stand unter keinem guten Stern. Anschließend war sie keine zwei Sekunden ruhig geblieben und ziemlich abrupt losgefahren. Er verfluchte sich. Ändere nie ohne Not deinen Scheißplan, verdammt! Boris setzte das Gewehr auf die ursprüngliche Einstellung zurück. Mit einem Auge behielt er den Wagen im Blick, der jetzt wendete und in Richtung Einfahrt fuhr. Bevor er wieder im Zielfernrohr sichtbar wurde, verschwand der Wagen hinter dichten Büschen. Als sie schließlich aus der Schlosseinfahrt herauskam, wurde Boris endlich ruhiger. Er hatte jetzt Zeit, bis sein Opfer in Zieldistanz war. Kellermann hatte eine Sonnenbrille auf, ihr Haar flatterte im Wind, und ihr Gesicht war entspannt, sie schien jeden Moment zu genießen. Er hatte ihre Nase nie als hässlich empfunden. Eher als lustig, markant, etwas, das sie besonders machte. Warum ihm das jetzt durch den Kopf schoss, wusste er nicht. Er wusste nur, dass er schießen musste, solange die Distanz noch stimmte. Eigentlich war es schon zu spät. Wo war seine Konzentration geblieben. Sie gab Gas. Mit jeder Zehntelsekunde wurde der Schuss ungenauer. Warum schoss er nicht. Endlich, nach einer gefühlten Ewigkeit löste sich der Schuss. Die Windschutzscheibe platzte um das kleine Einschussloch herum, der Wagen schlingerte, geriet vom Forstweg ab und prallte an eine Kiefer. Er sah Blut spritzen, aber war sich nicht sicher, wo er sie getroffen hatte. Der Airbag hatte sich aufgeblasen und drückte ihren Körper gegen die Rückenlehne des Sitzes. Rote Flüssigkeit floss auf den weißen Plastiksack in einem kleinen Rinnsal herab.

49

Die Hitze stand unter der Markise der Hotelterrasse. Aber mit einem kalten Bier war es auszuhalten, ja sogar recht angenehm. Rachel nahm einen kräftigen Schluck. Sie war keine Biertrinkerin, Wein war ihr Getränk. Aber an einem heißen Sommernachmittag war Bier das einzig Wahre. Sie spürte, wie der Alkohol ihr sanft in den Kopf stieg, warmer Wind umschmeichelte ihre Arme und kühlte ihre feuchte Stirn. Die Pferde auf der Koppel standen reglos unter den Silberweiden. Zwei kleine Wolken waren am Himmel, sonst nur diesiges Blau. Es war eigenartig still, als könnten die Geräusche die Hitze nicht durchdringen, als würde der Schall im zähen, klebrig-warmen Dunst stecken bleiben. Rachel sah auf ihr Handy. Vor einer halben Stunde hatte sie mit Judith Kellermann telefoniert. Sie sollte längst da sein. Rachel wählte ihre Nummer. Der Ansage konnte sie entnehmen, dass Judith offenbar keinen Empfang hatte, wo immer sie gerade war. Rachel bestellte noch ein Bier, versuchte, ein Buch zu lesen. Rief noch einmal bei Kellermann an. Das Ergebnis war das gleiche.

»Ich bin mit Frau Kellermann verabredet«, sagte Rachel der jungen Frau an der Rezeption. »Sie wollte sich ein kleines Schloss hier in der Nähe ansehen. Sie wissen nicht zufällig, wo das ist?«

»Tut mir leid. Ich bin nicht von hier. Aber ich frag mal.«

Eine Minute später stand der Geschäftsführer des Hauses vor Rachel und malte auf einer Landkarte der Gegend, die man von einem Block identischer Landkarten abreißen konnte, ein Kreuz in die Landschaft.

»Nach dem, wie Sie es beschreiben, müsste es Schloss Nostritz sein. Das sind etwa fünf Kilometer von hier. Ich wusste gar nicht, dass das Schloss zum Verkauf steht.«

»Frau Kellermann will es nicht kaufen, sondern für Dreharbeiten mieten.«

»Dreharbeiten!« Die Augenbrauen des Geschäftsführers wanderten nach oben. »Wann denn?«

»Ich glaube, im November.«

»Da haben wir zu. Aber wenn ... ich meine, das sind bestimmt viele Leute bei so einem Filmdreh, oder?«

»Ja. Aber da fragen Sie am besten Frau Kellermann.«

»Natürlich. Schönen Tag noch!«

Auf dem Weg zum Wagen bemerkte Rachel, dass eine WhatsApp-Nachricht von Sarah eingegangen war. Sarah bat um Rückruf. Als Rachel die Nummer wählte, war nur die Box dran. Rachel hinterließ, sie würde es später noch einmal versuchen.

Judith Kellermann hatte nur den Knall gehört. Er war erstaunlich laut gewesen, aber sie hatte nicht gesehen, was die Ursache war. Das Glas der Windschutzscheibe hatte ein Loch, war das die Ursache des Knalls gewesen? Ein Stein? Gleichzeitig war ihr etwas hart gegen das Ohrläppchen geflogen. Ein großes Insekt oder ... nein, es musste der Stein gewesen sein. Sie hatte sich ans Ohr gegriffen und etwas Feuchtes gespürt, hatte kurz gedacht, der Stein wäre in Wahrheit eine Ladung Vogelexkremente gewesen, sich im selben Bruchteil einer Sekunde gewundert, wie hart doch Vogelscheiße sein konnte, unmittelbar darauf das Blut an ihren Fingern gesehen und aufgeschrien. Dadurch war der Wagen von der Straße abgekommen und an einen Baum geprallt. Ein zweiter Knall, und der Airbag hatte ihr ins Gesicht geschlagen, die Sonnenbrille war auf den Beifahrersitz geflogen. Einen Augenblick musste sie benommen gewesen sein, dann wachte sie auf, das Gesicht am Airbag, sie lehnte sich zurück, sah die Blutspur auf dem weißen Plastik und war immer noch verwirrt und außerstande zu begreifen, was geschehen war. Etwa fünfzig Meter entfernt bewegte sich etwas. Ein Mann kletterte von einem Hochsitz und hatte einen länglichen Gegenstand dabei, einen Stock oder – nein, es war ein Gewehr. Die rätselhaften Bruchstücke fügten sich mit einem Mal in grausamer Klarheit zu einem folgerichtigen, einheitlichen Ereignis: Er hatte auf sie geschossen und sie am Ohr getroffen. Hatte der Mann sie versehentlich getroffen? Ein tumber Tölpel von einem Jäger, der jetzt mit zitternden Knien kam, um sich zu entschuldigen? Die Silhouette des Mannes, die Art, wie er sich bewegte, all das kam Judith Kellermann bekannt vor. Kein Zweifel, das da vorn war Boris, und er kam nicht, um sich zu entschuldigen. Sie drückte panisch den Airbag zur Seite und kletterte auf der Beifahrerseite aus dem Wagen, der Seite, die Boris abgewandt war. Sie pries sich dafür, dass sie Jeans und Wanderschuhe angezogen hatte, warf einen Blick in den lichten Wald, der erst weiter hinten dichter wurde, dort musste sie hin. Boris war vermutlich nicht der schnellste. Sie spurtete ein paar Meter, bremste plötzlich ab, lief zurück zum Wagen und holte das Handy aus dem Fußraum der Beifahrerseite, wohin es durch den Aufprall gefallen war. Ein schneller Blick zum Hochsitz.

Boris war jetzt unten und lief Richtung Wagen, um sein Opfer zu verfolgen und zu Ende zu bringen, was er angefangen hatte. Hundert Meter hatte sie inzwischen Vorsprung. Sie hoffte, das würde reichen.

Das kleine Schloss kam ins Bild, als sich die lang gezogene Kurve des Forstweges begradigte, und unmittelbar darauf bemerkte Rachel einen weißen Fleck links am Wegesrand. Sie kam näher, und der Fleck wurde zu den Resten eines vor Kurzem ausgelösten Airbags in einem Cabrio, das gegen einen Baum gefahren war. Rachel wusste nicht, was für einen Wagen Judith Kellermann gemietet hatte. Aber es war vermutlich ein Cabrio, denn sie hatte Rachel empfohlen, ebenfalls eins zu nehmen bei dem schönen Wetter. Das rote Rinnsal verursachte einen Schauer auf Rachels Rücken und Armen. In der Kopfstütze war ein Loch, wenn sie nah heranging, sah sie etwas metallisch blitzen. Auch in der Scheibe war ein Loch. Der Schuss hatte die Windschutzscheibe, nicht aber die Kopfstütze durchschlagen, was Rachel zunächst wunderte. Aber die Kopfstütze bestand nicht nur aus Schaumstoff, sondern hatte in ihrem Inneren wohl auch Metallteile, die die Kugel aufgehalten hatten. Es war nicht viel Blut am Airbag, das war die einzige gute Nachricht im Augenblick. Judith Kellermann hatte vielleicht nur einen Streifschuss abbekommen. Das hier war wahrscheinlich das Werk von Boris.

Rachel schaute sich um, und ihr Herz schlug schneller. War Boris noch in der Nähe? Zikaden zirpten in der wabernden Hitze der Waldlichtung. In einiger Entfernung stand ein Hochsitz, der zur Lichtung ausgerichtet war, aber ein Seitenschlitz zeigte genau zum Wagen. Sie versuchte, sich vorzustellen, wie Boris geschossen und Kellermann getroffen hatte. Sie hatte das Lenkrad verrissen, vor Schreck oder weil sie bewusstlos geworden war – und dann? Was war dann passiert? Die Beifahrertür stand offen. Hatte Kellermann noch fliehen können? Rachel holte ihr Handy aus der Handtasche und stellte fest, dass es kein Netz gab. Sie stieg wieder in ihren Wagen und fuhr bis zum Schloss. Hier gab es einen kleinen Balken auf dem Display. Sie wählte den Notruf und meldete, dass auf jemanden geschossen worden war und es vermutlich Verletzte oder gar Tote gab.

Die Frau am anderen Ende der Leitung machte einen skeptischen Eindruck. Zu abenteuerlich erschien ihr wohl Rachels Schilderung der Ereignisse.

»Ist die Lage so unübersichtlich, dass Sie es nicht sagen können, ob es Tote und Verletzte gibt?«, fragte die Frau. »Sehen Sie jetzt verletzte Menschen?«

»Nein, hier gibt es nur einen Wagen an einem Baum mit einem blutverschmierten Airbag. Außerdem steckt in der Kopfstütze eine Kugel.«

Kurzes Schweigen am Ende der Leitung. »Wo ist die Person, die den Wagen gefahren hat?«

»Das weiß ich nicht. Vermutlich in den Wald gelaufen. Und vermutlich wird sie von demjenigen verfolgt, der auf sie geschossen hat.«

»Haben Sie gesehen, dass auf die Person geschossen wurde?«

»Nein. Aber das ist offensichtlich.«

»Okay … wissen Sie zufällig, wer die Person ist, auf die geschossen wurde?«

»Sie heißt Judith Kellermann und kommt aus München.« Rachel gab alle Daten durch, die sie von Judith Kellermann kannte.

»Sie kennen die Frau also?«

»Ja.«

»Haben Sie schon versucht, sie telefonisch zu erreichen?«

»Ja, aber es gibt hier keinen Empfang.«

»Von wo aus telefonieren Sie jetzt?«

»Ich bin ein paar Hundert Meter gefahren, bis ich Empfang hatte. Wären Sie so nett, endlich jemanden zu schicken! Es geht um Leben und Tod.«

»Natürlich. Ich schicke einen Einsatzwagen vorbei. Bewahren Sie inzwischen bitte Ruhe und bringen Sie sich nicht in Gefahr.«

Rachel argwöhnte, dass in den Augen dieser Frau *sie* die einzige wirkliche Gefahr darstellte.

Rachel wartete nervös mit laufendem Motor in ihrem Wagen – es war nicht so unwahrscheinlich, dass Boris noch einmal zurückkam. Die Minuten vergingen, die Zikaden zirpten, eine Bremse stach, aber kein Polizeiwagen kam. Ein erneuter Anruf bei der Polizei brachte die Auskunft, dass alle verfügbaren Kräfte zu einem Brand gerufen worden waren, jetzt aber auf dem Weg seien. Rachel rief Baum an.

»Mecklenburg! Ist sehr schön da oben. Ich habe meine Kindheit in der Nähe von Prenzlau verbracht.«

»Was halten Sie davon, mal wieder herzukommen?«

Rachel berichtete, was vorgefallen war, und behielt dabei sorgsam die Gegend im Auge.

»Das klingt nicht gut. Da hat einer noch eine Rechnung offen.«

»Wenn wir wüssten, wer, könnten wir ihn vielleicht stoppen. Können Sie herfliegen?«

»Wann?«

»Sofort. Ich brauche Sie. Judith ist irgendwo in diesem riesigen Waldgebiet auf der Flucht.«

»Sie hat keinen Handyempfang?«

»Anscheinend nicht.«

Baum überlegte kurz, dann sagte er: »Okay, ich schau, dass ich den nächsten Flug nach Berlin kriege. Ich ruf Sie aus dem Auto an, und dann informieren Sie mich über alles Weitere. Wird das eigentlich von Jonas Kellermann bezahlt?«

»Machen Sie sich keinen Kopf. Sie werden von mir bezahlt. Und ich komm schon an mein Geld.«

Sie war in den Wald gelaufen, bis sie das dichte Unterholz erreichte. Nach kurzer Pause lief sie weiter und kam an eine ehemalige Lichtung, die ein Winterorkan in den Wald gestanzt hatte. Jetzt war hier Bewuchs aus jungen Eichen und Kiefern, gelegentlich Buchen. Er war fast undurchdringlich. Sie stürzte sich hinein in das Gestrüpp und lief immer weiter. Äste und Brombeerzweige zerkratzten ihr die Arme. Sie spürte es kaum. Sie hatte Todesangst und wollte weg von hier. Raus aus dem Wald zu irgendeiner menschlichen Siedlung. Doch der Landstrich war groß und dünn besiedelt. Sie hatte nicht einmal eine Vorstellung, in welche Richtung sie lief, geschweige denn, wo das nächste Dorf lag. Nach einer Viertelstunde und am Ende ihrer Kräfte kam sie an eine brach liegende Wildfütterung und versteckte sich hinter einem verfallenen Verschlag. Sie atmete tief durch, achtete aber darauf, es leise zu tun. Die Lungen brannten und auch die Schenkel. In die Arme hatte die Vegetation wilde Striemenmuster geschnitten, und die linke Schulter ihres T-Shirts hatte sich mit Blut vollgesogen. Sie fasste sich ans Ohr. Das Ohrläppchen fehlte fast vollständig, aber es hatte aufgehört zu bluten.

Sie spähte um die Ecke des Verschlags, das Herz schlug ihr bis zum Hals. Einen Steinwurf weit entfernt war eine grüne Wand aus jungen Birken, Buchen und Erlen, die Blätter flimmerten im Wind. Sie lauschte. Von überall kamen Geräusche, die meisten nicht menschengemacht. Doch war da zwischen all dem Zirpen, Rauschen und Zirren jenes regelmäßige Rascheln, das die Schritte eines Mannes verursachen, der durch den Wald marschiert? Noch war nichts zu hören. Sie zog das Handy aus der Hosentasche. Auch hier gab es kein Netz. Doch fiel ihr die Kompass-App auf, die ihre exakten Koordinaten anzeigte. Sie funktionierte über Satellit, dazu brauchte man kein Netz. Sie schwenkte das Handy, um den Kompass zu kalibrieren, auch das funktionierte. Nach ein paar Sekunden zeigte ihr der Kompass die Himmelsrichtung. Deswegen wusste sie immer noch nicht, wo das nächste Dorf war. Aber zumindest würde sie nicht im Kreis laufen.

Schweiß bedeckte Arme, Gesicht und Hals, die Jeans klebten an den Beinen. Ein Windhauch trug den Duft süßer Honigblüten herbei. Judith Kellermann sah sich um. Viel zerfallendes Holz. Der Fütterungskorb für das Heu im Winter hatte kaum noch Stäbe, von dem Verschlag, in dem einst Werkzeug und Salzblöcke gelagert worden waren, hingen die meisten Bretter lose weg. Sie überlegte, ob sie sich darin verstecken sollte. Aber es war mehr eine Falle als ein Versteck. Wie sie das Innere des Verschlags untersuchte, fiel ihr ein alter Spaten auf. Der Griff war noch intakt und das Schaufelblatt rostig, aber noch zu gebrauchen. Als sie in Richtung der Jungbäume lauschte, war es auf einmal da, noch fern, aber deutlich vernehmbar: Schritte durch das Unterholz. Kräftige Schritte. Männliche Schritte. Der Herzschlag schnürte ihr den Hals ab, und die Angst senkte sich wie ein eisiger Dolch in ihren Magen. Sie steckte das Handy ein, nahm den Spaten und rannte los. Wie hatte er sie finden können? War er indianischer Spurenleser? Selbst wenn, man musste immer wieder nach den Zeichen Ausschau halten, abgeknickte Zweige, Fußabdrücke, ein Stofffetzen an einem Busch. Sie aber war gerannt, und Boris hatte nicht viel Zeit verloren. Diese Gedanken gingen ihr durch den Kopf, während sie durch ein Stück locker bestandenen Kiefernwald lief. Das war kein gutes Gelände, bald würde er sie sehen. Sie bog ab und verschwand in dichterem Jungbewuchs, rannte zickzack, sprang in einen Bach und folgte dem Wasserlauf für fünfzig Meter, stieg wieder ans Ufer und suchte erneut das Dickicht. Schließlich gelangte sie an die Reste eines Hauses. Das Dach fehlte, und die meisten Fenster hatten kein Glas mehr. Es war nicht ersichtlich, zu welchem Zweck das Gebäude einst gedient hatte. Vielleicht ein ehemaliges Forsthaus, denn es lag auf einer Lichtung mitten im Wald, und neben dem Haus waren die Reste eines mit Maschendraht umhegten, von Brombeeren überwucherten Gemüsegartens.

Es war still hier, nur einige Krähen stießen ihr unzufriedenes Klagen in die Waldluft. Sie lehnte den Spaten an die Wand und setzte sich an die Hausmauer. Es war vorbei. Ihre Kräfte waren am Ende. Weiterrennen konnte sie nicht. Eine Weile saß sie im Halbschatten und war bereit, sich in ihr Schicksal zu ergeben. Es überkam sie der Wunsch, einzuschlafen und den Rest der Vorsehung zu überlassen.

Nachdem sich eine Weile nichts mehr rührte im Wald, keimte Hoffnung, dass Boris ihre Spur verloren hatte. Sie holte das Handy aus der Jeans und betrachtete das Display mit dem Kompass und den Koordinaten. Links oben in kleiner Schrift der Vermerk: kein Netz.

Da war es wieder! Ein Windstoß trug es herüber, über die jungen Bäume und den brombeerüberwachsenen Gemüsegarten: ratsch, ratsch, ratsch … Er hatte sie gefunden. Aber wie? Sie hatte alle Pfadfinderkniffe eingesetzt, um ihre Spur zu verwischen. Aber, das wurde ihr jetzt klar: Boris brauchte keine abgeknickten Zweige, um ihr auf der Spur zu bleiben. Er brauchte nur ihr Handy. Auch ohne Netz hatte es Verbindung zum Satelliten und konnte bis auf einen Meter genau geortet werden. Sie musste es vollständig ausmachen, nicht nur Flugmodus ein- oder die GPS-Suchfunktion abschalten. Aber selbst dann war sie sich nicht sicher, ob es nicht doch noch eine Verbindung gab. Wer weiß, was der Hersteller alles eingebaut hatte, um die Wege seiner Kunden zu verfolgen. Aber es war zu spät. Boris kam näher. Sie sah den Spaten neben sich an der Hauswand lehnen und fasste einen Entschluss.

Neben dem Haupthaus befand sich ein kleiner Anbau, darin eine Toilettenschüssel. Es war vermutlich das Außenklo des Forsthauses gewesen. Auch dem Anbau fehlte das Dach, was ihn für Judiths Zwecke bestens geeignet machte. Sie hob den altertümlichen Porzellandeckel vom Spülkasten. Darin wohnten etliche kleine Tiere, aber es war trocken, denn den Wasseranschluss hatte man längst stillgelegt. Sie legte ihr Handy in den offenen Spülkasten und sah nach oben. Freier Himmel mit ein paar Kiefernkronen. Die Satelliten hatten gute Sicht auf ihr kleines Telefon.

Er hatte den Blick starr nach unten gerichtet, als er aufs Haus zuging. In der Hand ein Tablet, das ihm, so vermutete Judith, seine eigene und die Position ihres Handys anzeigte, über der Schulter das Gewehr. Immer wieder sah er auf, um die Tablet-Grafik mit der Wirklichkeit abzugleichen. Als er das Haus sah, blieb er stehen und scannte das Gebäude und seine unmittelbare Umgebung ab. Das Tablet sagte Boris, dass sich Judith Kellermann genau hier aufhalten musste. Es sei denn, sie hätte ihr Handy weggeworfen. Aber warum sollte sie das tun? Es war ihre einzige Möglichkeit, Hilfe zu rufen, falls sie jemals wieder Empfang hatte. Die beiden blinkenden Punkte auf der Grafik lagen nah beieinander. Boris zog die Grafik mit zwei Fingern größer, um genauer zu sehen, wo das Handy war. Er hob den Kopf, und sein Blick fiel auf den Anbau mit der Kloschüssel darin. Verwunderung lag in seinem Blick, denn Judith war nicht da, wo das Handy war. Oder verbarg sie sich in dem winzigen Anbau?

Aus dem Schatten der Hausecke hatte sie Boris beobachtet. Jetzt ging er auf sie zu. Sie zog den Kopf zurück und wartete. Ab jetzt musste sie sich auf ihre Ohren verlassen. Die Schritte klangen dumpf auf dem grasbewachsenen Boden vor dem Haus, aber sie kamen vernehmlich näher. Jetzt mischte sich auch angestrengtes Schnaufen in die Schrittgeräusche. Die Verfolgungsjagd war auch für Boris mit seinen über fünfzig Jahren kein Spaziergang gewesen. Ein Lufthauch wehte Rasierwasserduft im Spätstadium der Zersetzung herüber. Es war das gleiche Rasierwasser, nach dem Boris bei ihren Treffen im Mai immer roch. Sie hatten unbeschwerte Stunden verbracht, und es war ausnehmend nett mit ihm gewesen. Jetzt wollte er sie umbringen. Es passte nicht zusammen, aber es war so. Die Schritte wurden mit einem Mal leiser und verstummten ganz. Boris hatte die Toilette betreten. Ein tönernes Klingen verriet, dass er das Handy im Spülkasten entdeckt hatte. Wenn, dann musste sie es jetzt tun. Sie zitterte vor Angst und versuchte, kontrolliert zu atmen, stellte sich vor, wie sie zuschlagen würde, ein Schlag, ein wuchtiger, brutaler, knochenzermalmender Hieb mit allem, was noch an Kraft in ihr war. Sie atmete durch und kämpfte gegen ihr Zittern an, richtete sich auf, drückte die Brust durch, packte den Spaten mit beiden Händen, das Blatt zeigte bedrohlich nach oben, dann schlich sie um die Ecke des Anbaus, zögerte kurz, bevor sie um die nächste Ecke bog, denn da war die Tür zur Toilette und sie wusste nicht, was sie dort erwartete, machte den nächsten Schritt und stand vor der Toilettentür. Boris hatte ihr Handy in der Hand und drehte sich zu Judith, die jetzt vor die Tür getreten war. In diesem Moment wurde ihr bewusst, dass ihr Plan jämmerlich dumm und schlecht durchdacht war. Sie konnte nicht mit über dem Kopf erhobenem Spaten auf Boris einschlagen, solange er in der Toilette war. Sie würde nur den Türstock treffen. Aber Boris war, obwohl durch viele Kriegsjahre für solche Situationen geschult, überrascht. Überrascht, dass die kleine, schmächtige Frau mit der dicken Nase mit einem Spaten vor ihm stand und beabsichtigte, um ihr Leben zu kämpfen. Er ging auf sie zu, um sie zu entwaffnen. Aber Judith nahm den Spaten herunter, trat einen Schritt zurück, hielt ihn jetzt waagerecht, die Spitze des rostigen Blattes auf Boris gerichtet, und stach zu. Am Ende ihrer Bewegung wischte das Spatenblatt nach oben, Boris bekam es nicht rechtzeitig zu greifen, und es traf ihn mit überraschender Wucht am Hals. Er wich einen Schritt zurück, stolperte dabei über die Schwelle des Toilettenanbaus, verlor das Gleichgewicht, stürzte nach hinten – und schlug mit dem Kopf auf der Toilettenschüssel auf.

Judith Kellermann blickte mit zitternden Knien auf Boris. Er lag da, massig, reglos, Gesicht nach unten, auf seinem Gewehr, dessen Riemen immer noch über der

Schulter lag. War er tot? Hatte er sich das Genick gebrochen? Oder würde er gleich wieder zu sich kommen? Um sicherzugehen, müsste sie ihn mit seinem Gewehr erschießen. Sie war mittlerweile zu fast allem bereit, um am Leben zu bleiben. Und auch das erschien ihr als reale Option. Nein, sie konnte ihn nicht erschießen, während er ohnmächtig am Boden lag. Aber sie könnte ihm ins Bein schießen. Am besten ins Knie. Ein Ekelschauer durchlief sie bei der Vorstellung. Doch, das würde sie über sich bringen und ohne die geringsten Schuldgefühle. Sie musste nur an das Gewehr kommen. Und ihr Handy brauchte sie ebenfalls wieder. Doch es war nirgends zu sehen. Nur das Tablet lag auf dem Boden mit zersplittertem Screen und schwarzem Bildschirm. Ihr Handy hatte Boris vermutlich unter sich begraben. Sie näherte sich langsam und trat vorsichtig neben den am Boden liegenden Körper, beugte sich nach unten und zog das Gewehr langsam unter der Schulter hervor. Zentimeter um Zentimeter kam es heraus. Schließlich musste Judith seinen Arm ein wenig anheben, um die Waffe endgültig freizubekommen. Der Arm war schwer und warm und schnappte plötzlich nach ihr …

50

Fast eine halbe Stunde nach Rachels Anruf waren zwei junge Polizisten eingetroffen und hatten die Lage begutachtet.

»Is dit Ihr Wagen?«, fragte der ältere der beiden und offenbar Wortführer im Team.

»Nein, das ist der Wagen der verschwundenen Person.«

»Haben Sie gesehen, wie die Person verschwunden ist?«

»Ich bin erst nach ihrem Verschwinden eingetroffen.«

»Woher wissen Sie dann, dass sie verschwunden is?«

Rachel deutete auf Judith Kellermanns Cabrio. »Fällt Ihnen was auf? Es hat einen Unfall gegeben, und es ist Blut geflossen.«

»Der Fahrer ist, würde ick mal sagen, von der Straße abgekommen, gegen den Baum geknallt, und dann ist der Airbag aufgegangen. Wahrscheinlich hat er sich wat angehauen oder Nasenbluten gekriegt. Passiert manchmal bei Airbags.«

»Dann ist er ausgestiegen«, mischte sich jetzt der jüngere Kollege ein, »entweder, um Hilfe zu holen, oder um Unfallflucht zu begehen.«

»Wahrscheinlich hat er einfach 'n Netz gesucht. Is ja hier keen Empfang, wa.«

»Da vorn ist Empfang. Aber egal. Die Person, sie heißt im Übrigen Judith Kellermann, also Frau Kellermann ist nicht einfach ausgestiegen, um nach Handyempfang zu suchen.«

»Woher wollen Sie dit wissen?«

»Weil auf sie geschossen wurde.«

Im Blick des Polizisten lagen massive Zweifel, ob Rachel noch alle Tassen im Schrank hatte. Sie wies auf das von Rissen umgebene Loch in der Windschutzscheibe.

»Die zersplitterte Scheibe ist nicht beim Unfall entstanden. Das ist ein Einschussloch. Und da in der Kopfstütze steckt die Kugel. Sie hat Frau Kellermann wahrscheinlich nur gestreift. Daher das Blut. Ich schätze, der Schuss kam von da.« Rachel deutete auf den Hochsitz.

Die Beamten sahen sich etwas ratlos an. Um des lieben Friedens willen holte der ältere Beamte eine Taschenlampe aus dem Streifenwagen, leuchtete ins Kopfstützenloch und verkündete: »Brauchen wa 'ne Pingsette.«

»Ich will mich nicht in Ihren Job einmischen«, sagte Rachel. »Aber ich würde die Kugel drinlassen, bis die Spurensicherung kommt.«

Der Wortführer der Streife stellte sich vor Rachel auf und verschränkte die Hände vor der Brust. »Gut. Also nehmen wir mal an, jemand hat auf Ihre Freundin geschossen. Nur mal angenommen. Warum dit Ganze? Jagdunfall?«

»Nein. Der Schütze wollte sie töten.«

»Weil?«

»Es ist jemand, der sagen wir von Berufs wegen Menschen tötet.«

»Killer oder wie?«

»Könnte man so sagen.«

»Aha. Da ist ein Killer hinter Ihrer Freundin her. Hat sie ihren Mann betrogen?«

»Nein. Sie ist nicht verheiratet. Ich weiß noch nicht, warum jemand sie umbringen will. Aber Ihre Kollegen von der Münchner Kripo versuchen gerade, es herauszufinden.«

»Wissen Sie – wir haben hier nicht so viele Killer in der Gegend. Eigentlich hatten wir noch nie einen. Aber wir hatten schon viele Autofahrer, die einen Unfall bauen und dann durch die Gegend laufen, weil es kein Netz gibt.«

»Ja, ich gebe Ihnen recht. Meine Geschichte ist auf den ersten Blick nicht die plausibelste Erklärung für das, was

Sie hier sehen. Aber ich schwöre Ihnen, es war so. Bitte rufen Sie Ihre Kollegen von der Kripo. Und die sollen sich mit Kommissar Mantell von der Kripo München in Verbindung setzen. Ich kann Ihnen die Telefonnummer geben.«

Die Polizisten sahen sich zum wiederholten Male an. Rachel war klar, dass ihre Geschichte schwer zu glauben war für jemanden, der die Vorgeschichte nicht kannte. Aber sie hoffte, dass man in München anrufen und die Bestätigung bekommen würde, dass es ernst war.

»Und Sie müssen dringend diese Frau finden. Sie irrt wahrscheinlich hier im Wald herum. Sie kennt sich nicht aus in der Gegend.«

»Irgendwann trifft sie auf 'ne Straße. Ist ja nicht der Amazonas hier.«

»Wenn sie es bis zur Straße schafft. Der Kerl, der auf sie geschossen hat, ist wahrscheinlich hinter ihr her und will die Sache zu Ende bringen.«

»Haben Sie eine Ahnung, wer der Killer sein könnte?«

»Vielleicht der Besitzer dieses Wagens da?« Rachel deutete auf eine Gruppe junger Buchen. Erst jetzt war ihr aufgefallen, dass dahinter etwas Größeres stand. Und da jetzt ein kleiner Teil davon, von einem Sonnenstrahl berührt, metallicgrau leuchtete, musste es wohl ein Auto sein.

Die Polizisten fanden innerhalb von Minuten heraus, dass es sich bei dem SUV um einen Mietwagen handelte. Der Mieter war ein serbischer Staatsangehöriger namens Milutin Milanković. Rachels Google-Suche ergab: serbischer Mathematiker, 1958 verstorben, hat sich durch die Entdeckung der Milanković-Zyklen um die Paläoklimatologie verdient gemacht.

»Ich würde mal vermuten, Milanković ist nicht sein richtiger Name«, sagte Rachel. »Rufen Sie bitte in München an. Die werden Ihnen bestätigen, dass es ernst ist.«

Das taten die Polizisten zwar nicht. Aber immerhin dämmerte ihnen, dass hier speziellere Expertise gefragt war, und sie riefen die Kollegen von der Kripo an.

Der Griff lag fest um ihren dünnen Unterarm. Boris hatte kräftige Hände. Als er sie packte, war Judith das Herz fast stehengeblieben. Er schien noch benommen zu sein und sah sie aus halb geschlossenen Augen an. Wie viel er von der Situation begriff, war schwer zu sagen. Sie zog und versuchte, sich frei zu machen. Aber er hielt sie weiter umklammert. Es schien mehr Reflex zu sein als Absicht. Langsam glitt ihr Arm nach oben aus seiner Hand, denn sie war verschwitzt, und so rutschte der Arm durch, bis Judiths Handgelenk die Bewegung bremste. Sie versuchte, ihre Hand schmal zu machen. Boris brummte mit verschleiertem Blick und wollte nicht loslassen. Er klammerte, als gelte es sein Leben, als dürfte er diese Beute nicht mehr fortlassen. Sie versuchte eine andere Taktik. Statt zu ziehen, drückte sie mit einem Mal nach vorn. Benommen, wie er war, schien Boris überrascht von dieser Wendung und ließ für einen Augenblick locker, aber nur, um in der gleichen Bewegung wieder zuzupacken. Jetzt weiter oben zum Ellbogen hin. Sie überlegte, wie sie seinen Griff lockern konnte. Ihm ins Gesicht oder auf den Arm treten? Vielleicht wirkte es, vielleicht aber wachte er davon auf. Das Risiko schien ihr zu groß. Wieder glitt ihr Arm durch den Eisengriff nach oben, und Boris' Hand und ihr Handgelenk näherten sich wieder. Gleich würde es nicht mehr weitergehen. Sie sammelte allen Speichel im Mund, den ihr Körper noch zu produzieren imstande war, spuckte alles in die freie Hand und rieb die gefangene Hand damit ein. Immer näher kam ihr von Spucke glänzendes Handgelenk der klammernden Hand, und kaum trafen sich beide, ging es überraschend schnell. Ihre Hand flutschte durch seine hindurch, als wäre sie eingeölt. Er versuchte nachzugreifen, aber Judith sprang von ihm weg und rannte aus der Toilette. In ihrer Panik achtete sie nicht auf den Boden und trat auf einen vor dem Anbau liegenden Balken, der früher Teil des Dachs gewesen war. Der Schmerz stach in den Knöchel, als der Fuß umknickte. Sie versuchte weiterzulaufen, aber schon beim ersten Bodenkontakt des verletzten Fußes sackte ihr Bein weg. Der Stich war zu heftig. Sie sah zur Toilette. Der nahezu reglose Körper von Boris lag immer noch auf dem Boden. Gelegentlich zuckte er ein wenig und gab Knurrgeräusche von sich.

Judith kroch auf allen vieren in den Wald, wo es Sichtschutz gab, und zog sich an einem kleinen Baum hoch. Sie blickte sich auf einem Bein stehend um. Einige Meter weiter war ein Haufen Unrat, Dinge, die man aus dem Haus geholt hatte. Vielleicht wollte sie jemand verbrennen und hatte es vergessen. Vielleicht sollte das Haus renoviert werden, und es war nicht mehr dazu gekommen. Zwischen alten Gardinen, Waschmittelkanistern, Schuhen, einem Servierwagen und anderem Gerümpel ragte ein alter Schrubber hervor. Judith schleppte sich zu dem Abfallhaufen und zog den Schrubber heraus. Er war feucht und stank, und die Borsten faulten, aber das Holz war noch stabil. Sie steckte den Schrubberkopf unter die Schulter auf der Seite des verletzten Fußes und hatte jetzt eine Krücke. Nur eine, aber es war besser als keine, denn so konnte sie sich, wenn auch langsam, fortbewegen. Sie atmete noch einmal durch und humpelte los. Hinein in den Wald. Von irgendwoher kam Aasgeruch.

51

Der den Einsatz leitende Kommissar hieß Thelkow und teilte vorsorglich schon bei der Begrüßung mit, dass er Wortwitze über Telefonkonferenzen nicht mehr hören könne. Er hatte mit Mantell gesprochen und daraufhin die Spurensicherung kommen lassen. Außerdem forderte er einen Hubschrauber zur Suche der vermissten Personen an.

Rachel telefonierte in der Zwischenzeit mit Baum, der auf seinen Flieger wartete.

»Sind Sie sicher, dass es mit der Mordserie damals zu tun hat?« Baum stand in einem weniger frequentierten Bereich etwas abseits seines Abflug-Gates und sah zum Rollfeld hinaus.

»Es ist unsere einzige Spur«, sagte Rachel.

»Gut, dann lass ich alles zusammentragen, was meine Leute über diese Schauspielerin …« Er zögerte.

»Beatrice Heinlein.«

»… Beatrice Heinlein finden können. War sie bekannt?«

»Sie hatte meistens Nebenrollen in TV-Movies und ab und zu eine Episodenrolle in einer Serienfolge. Aber für einen Wikipedia-Eintrag hat es gereicht, und Sie finden auch Bilder von ihr im Internet.«

»Können Sie mir die Handynummer von Judith Kellermann geben?«

»Ich schick Ihnen eine WhatsApp.«

»Okay. Dann haben wir noch Kommissar Schwaiger. Von dem bräuchte ich auch die Telefonnummer. Vielleicht muss ich mal mit ihm reden.«

»Ja gut, aber …« Rachel zögerte.

»Keine Sorge. Nur in Abstimmung mit Ihnen.« Er hantierte an seinem Laptop, während er telefonierte. Fotos von Frauen erschienen bei seiner Google-Suche auf dem Bildschirm. »Und dann noch die Mutter – da sagten Sie, die wusste Bescheid? Dass Kellermann damals falsche Aussagen gemacht hat?«

»Das ist zu vermuten. Ich schick Ihnen auch deren Telefonnummer. Vielleicht hat sie ja jemanden angerufen, nachdem ich bei ihr war.«

»Das wird allerdings Frau Heinleins Geheimnis bleiben. Es sei denn, Sie legen mir die Begehung von Straftaten nahe.«

»Auf keinen Fall. Ich habe nur laut nachgedacht. Wann können Sie hier sein?«

Baum blickte Richtung Abflug-Gate. In die Wartenden war Bewegung gekommen. »Das Boarding fängt gerade an. Ich denke, in zwei Stunden bin ich da.«

Der Weg durch den Wald war mühsam, und die Bremsen wurden aggressiver. Mit der Schrubberkrücke kam sie nur langsam vorwärts, und es strengte Judith an. Alle hundert Meter musste sie anhalten, um Kräfte zu sammeln. Auch der Durst wurde zum Problem. Als sie im Bach gewatet war, hatte sie eine Handvoll Wasser getrunken. Aber das war eine Dreiviertelstunde her, und es war heiß. Sie fühlte sich außen feuchter als innen, als habe sie alles Wasser aus ihrem Körper herausgepresst. Die Pausen wurden häufiger und länger, und ständig sah sie angsterfüllt in die Richtung, aus der sie gekommen war. Irgendwann würde er wieder aufstehen und sie suchen. Boris war zäh. Aber sie war es auch. Nach einer weiteren halben Stunde wurde der Durst unerträglich, und sie hatte am Ende ihrer Rast kaum noch die Kraft, wieder aufzustehen. Eine gewaltige Müdigkeit befiel Judith, und die Aussicht, hier auf dem Waldboden in der Nachmittagswärme einzuschlafen, war verführerisch. Noch aber war Leben in ihr. Solange sie lebte, würde sie weitergehen. Und so schleppte sie sich humpelnd immer weiter durch den endlosen Wald. Mit einem Mal wurden ihre Qualen unverhofft belohnt. Es war nicht der Gabentisch an Weihnachten. Aber immerhin ein kleiner Streifen sumpfiger Untergrund. Auf dem schwarzen Matsch schwamm ein bisschen brackiges Wasser. Man musste sich auf den Bauch legen und es langsam aufschlürfen. Es war köstliches, warmes, schmutziges, muffiges Wasser. Bis sie eine nennenswerte Menge Flüssigkeit in sich eingesogen hatte, dauerte es eine Weile. Dann zog sie sich an ihrer Krücke hoch und humpelte weiter.

Der Wald wurde jetzt lichter, und ein paar Hundert Meter entfernt schien er aufzuhören. Was war da? Eine Lichtung? Eine Straße? Ein See? Einerlei, was es war, es war womöglich die Rettung. Schritt um Schritt näherte sie sich dem hellen Ende des Waldes. Die Seiten taten ihr weh wegen der ungleichen Belastung. Aber die Hoffnung hatte neue Kräfte freigesetzt. Sie musste noch über eine kleine Anhöhe, dann würde sie sehen, was vor ihr lag. Und als sie sich den mit Kiefernnadeln bedeckten kleinen Hang hinaufkämpfte, erschien etwas Rotes dahinter. Zwei Schritte später konnte sie erkennen, was da vorn auf sie wartete: ein Dach. Das Dach eines Hauses. Dann kam noch ein Dach zum Vorschein und noch eins, und schließlich tauchte hinter einem Baum sogar ein kleiner Kirchturm auf. Es war ein Dorf. Sie blickte von der kleinen Anhöhe hinunter auf den Weiler zu ihren Füßen. Tränen des Glücks stiegen ihr in die Augen. Ein Dorf! Ein kleines, etwas heruntergekommen wirkendes Dorf. Doch für Judith war es das schönste Dorf der Welt.

Ein letztes Mal drehte sie sich um und blickte den langen Weg zurück, den sie gekommen war. Er war gut zu erkennen, wie sie mit einem gewissen Entsetzen feststellte. Sie hatte den Besenstiel meist auf dem Boden nachgeschleift, denn sie war zu entkräftet, um ihn jedes Mal anzuheben. Das hatte eine gut sichtbare Spur hinterlassen.

Sollte Boris wieder erwachen – er würde sie finden. Und als würde ihre Angst in diesem Augenblick zum Leben erweckt, bewegte sich etwas ganz hinten am Sichtende ihrer Spur. Jemand kam näher. Nicht behände, aber stetig. Und er hatte ein Gewehr über der Schulter.

Als Baum in Berlin-Tegel gelandet war, lagen bereits erste Ergebnisse vor. Er war auf dem Weg zum Mietwagen-Schalter, hatte ein Telefon im Ohr, einen Rucksack auf dem Rücken und trug den Laptop offen vor sich her. Auf dem Bildschirm war ein kurzer Bericht seiner Münchner Mitarbeiter über das, was man in der Kürze der Zeit hatte herausfinden können.

»Ist irgendwas Interessantes dabei?«, fragte Rachel, die sich immer noch im Wald aufhielt, allerdings etwas abseits des Tatortes, denn da waren jetzt Beamte der Spurensicherung bei der Arbeit.

»Ja, da war was. Warten Sie ...« Baum scrollte den Bericht nach oben. »Doris Heinlein hat nach Ihrem Besuch anscheinend sofort telefoniert.«

»Herr Baum! *Ich* habe sie nicht dazu angestiftet ...«

»Keine Ahnung, wer da eigenmächtig herumgehackt hat. Von mir kam die Anweisung nicht. Aber jetzt, da wir es wissen – sollen wir es ignorieren?«

»Mit der juristischen Seite befassen wir uns später. Wen hat Heinlein angerufen?«

»Kommissar Schwaiger.«

Rachel war so überrascht, dass sie eine Weile nichts sagte. »Klar. Sie kennt Schwaiger natürlich«, sagte sie schließlich.

»Er hat bei dem Mord an ihrer Tochter ermittelt. Die beiden haben bestimmt mehrmals miteinander geredet.«

»Das kann sein. Allerdings hat sie Schwaigers Nummer nicht gesucht. Jedenfalls nicht per Handy. Und Telefonbücher gibt es kaum noch.«

»Das heißt?«

»Die Nummer war vermutlich in ihrem Handy gespeichert.«

»Vielleicht hat sie die Nummer damals eingespeichert. Als sie öfter mit ihm zu tun hatte.«

»Möglich. Aber wenn sie von Judith Kellermanns Falschaussagen gewusst hat, kann das auch etwas anderes bedeuten.«

»Sie meinen, sie hat die Information von Schwaiger.«

»Das wäre naheliegend. Fragt sich, warum Schwaiger ihr das erzählt hat. Das kann dich als Polizist den Job kosten.«

»Das bedeutet ...?«

»Dass wir rausfinden sollten, was die beiden verbindet. Ist vielleicht mehr als nur der Mord an Heinleins Tochter.« Baum schob die Berichtsdatei auf dem Bildschirm zur Seite. Darunter kamen einige Fotos zum Vorschein. Eins davon erregte Baums Interesse. »Ich sehe hier gerade ein Foto: ein Mann um die dreißig mit Schulterpolster-Jackett und Vokuhila. Daneben eine Frau mit Haaren wie Jane Fonda in ihren besten Jahren.« Er schüttelte den Kopf. »Unglaublich. Der Bursche ist anscheinend Schwaiger. Ist in den Achtzigerjahren aufgenommen. Und Doris Heinlein ist auch auf dem Foto.«

»Als Liebespaar?«

»Nicht unbedingt. Da sind noch andere Leute drauf. Das haben wir aus dem Internet gezogen. Diese Fotos sind nicht immer beschriftet. Könnte bei einem Filmdreh sein.«

»Schicken Sie es mir. Ich finde das raus.«

Das erste Haus, an dem Judith vorbeikam, hatte intakte, geschlossene Fenster. Es war ein niedriges, altes Haus, und sie konnte ohne Mühe ins Innere sehen. Ein altes Sofa stand im Raum, die Polster staubig und teils aufgerissen, Tapeten blätterten von den Wänden, zwei Dielen fehlten im Boden. Die Küche, ein Fenster weiter, sah genauso verlassen aus. Orangefarbene Kacheln an den Wänden im Design der Sechziger- oder Siebzigerjahre. Ein altes Bügelbrett lehnte zusammengeklappt an der Wand. Hier lebte niemand.

Es waren nicht viele Gebäude, die in dem Weiler zusammenstanden. Die meisten waren so weit erhalten, dass man genauer hinsehen musste, um festzustellen, dass sie leer standen. In einigen Häusern gab es noch Gardinen, auf einem Fensterbrett stand eine Blumenvase, die so hässlich war, dass man sie wohl lieber hiergelassen hatte.

Judith rief: »Hallo?«, in die Hitze des Nachmittags, »ist hier jemand?« Hier war niemand. Schon länger nicht mehr. Eine kleine Straße mit vielen Schlaglöchern führte aus dem Weiler hinaus. Sie würde irgendwo in eine größere Straße münden. Nur würde Judith auf der Straße eine gute Zielscheibe abgeben für Boris. Er musste bald aus dem Wald kommen. Sie stand auf einem kleinen Platz, um den die meisten Häuser gruppiert waren. Es waren alte Gebäude, die meisten vor dem Krieg errichtet. Eins sah aus wie eine alte Schule, Gründerzeit mit Stuckaturen um die Fenster und einer schön geschnitzten Eingangstür. Das Haus hatte Erdgeschoss und ersten Stock, darüber das alte Dach, ein paar Ziegel fehlten. Im Dach war ein klassizistisches Giebeldreieck mit rundem Fenster.

Seit sie aus dem Wald gekommen war, hatte sie darauf geachtet, nicht mehr mit dem Krückenstiel über den Boden zu schleifen. Aber vielleicht sollte sie das jetzt tun, bevor sie sich in einem der Häuser versteckte.

Als das Dorf vor ihm lag und er sich den Schweiß von der Stirn wischte, die Wunde an seinem Kopf berührte und spürte, jetzt würde es aufs Finale zugehen, war ihm nicht sofort klar, wie er vorgehen sollte. Was hatte sie getan? War sie hier, oder war sie weitergezogen? Weit konnte sie nicht sein. Er hatte jetzt zwei Möglichkeiten: das Dorf durchsuchen – oder ihre Spur wiederfinden. Eine gründliche Durchsuchung erforderte Zeit. Er hatte keinen Überblick mehr, wo er war und wo sich die nächste Straße und das nächste Dorf befanden. Die Häuser, vor denen er stand, hatte er bei Google Maps gesehen, bevor sein iPad kaputtgegangen war. Es war nicht sehr weit bis zur nächsten größeren Straße. Vielleicht zwei Kilometer. Für Judith Kellermann aber ein Lichtjahr. Ihr Bein musste ernsthaft verletzt sein, wenn er die Spuren richtig gelesen hatte. Trotzdem konnte sie es schaffen, wenn er die nächste Stunde mit Hausdurchsuchungen verschwendete. Er entschied, zuerst nach ihren Spuren zu suchen.

Die Tür klemmte, aber sie ging auf. Es war angenehm kühl im Inneren des Hauses. Judith warf einen Blick zurück auf den Dorfplatz – noch war er leer – und schob die Tür zu. Eine hölzerne Treppe mit Eisengeländer führte in den ersten Stock. Sie konnte das Geländer als Stütze benutzen, aber es dauerte, bis sie oben angekommen war, und sie fragte sich, ob es eine gute Idee war. Im Keller wäre vielleicht ein besseres Versteck gewesen, aber auch ein gruseligeres – feucht mit Spinnen und Asseln. Nein, sie würde lieber oben ihr Glück versuchen. Die Räume im ersten Stock hatten offenbar als Büroräume gedient. Es gab Telefondosen, ein umgekipptes Aktenregal und ein paar verstreute, amtlich aussehende Papiere. Am Ende des sehr langen Ganges führte eine Leiter ins Dachgeschoss.

Auf dem Dorfplatz hatte Boris ihre Fährte wieder aufgenommen. Vom Waldrand bis hier war nichts zu sehen gewesen. Anscheinend hatte sie sich bemüht, keine Spur zu hinterlassen. Aber das war wohl zu anstrengend auf Dauer, und so war sie ab dem Dorfplatz wieder in ihren alten Trott gefallen und hatte die Krücke hinter sich hergeschleift. Sie schien die Ansiedlung durchquert und auf der anderen Seite wieder verlassen zu haben. Jenseits der Dorfgrenze verlor sich die Spur jedoch wieder. Vielleicht hatte sie sich nach einer kurzen Schwächephase wieder mehr angestrengt. Zumindest hatte er jetzt eine Richtung, in die sie gegangen war – wenn er die Fakten richtig deutete. Eine andere Deutung kam allerdings auch in Betracht: Die kleine, schlaue Judith wollte ihn glauben machen, sie sei weitergegangen. Er stapfte zurück zum Dorfplatz und betrachtete die verlassenen Häuser um ihn herum. Welches sah wohl am einladendsten aus? Aus der Ferne hörte er einen Hubschrauber.

52

Baum rief aus dem Auto an. Er würde in einer halben Stunde da sein und hatte Neuigkeiten. Sie hatten Judith Kellermanns Handy gehackt und festgestellt, dass es auf ihrer Flucht noch einige Zeit eingeschaltet gewesen war.

»Warum hat sie dann nicht die Polizei angerufen?«, wollte Rachel wissen.

»Vermutlich hatte sie kein Netz.«

»Und woher wissen Sie dann, dass das Handy an war?«

»Es hatte noch Satellitenkontakt. Wir können auch die genaue Position ermitteln, wo das Handy abgeschaltet wurde.«

»Können Sie mir die schicken?«

»Mach ich. Man wird Sie fragen, wo Sie das herhaben«, gab Baum zu bedenken.

»Und was sage ich dann?«

»An der Stelle, wo das letzte Signal herkam, ist ein Haus. Vermutlich nicht bewohnt. Das kann man auf den Satellitenaufnahmen erkennen. Sagen Sie, ein Segelflieger hätte da was gesehen. Sie hätten die Information von mir.«

»Okay. Beeilen Sie sich bitte.«

»Ach, noch was anderes ...«, fiel es Baum in letzter Sekunde ein. »In der Nachbarschaft von Herrn Schwaiger kursieren Gerüchte, er hätte vor einem halben Jahr eine große Erbschaft gemacht. Davon hat er Ihnen vermutlich nicht erzählt?«

»Nein. Und auch die Wohnung sieht nicht nach großer Erbschaft aus. Er wohnt da schon seit Jahrzehnten.«

»Man muss sich ja nicht gleich einen Rolls-Royce kaufen. Die Schlauen schweigen und genießen.«

Kommissar Thelkow schien etwas irritiert über Rachels Information, dass Judith Kellermann wahrscheinlich an dem aufgelassenen Forsthaus vorbeigekommen sei. Er vermutete zwar, dass sie in eine andere Richtung gelaufen war, gab aber dem Helikopterpiloten einen entsprechenden Hinweis. Einige Minuten später kam die Meldung, dass man das alte Forsthaus durchsucht habe, aber da sei niemand. Thelkow dankte Rachel trotzdem, wenn auch mürrisch, und bat sie, sich vom Tatort zu entfernen.

Der Hubschrauber kreiste minutenlang über dem Dorf, und eine Stimme forderte Judith über Lautsprecher auf, sich zu zeigen, sollte sie in einem der Gebäude sein. Hier sei die Polizei, und sie habe nichts mehr zu befürchten. Das allerdings sah Judith Kellermann anders. Als sich der Hubschrauber genähert hatte, war Boris ins gegenüberliegende Haus geflüchtet. Durch das runde Fenster oberhalb des Türsturzes konnte sie sehen, dass er, das Gewehr umklammernd, im Erdgeschoss des gegenüberliegenden Gebäudes kauerte. Nach unten und vors Haus laufen war mit dem verletzten Fuß ohnehin nicht möglich. Es würde zu lange dauern. Aber sie könnte das Fenster öffnen oder einschlagen, um sich hinauszulehnen und zum Helikopter hinaufzuwinken. Es war jedoch fraglich, ob die Hubschrauberbesatzung Judith überhaupt sehen würde. Boris allerdings würde sie mit Sicherheit entdecken. Und ein zweites Mal würde er nicht danebenschießen. Dann drehte der Hubschrauber ab, und das Dorf lag wieder verlassen in der Nachmittagshitze.

Baum traf Rachel im Wald, etwa hundertfünfzig Meter von den Polizisten entfernt, aber noch in Sichtweite.

»Sie haben dieses alte Haus durchsucht. Aber da war niemand«, sagte Rachel, nachdem sie sich kurz begrüßt hatten.

»Aber sie war da. Schauen wir mal.«

Baum stellte seinen Laptop auf die Kühlerhaube des Leihwagens, er hatte einen SUV genommen, falls es zu Geländefahrten kommen sollte. Der Bildschirm zeigte ein Google-Satellitenbild der Gegend.

»Hier ist das Haus, wo das letzte Signal herkam. Sie ist also von hier nach da gelaufen. Wohin sie ab dem Haus gelaufen ist, können wir nur vermuten. Direkt zurückgelaufen wird sie aber nicht sein.«

»Was ist das da? Ein Dorf?« Rachel tippte auf den Bildschirm.

»Das war mal eins. Habe ich schon gecheckt. Vielleicht hat sie es bis dahin geschafft. Das sollte sich die Polizei jedenfalls ansehen.«

Rachels Handy klingelte. Es war Sascha.

»Das Foto, das du mir geschickt hast, wurde 1984 auf dem Bavaria-Gelände aufgenommen. Bei Dreharbeiten zu einem Fernsehfilm, irgendein Krimi. Ich habe den Produzenten ausfindig gemacht. Der Mann ist mittlerweile Mitte achtzig. Aber sein Gedächtnis funktioniert noch bestens.«

»Konnte er sich an Schwaiger erinnern?«

»Schwaiger war öfter als Polizeiberater bei Krimiproduktionen tätig. Er war damals ein junger Kommissar, Anfang dreißig, gut aussehend. Hat sich anscheinend wohlgefühlt bei den Filmleuten.«

»Vor allem bei den Frauen, schätze ich.«

»Ganz genau. Und besonders wohlgefühlt hat er sich offenbar in Gesellschaft von Doris Heinlein.«

»Weil …?«

»Mein Informant hat die beiden mal in Heinleins Garderobe überrascht. Schwaiger konnte gerade noch die Hose hochziehen.«

»Das heißt, die beiden hatten eine Affäre?«

»Scheint so. Das wurde natürlich unter dem Deckel gehalten. Heinlein war und ist ja verheiratet.«

Rachel versank in Gedanken. Die Information war möglicherweise der Schlüssel zu allem.

»Bist du noch dran?«

»Ja. Vielen Dank. Du hast mir wirklich sehr geholfen.«

»Was gibt's?« Baum war nicht entgangen, dass Rachel etwas Wichtiges erfahren hatte.

»Haben Sie da Bilder von Beatrice Heinlein drauf?«, fragte sie.

Baum holte auf den Bildschirm, was seine Leute ihm von der ermordeten Schauspielerin geschickt hatten.

Rachel wählte eins der Fotos aus und vergrößerte es. Dann holte sie ihren eigenen Laptop, holte das Bild von Schwaiger bei dem Dreh aus den Achtzigerjahren auf den Schirm und zog es größer, sodass Schwaigers Gesicht als leicht unscharfe Porträtaufnahme den Bildschirm ausfüllte. Schließlich stellte sie die Computer nebeneinander. Baum betrachtete fasziniert die beiden Gesichter. Schwaiger und Beatrice Heinlein waren auf den Fotos in etwa dem gleichen Alter.

»Sie meinen die Augen und den Mund?«

»Mal ganz unvoreingenommen – ist da eine Ähnlichkeit?«

»Zweifellos.« Baum schüttelte den Kopf. »Das Foto mit Schwaiger und Doris Heinlein ist von …?«

»1984.«

»Und Beatrice Heinlein war Jahrgang …« Er klickte sich zu der entsprechenden Datei auf dem Bildschirm. »… 1985.« Er sah Rachel einen Augenblick mit offenem Mund an. »Ich glaub's ja nicht! Beatrice Heinlein war Schwaigers Tochter. Schwaiger hätte in dem Fall gar nicht ermitteln dürfen.«

»Um das seinen Vorgesetzten zu erklären, hätte er seine Vaterschaft offenlegen müssen. Das wollte er Doris Heinlein nicht antun.«

»Vermutlich wollte er auch ermitteln.«

Rachel nickte. »Judith Kellermann hat seine Tochter auf dem Gewissen. So sieht Schwaiger es. All die Jahre trägt er diesen Hass mit sich herum, bis er mit einem Mal so viel Geld erbt, dass er Kellermann ins Gefängnis bringen kann.«

»Wie gehen wir jetzt weiter vor?«, fragte Baum.

»Wir rufen ihn an und sagen, dass er aufgeflogen ist. Und hoffen, dass er Boris zurückpfeift.« Rachels Blick fragte, was Baum von der Idee hielt.

»Wir wissen nicht, wie verbohrt er ist. Vielleicht will er wenigstens Rache an Kellermann, wenn er schon ins Gefängnis muss. Kann ihm die Staatsanwältin einen Deal anbieten, wenn er kooperiert?«

»Nichts Konkretes. Außerdem kann ich Wittmann in der Sache nicht trauen.« Mit einem Mal veränderte sich Rachels Blick. »Vielleicht geht es aber anders.«

Baum sah sie gespannt an.

»Schwaiger ist doch im Grunde seines Herzens ein anständiger Kerl, der sich zu etwas Schlimmem hat hinreißen lassen.«

»Was Kellermann angeht, ist er jedenfalls kein anständiger Kerl«, gab Baum zu bedenken. »Worauf wollen Sie hinaus?«

Rachel nahm ihr Handy. »Ich hasse, was ich jetzt tun muss.«

»Wittmann anrufen?«

»Wittmanns Chef.«

53

Oberstaatsanwalt Dr. Henrik Schwind saß vor der Bar Juve, genoss als Sundowner ein Glas Chardonnay und rauchte eine Casa de Torres Torpedo, als ihm schmerzlich bewusst wurde, dass er vergessen hatte, sein Handy auszuschalten. Es war die Kollegin Eisenberg.

»Ich hoffe, ich störe Sie nicht im Feierabend.«

»Es ist immer eine Freude, mit Ihnen zu reden. Ja, ich sitze vor der Bar Juve und rauche und trinke Weißwein. Ein wenig *light dinner conversation* wäre also passend.«

»Ich weiß nicht, was Sie darunter verstehen. Aber es geht um Leben und Tod.«

Schwind ließ das Glas, das er gerade zum Mund führen wollte, wieder sinken. »Ich höre.«

»Sie müssen mir einen Gefallen tun, bei dem Ihre rhetorischen Fähigkeiten gefragt sind.«

Schwind tupfte vorsichtig die Asche von seiner Zigarre. »Klingt abschreckend. Aber reden Sie erst mal, bevor ich Nein sage.«

»Wie gut kennen Sie Kommissar Schwaiger?«

»Wir haben einige große Fälle zusammen gemacht. Das schweißt zusammen.«

»Auch den Fall Beatrice Heinlein?«

»Die ganze Mordserie damals. Warum?«

»Sitzen Sie bequem?«

»Ja.«

»Dann hören Sie gut zu.«

Wenige Minuten später läutete das Telefon im zwölften Stock eines Hochhauses in München-Neuperlach. Schwaiger wurde durch das Klingeln aufgeschreckt. Er hing gerade finsteren Gedanken nach.

»Herr Schwaiger, ich grüße Sie. Hier Schwind. Ich hoffe, Sie genießen Ihr Pensionistenleben.«

»Absolut. Bin wunschlos glücklich. Das ist ja nett, dass Sie mal anrufen.« Schwaiger war froh, dass ihn jemand aus seinem depressiven Anfall riss. Eine der Katzen merkte anscheinend, dass er jetzt besser gelaunt war, und sprang auf Schwaigers Schoß.

»Ich habe gerade an Sie gedacht. Es hat sich etwas im Fall Milsky getan.«

»Milsky? Der ist doch abgeschlossen.«

»Ja, dachten wir auch. Aber die DNA-Technik ist ja inzwischen wieder fünf Jahre weiter. Ich habe routinemäßig die Asservate des Falls checken lassen.«

»Aha …« Schwaiger wusste zwar nicht, was da kommen würde, aber es beunruhigte ihn. Er nahm die Katze von seinem Schoß und ging auf den Balkon hinaus. Schwaigers Frau kochte gerade das Abendessen in der Küche. Er hatte so eine Ahnung, dass sie das Gespräch besser nicht mithören sollte. »Und da ist *was* rausgekommen?«

»Es gab tatsächlich DNA-Spuren auf einer Bluse. Die konnten wir vor fünf Jahren noch nicht verwerten.«

»Kann mich gar nicht erinnern.«

»Das ist nirgends aufgetaucht, weil die bei der KTU das nicht für relevant gehalten haben. Es konnte ja nichts festgestellt werden. Aber mit heutigen Mitteln kann die Probe durchaus analysiert werden.«

»Und?«

»Das war nicht Milskys DNA.«

»Na gut. Muss ja nicht die DNA des Mörders gewesen sein.«

»Natürlich nicht. Aber jetzt passen Sie auf, vorgestern wurde ein Mann in einer anderen Sache verhaftet. Details kann ich Ihnen natürlich nicht sagen, ohne mich strafbar zu machen. Aber zumindest so viel unter der Hand: Der

Mann ist fünfundvierzig und vorbestrafter Sexualstraftäter. Und – hat ein abstehendes Ohr. Wir haben natürlich sofort einen DNA-Test machen lassen, und Sie werden es nicht glauben …«

»Aber … der Barkeeper hatte Milsky doch eindeutig identifiziert.« Schwaiger klang verzweifelt.

»Der hat nur das abstehende Ohr gesehen. Außerdem ist der Mann, den wir verhaftet haben, vom Typ her ähnlich.«

»Aber trotzdem … ich meine …«

»Ist letztlich auch egal. Der Mann hat gestanden. Alle vier Morde.«

»O Gott!«, brach es aus Schwaiger heraus. »Das ist ja grauenhaft. Sie sind sicher, dass das Geständnis …«

»Da gibt's keinen Zweifel. Der Mann hat Täterwissen. Er muss es gewesen sein.«

»O Gott! Das gibt es ja nicht!« Schwaiger schien kurz davor, zu kollabieren.

»Das war sicher tragisch mit Milsky. Aber es war nicht Ihre Schuld. Der Mann war psychisch extrem labil. Wahrscheinlich hätte er sich auch ohne die Verhaftung umgebracht.«

»Oh, mein Gott!«, sagte Schwaiger zum dritten Mal und legte auf.

Er stand auf seinem Balkon im zwölften Stock und rang um Luft, während ihm die Abendsonne ins Gesicht schien. Er betrachtete das Telefon in seiner Hand, dann wanderte sein Blick zum Balkongeländer und in die Tiefe. Elf Balkone lagen unter ihm, dann die Rasenfläche des Innenhofs, um den die Wohnblöcke gruppiert waren. Lange blickte er in den Abgrund. Sehr lange. Bis es mit einem Mal knackte und die Balkontür geöffnet wurde. Frau Schwaiger sah ihren Mann beunruhigt an. »Is was?«

Schwaiger schüttelte stumm den Kopf, dann eilte er an seiner Frau vorbei ins Büro, schloss die Tür hinter sich und suchte die aktuelle Handynummer von Boris. Er verwendete alle paar Tage eine andere. Als er sie gefunden hatte, tippte Schwaiger sie mit zitternden Fingern ins Telefon. Normalerweise benutzte er ein spezielles Handy für die Telefonate mit Boris. Aber jetzt war es ihm egal. Nach einmaligem Läuten meldete sich die Box. Schwaiger schloss die Augen und kämpfte gegen aufkommende Übelkeit. Endlich kam der Piepton.

»Hier ist Schwaiger. Hören Sie bitte genau zu, bevor Sie irgendetwas anderes tun ...!«

54

Schwind hatte Rachel unmittelbar nach dem Telefonat mit Schwaiger angerufen und Vollzug gemeldet.

»Hat er's geschluckt?«, fragte Rachel.

»Das hat er. Ich lobe mich ungern selber. Aber mein Auftritt war oscarreif!«

»Und Ihr Eindruck? Hat Schwaiger Dreck am Stecken?«

»Der ist fertig mit der Welt. Ich denke, Sie haben recht.«

Rachel dankte Schwind und wartete fünf Minuten. Dann rief sie Schwaiger an. Es klingelte nur einmal, bevor Schwaiger abnahm. Sein »Ja« klang gehetzt.

»Hier ist Rachel Eisenberg. Haben Sie einen Augenblick Zeit?«

»Es ist gerade ungünstig.«

»Nur fünf Minuten, Herr Schwaiger. Bitte! Sie müssen mir helfen. Es geht um Judith Kellermann.«

Rachel hörte seinen schweren Atem am anderen Ende der Leitung, dann Stille, als würde Schwaiger mit sich ringen, was er jetzt sagen sollte.

»Frau Kellermann ist verschwunden. Ich bin gerade in Mecklenburg-Vorpommern, und ich war mit ihr verabredet. Als sie nicht aufgetaucht ist, habe ich nach ihr gesucht, aber nur ihren Wagen gefunden. Jemand hat auf sie geschossen, und sie ist vermutlich auf der Flucht vor dem Schützen.«

»Sie ist nicht tot?« Die Frage kam schnell, und Rachel meinte eine verzweifelte Hoffnung in Schwaigers Stimme zu hören.

»Ich glaube, sie lebt noch. Der Schuss hat sie nur gestreift. Die Kugel steckt in der Kopfstütze ihres Wagens. Jetzt ist sie wahrscheinlich auf der Flucht vor einem Mann, der sich Boris nennt.«

»Sie sind vor Ort?«

»Ja. Die Polizei ist auch hier. Sie haben einen Hubschrauber losgeschickt. Bis jetzt wurden aber weder Kellermann noch Boris gefunden.«

Einen Moment lang war es still, dann begann Schwaiger zaghaft zu reden: »Es könnte sein, dass ... dass ich weiß, wer hinter ihr her ist. Ich kenne den Mann, den Sie Boris nennen.«

»Okay ...« Rachel machte eine kurze Pause. »Kann man ihn erreichen? Oder sein Handy orten?«

»Nein. Er hat es ausgeschaltet.«

»Haben Sie ihn angerufen?«

»Ja. Ich habe ihn angerufen. Es war nur die Box dran.«

»Haben Sie ...« Rachel räusperte sich, denn das Gespräch kam an den entscheidenden Punkt. »Haben Sie ihm etwas draufgesprochen?«

Schwaiger atmete schwer und hörbar. »Ja, habe ich.«

»Aber das hat er möglicherweise nicht abgehört?«

»Wenn Sie irgendwie Kontakt zu ihm aufnehmen können, sagen Sie ihm, er soll unbedingt seine Box abhören, bevor er irgendetwas anderes tut.«

»Weil sein Auftrag beendet ist?«

Wieder war einen Moment Stille. »Finden Sie ihn!«

Der junge Polizist musterte das ungleiche Pärchen, das Kommissar Thelkow sprechen wollte, mit Missfallen.

»Der ist gerade beschäftigt.«

»Ich weiß«, sagte Rachel. »Fragen Sie ihn trotzdem.«

Der Polizist machte sich zu einem Einsatzwagen auf, in dem die Leitzentrale für den Einsatz untergebracht war. Davor standen Thelkow und ein paar andere Beamte in Zivil und Uniform um einen Tisch herum, auf dem eine Landkarte lag. Als Thelkow angesprochen wurde, sah er genervt zu Rachel und Baum, kam aber trotzdem zu ihnen.

»Ich bin gerade in einer Einsatzbesprechung. Was ist denn so dringend?«

»Es gibt drei Kilometer von hier ein ehemaliges Dorf«, sagte Baum und hielt dem Kommissar sein Tablet hin.

»Ja, ich weiß.« Thelkow sah hektisch zu seiner Besprechungscrew.

»Wir vermuten, dass sich Judith Kellermann dort befindet.«

»Danke für Ihre Vermutung«, sagte Thelkow säuerlich. »Aber der Hubschrauber hat das Dorf überflogen und nichts gefunden.«

»Sie versteckt sich wahrscheinlich in einem der Häuser.«

»Der Hubschrauber hat mehrere Minuten über dem Dorf gekreist und hat Kellermann aufgefordert rauszukommen. Wenn sie da wäre, hätte sie sich gezeigt.«

»Vielleicht hat sie sich nicht rausgetraut. Sie wird von einem Killer verfolgt. Vielleicht ist er auch im Dorf.«

»Das wollen wir mal nicht hoffen. Denn dann ist Frau Kellermann vermutlich schon tot. Und jetzt lassen Sie mich bitte meine Arbeit machen.«

Thelkow ging zurück und raunte dem jungen Polizisten eine Anweisung zu. Kurz darauf war der junge Mann wieder bei Baum und Rachel.

»Ich muss Sie jetzt bitten zu gehen.«

Baum nickte und überlegte anscheinend, ob er noch etwas sagen sollte. Aber vor ihnen stand ein Polizist, der nur Anweisungen ausführte. Sinnlos, mit ihm zu diskutieren.

»Und jetzt?«, fragte Rachel.

»Ich fahr hin und schau, ob sie da sind.«

»Ohne mich?«

»Der Mann hat ein Gewehr dabei und keine Skrupel, damit zu schießen. Das kommt nicht infrage, dass Sie mitfahren.«

Als der Hubschrauber weg war, ging im Haus gegenüber die Tür auf, Boris trat auf den Dorfplatz, in der Hand sein Präzisionsgewehr. Er sah sich um, ganz so, als hätte er keine Eile mehr. Auf seiner linken Gesichtshälfte prangte ein großes Hämatom. Die Kloschüssel des Forsthauses hatte dort ihre Spuren hinterlassen. Es dauerte nicht lange, und Boris entschied sich für das Haus mit dem klassizistischen Giebel. Judith rollte sich zur Seite, als er zu dem runden Fenster hochblickte. Als sie es wieder wagte, auf den Dorfplatz zu sehen, war Boris weg. Kurz darauf hörte sie das Knarren der klemmenden Haustür, dann eine ganze Weile nur sehr gedämpfte Geräusche. In der Zeit durchkämmte Boris das Erdgeschoss. Jetzt kamen seine Schritte die Treppe hoch. Einige Zeit schien er die Büroräume im ersten Stock zu durchsuchen, bevor er schließlich die Treppe zum Dachboden betrat. Sie endete an einer Falltür, die geschlossen war. Wieder hörte Judith seine Schritte, diesmal sehr nah, und unmittelbar darauf ruckte die Falltür ein wenig nach oben, wurde aber von einem Riegel blockiert, den Judith vorgeschoben hatte. Warum sich auf dieser Seite ein Riegel befand, war nicht ganz ersichtlich. Möglicherweise hatte der Dachboden den früheren Bewohnern dieses einsam gelegenen Anwesens als Panikraum gedient. Und das war er jetzt auch für Judith Kellermann: Zuflucht und Gefängnis zugleich. Boris unternahm einen erneuten Versuch, sah dann aber ein, dass er so nichts ausrichten würde.

»Hallo, Judith.« Seine Stimme klang eigenartig gedämpft durch die Tür. »Hast mich ganz schön zugerichtet.« Er wartete eine Weile, bekam aber keine Antwort. »Wenn du nicht aufmachst, muss ich gleich aus dem Haus gegenüber das Brecheisen holen. Glaubt man gar nicht. Da ist noch 'ne halbe Werkstatt drin.« Sie hörte ihn leise lachen. »Hör zu, die Polizei ist weg, und heute wird uns niemand mehr stören. Die Sache ist gelaufen.« Er wartete auf Antwort. »Judith! Sei vernünftig! Mach die verdammte Falltür auf und komm runter. Dann bringen wir's hinter uns.« Er lauschte nach oben.

Judiths Herz raste. Sie musste etwas sagen, ihn hinhalten. Vielleicht geschah doch noch ein Wunder. »Warum willst du mich umbringen?«, rief sie schließlich.

Boris überlegte einen Moment. »Es ist nichts Persönliches. Es ist ein Job. Und er bringt viel Geld.«

Judith fing an zu weinen. »Für wie viel bringst du mich um? Zehntausend? Ich zahl dir mehr.«

»Tut mir leid«, kam es von unten durch die Tür. »Du bist zweihunderttausend wert, und ich hab schon zugesagt.«

Von oben kam nichts mehr. Boris betrachtete das Gewehr in seiner Hand. Die Hand war nass, und Schweißtropfen zogen eine Spur auf dem Vorderschaft. Er ging näher an die Falltür und hörte leises Schluchzen.

55

Der SUV näherte sich in der Abendsonne dem verlassenen Dorf. Baum saß schweigsam am Steuer. Rachel hatte ihre Sonnenbrille aufgesetzt und blickte in die lichtdurchflutete Abendstimmung. Alles war in Orange getaucht.

»Ich mach mal die Sonnenblende runter. Dann sieht er meinen Kopf nicht«, sagte Rachel.

Baum brummelte etwas vor sich hin.

»Jetzt seien Sie nicht sauer. Boris wird nicht auf mich schießen. Sie müssen sich da viel eher in Acht nehmen.«

»Sie scheinen ihn ja gut zu kennen.«

»Ich hab immerhin schon mit ihm geredet«, gab Rachel zu bedenken.

»Frau Kellermann hat Tage mit ihm verbracht. Und trotzdem will er sie erschießen.«

Rachel sagte nichts mehr und sah in die Sonne.

Der Wagen wurde jetzt langsamer und hielt schließlich an. Bis zum ersten Haus des Dorfes waren es vielleicht dreißig Meter, bis zur Mitte des Dorfplatzes noch einmal fünfzig.

»Was machen Sie?«, wollte Rachel wissen.

»Die Lage checken.« Er deutete seitlich in Richtung Waldrand. »Von da müssten sie gekommen sein.« Der Blick ging zum Dorf, Baum betrachtete die Häuser, die er vom Auto aus sehen konnte, legte den Gang wieder ein und fuhr am Dorf vorbei, hielt erneut an und betrachtete die Häusergruppe aus einer anderen Perspektive. Dann wendete Baum, fuhr zum ersten Haltepunkt zurück, stoppte und legte den Leerlauf ein.

»Ich geh zu Fuß weiter. Sie setzen sich ans Steuer. Wenn jemand auf mich schießt, gibt es zwei Varianten.

Variante A: Ich kann noch zum Wagen laufen, dann öffnen Sie bitte die Beifahrertür und fahren los, sobald ich im Auto bin. Variante B: Ich liege auf dem Boden und signalisiere, dass Sie wegfahren sollen – dann fahren Sie ohne mich weg und rufen die Polizei. Ist das klar?«

»Variante B wäre mir nicht so angenehm. Also passen Sie bitte auf sich auf.«

Sie stiegen beide aus. Rachel setzte sich ans Steuer. Ein letzter Blick. Baum wollte gerade gehen, als Rachels Handy klingelte. Sie erschrak heftig. Es war Sarah.

»Hallo, Schatz. Ich hab vorhin versucht, dich anzurufen. Was gibt's denn?«

»Hast du Zeit?«

»Es ist grad ungünstig, wenn ich ehrlich bin.«

»Ja, natürlich. Ist immer ungünstig.« Sarah klang ganz und gar nicht gut. Sie schien erregt und wütend zu sein.

»Was ist denn los?«

»Ich hab heute mit Oma telefoniert.«

Rachels Magen zog sich zusammen.

»Ich hab ihr gesagt, dass ich nicht zu ihrem Geburtstag komme und auch wieso. Und als ich die Sache mit dem Skateboard ansprach, sagte sie in so einem ganz abfälligen Ton: ›Ach so eine Geschichte hat sie dir erzählt. Das hab ich mir schon gedacht.‹« Schweigen. »Gibt es noch eine andere Geschichte?«

Rachel bemerkte, dass Baum sie besorgt ansah. Sie machte eine hektische Geste, dass alles in Ordnung sei. Aber er wollte sie, wie es schien, nicht allein lassen, solange nicht klar war, dass sie sich auf die Sache hier konzentrierte.

»Ja, es gibt noch eine andere Geschichte. Aber jetzt ist wirklich der beschissenste Zeitpunkt, sie zu erzählen. Herr Baum wird wahrscheinlich gleich erschossen.« Baums Augenbrauen gingen unmerklich nach oben. »Sobald ich zu Hause bin, wirst du es erfahren.«

»Was ist los bei dir? Muss ich mir Sorgen machen?«

»Nein. Ich bin morgen wieder da. Ich hab dich lieb.«

Sie legte auf. Baum vergewisserte sich durch Blickkontakt, dass Rachel jetzt bei der Sache war. Dann ging er langsam und ruhig zum Dorfplatz. Allerdings hatte Rachel den Eindruck, dass Baum es nicht eilig hatte.

Boris betrachtete die Stelle, an der vermutlich der Riegel auf der anderen Seite der Falltür angebracht war. Er hatte wenig Lust, ins gegenüberliegende Haus zu gehen, um ein Brecheisen zu holen. Judith war vermutlich nicht mehr sehr mobil. Aber sie jetzt einige Minuten allein zu lassen widerstrebte ihm sehr. Vielleicht gab es doch noch eine Lösung ohne Brecheisen. Boris warf einen Blick nach draußen und sah, dass sich auf dem Dorfplatz etwas bewegte. Er trat näher ans Fenster. Baum stand am Eingang des Dorfplatzes. Boris ging zurück zur Falltür.

»Judith! Ich werde jetzt den Riegel aufschießen. Es sei denn, du ziehst ihn selbst weg. Ich gebe dir fünf Sekunden.«

»Warum gehst du nicht weg. Noch kannst du«, sagte sie schwach durch das Holz hindurch.

Von draußen hörte Boris, wie Baum seinen Namen rief. Er ging ein paar Schritte, bis er auf den Platz sehen konnte.

Baum stand auf dem Platz und war sich darüber im Klaren, dass er das bestmögliche Ziel für einen Scharfschützen bot. Gerade hatte er nach Boris gerufen. Sollte ihn Boris bis jetzt noch nicht bemerkt haben – jetzt wusste er, dass Baum da war. Er checkte mit einem Blick auf sein Handy, dass es hier Empfang gab. Es müsste also funktionieren.

Im Augenwinkel nahm er eine Bewegung wahr. Sie kam aus dem Giebel des klassizistischen Gebäudes. Er musste zweimal hinsehen, bis er hinter dem runden Fenster im Giebel Judith Kellermann erkannte. Baum kannte sie bislang nur von Fotos, aber die Nase ließ keinen Zweifel. Sie winkte hektisch und deutete nach unten. Er schloss daraus, dass sich Boris im Stockwerk unter Kellermann befand.

»Boris! Oder wie immer Sie heißen – schalten Sie Ihr Handy ein.« Er wartete einen Moment, ob jemand Antwort gab. Aber es blieb still. »Kommissar Schwaiger hat Ihnen eine Nachricht geschickt! Ihr Auftrag ist beendet. Hören Sie?!« Er ließ seine Worte kurz wirken und rief: »Schwaiger ist aufgeflogen! Die Polizei weiß, dass Schwaiger Ihr Auftraggeber ist. Er will, dass Sie die Sache abbrechen. Schalten Sie Ihr Handy ein und hören Sie die Nachricht ab!«

Baum sah zum Fenster im ersten Stock des Gebäudes hoch, hinter dem er Boris vermutete. Doch der zeigte sich nicht.

»Boris! Hören Sie zu! Die Polizei wird bald hier sein. Ich verlasse jetzt diesen Platz und gebe Ihnen die Gelegenheit zu gehen. Es ist Ihre letzte Chance. Verschwinden Sie!« Er wartete kurz. Erneut keine Reaktion. »Geben Sie mir ein Zeichen, dass Sie einverstanden sind!«

Einige Sekunden vergingen. Dann hörte Baum einen Schuss aus dem Haus. Er sah zum Giebel hoch. Von dort sah ihn Judith Kellermann mit entsetztem Blick an. Baum war klar, dass es jetzt schnell gehen musste. Er lief zur Eingangstür des klassizistischen Baus und schob sie auf. Im Treppenhaus lauschte er. Von oben hörte man leise Stimmen. Das deutete zumindest darauf hin, dass Kellermann noch lebte. Baum entsicherte seine Pistole und ging die Stufen nach oben. Dabei hielt er sich am Rand, um keine knarrenden Geräusche zu verursachen. Ein Blick nach oben. Niemand war zu sehen. Was machte Boris gerade? Auf dem Treppenabsatz blieb Baum stehen und lauschte, hörte aber nichts. Oben angekommen, stoppte er. Hier gab es eine Tür, die vom Treppenhaus auf einen Gang führte. Sie stand offen. Baum konnte nach links in den Gang sehen. Um zu Boris und Kellermann zu gelangen, hätte er aber rechts gehen müssen. Doch was sich da befand, war für Baum nicht einsehbar. Die in den Gang offen stehende Tür hatte eine Scheibe, und darin spiegelte sich genau das, was Baum nicht direkt sehen konnte.

»Kommen Sie ruhig herein«, sagte Boris. »Ich werde Sie nicht gleich erschießen.«

Boris hatte Baum zuerst in der spiegelnden Türscheibe gesehen. Jetzt konnte Baum auch Boris schwach erkennen. Er hatte das Gewehr im Anschlag.

»Nehmen Sie das Gewehr runter. Sie müssen es nicht weglegen. Es reicht mir, wenn Sie es über die Schulter hängen.«

»Was kriege ich dafür?«

»Wenn ich reinkomme, halte ich die Pistole mit zwei Fingern und stecke sie dann in meine Jacke. Und dann halten wir beide unsere Hände in unverdächtigen Positionen, während wir reden.«

»Kommen Sie rein.«

Als Baum sah, dass Boris sein Gewehr schulterte, betrat er den Gang und hielt, wie ausgemacht, seine Pistole mit zwei Fingern, anschließend steckte er sie mit langsamen Bewegungen in die Innentasche seines Jacketts.

Die beiden Männer standen sich gegenüber.

»Sie kosten mich zweihunderttausend.«

Baum zuckte mit den Schultern. »Das ist Betriebsrisiko in Ihrer Branche.«

Boris nickte. »Gehen Sie dahinten ins letzte Büro.«

Baum tat wie ihm geheißen, und Boris ging gemessenen Schrittes zur Tür.

»Gehen Sie nicht zur Straße, okay?«

Boris nickte und verschwand im Treppenhaus. Als er

weg war, trat Baum ans Fenster, um zu sehen, ob Boris seiner Bitte nachkam. Er machte sich Sorgen um Rachel. In dem Moment, als Boris aus der Haustür trat – Baum hörte das Türgeräusch unter sich –, kam Rachel in Baums Geländewagen auf den Dorfplatz gefahren.

Sie hielt an. Boris ging einige Schritte auf den Wagen zu. Die beiden tauschten einen längeren Blick. Dann salutierte Boris mit einer lässigen Handbewegung und ging fort.

Boris hatte die Verriegelung der Falltür aufgeschossen, die Tür nach oben geklappt, war aber nur bis Brusthöhe hinaufgestiegen. Er hatte ein Smartphone hochgehalten und gesagt: »Ist, glaub ich, deins.« Dann war er wieder hinuntergestiegen und hatte, als sein Kopf in der Luke verschwand, gesagt: »Hab was reingeschrieben.«

Die Nachricht war auf der Notizzettelfunktion und lautete:

Vielleicht sehen wir uns mal unter anderen Umständen wieder. Sorry für den Stress. Mach's gut! Boris

56

Rachel blickte auf die Lichter unter ihr und hoffte, dass es keine Luftlöcher gab bis zur Landung. Sie hatte ihren Termin abgesagt und eine Abendmaschine zurück nach München genommen. Sie konnte nicht in Berlin bleiben. Sie war Sarah Antworten schuldig.

Im Haus war es dunkel, nur auf der Terrasse flackerten mehrere Windlichter. Auf dem Tisch stand eine Schüssel griechischer Salat und Weißbrot.

»Wie war dein Tag?«, sagte Sarah, als Rachel die Terrasse betrat.

»Ganz gut eigentlich.« Rachel setzte sich und streifte ihre Schuhe ab. »Alle leben noch. Einer von den Bösen ist auf der Flucht, den anderen haben sie vor ein paar Stunden wahrscheinlich verhaftet. Ich hab nicht mehr nachgefragt.«

»Klingt cool.« Sarah schenkte ihrer Mutter ein Glas Wasser ein, stellte die Flasche zurück in den Kühler und lehnte sich zurück.

»Na gut.« Rachel nahm einen kräftigen Schluck. Sie sah ihre Tochter an, Sarah hatte die Knie hochgezogen und die Arme um sie gelegt. »Oma hat also abfällig gelacht?«

»Ich glaube, das nennt man so.«

»Ja. Ich kann's mir gut vorstellen. Nun …« Rachel war versucht, noch einen Schluck zu nehmen, schob das Glas aber weg. »Es stimmt. Es gibt eine andere Geschichte. Die, die ich dir bisher erzählt habe, hätte mir nicht dreißig Jahre so zu schaffen gemacht. Es ist kein so schlimmes Verbrechen, wenn man mit dreizehn sein Skateboard nicht aufräumt.« Rachel setzte sich gerade in den Gartensessel, sie wirkte angespannt. »Jetzt also die richtige Geschichte.«

Sarah starrte in eins der Windlichter auf dem Tisch und mied den Blick ihrer Mutter, als hätte sie mit einem Mal Zweifel, ob sie die Wahrheit hören wollte.

»Der 28. Mai 1988 war ein Samstag. Hannah wollte auf eine Mädelsparty gehen, die eine Freundin von ihr an dem Tag organisiert hatte. Leif, unser Austauschschüler, war mit Freunden zum Baden verabredet, und ich hatte ihn gefragt, ob ich mitkommen darf. Also nicht so einfach gefragt. Es hat Tage gedauert, bis ich mich endlich getraut hatte. Und er hat gesagt: ›Klar, komm mit.‹ Ich war ganz betrunken vor Glück.«

»Du warst richtig schwer verknallt, oder?« Sarahs Blick hatte etwas von einer Mutter, deren Tochter zum ersten Mal verliebt ist.

»Ich war so verliebt in Leif, ich wäre für ihn gestorben. Wenn er mich berührt hat, war ich den ganzen Tag elektrisiert, wenn er mir einen Kuss auf die Wange gegeben hat, konnte ich eine Woche nicht schlafen.«

»Und Leif hatte natürlich keine Ahnung.«

»Natürlich nicht. Er war siebzehn, und ich war eine pummelige Dreizehnjährige mit Brille.«

Sarah nickte. Es entstand eine Pause. Es war die Pause vor dem bösen Teil der Geschichte. Niemand hatte Eile, dort hinzukommen.

»Es war am Morgen des 28. Mai«, sagte Rachel schließlich. »Ich bin Hannah oben an der Treppe begegnet, als ich aus dem Bad kam, und habe sie nach dieser Mädelsparty gefragt, zu der sie am Nachmittag gehen wollte. Und sie sagt: Party? Ne, hab ich gecancelt. Ich geh mit Leif zum Baden. Das hat mich getroffen wie ein Vorschlaghammer. Hannah hat wahrscheinlich überhaupt nicht begriffen, was plötzlich mit mir los war. Ich habe sie aus dem Nichts heraus angeschrien und beschimpft und geheult und dann auch noch auf sie eingeschlagen. Aber Hannah war natürlich größer und stärker als ich und hat mir irgendwann eine Ohrfeige gegeben. Ich bin nach hinten getorkelt und auf mein Skateboard getreten. Und dann bin ich ziemlich belämmert am Boden gelegen. Hannahs Gesicht sehe ich noch heute vor mir, wie sie über mir steht, ihr Blick war verständnislos, aber irgendwie auch entsetzt, weil sie diesen Wutausbruch nicht verstehen konnte. Und sie sagt: ›Spinnst du? Was soll denn das?‹ Und mit einem Mal hellt sich ihre Miene auf, und sie fängt an zu lachen und sagt: ›Das gibt's ja nicht! Die Kleine ist in Leif verknallt!‹ Und sie lacht und lacht und hört nicht auf zu lachen. Und vor meinen Augen wird alles rot vor Zorn. Das war natürlich nicht so. Aber in meiner Erinnerung war da wirklich so ein roter Schleier. Kennst du das, wenn du nicht mehr weißt, wohin mit deiner Wut, diese Ohnmacht, an der du fast erstickst?«

Sarah nickte beunruhigt.

»Mit einem Mal sehe ich das Skateboard neben mir auf dem Boden. Ich stehe auf, und im Aufstehen greife ich nach dem Board. Drehe mich um und schlage ihr mit voller Wucht das Skateboard gegen den Kopf. Ich hab zugeschlagen, so fest ich konnte, meine ganze ohnmächtige Wut lag in diesem Schlag. Das Brett hat sie nicht wirklich hart getroffen. Aber sie ist vor Schreck ein paar Schritte nach hinten gestolpert – und die Treppe runtergestürzt. Und noch während sie fällt, höre ich meine Mutter schreien. Ich weiß nicht mehr, was sie geschrien hat. Hannahs Namen oder einfach nur geschrien.« Rachel stockte. Die Erinnerung kam mit Macht an die Oberfläche. »Sie hatte unseren Streit gehört und war aus dem Garten gekommen, um zu sehen, was los ist. Offenbar ist sie in dem Moment dazugekommen, als ich Hannah das Skateboard auf den Kopf geschlagen habe. Ich stand vor Adrenalin zitternd oben an der Treppe und habe auf Hannah runtergesehen. Sie lag regungslos am Ende der Treppe. Irgendwann habe ich das Skateboard losgelassen. Es kam etwas oberhalb von Hannah zu liegen. Es ist das letzte Bild, das ich von ihr habe.«

Es war still auf der nächtlichen Terrasse bis auf eine Grille, die im Nachbargarten zirpte.

»Das war ein Unfall«, sagte Sarah nach einer Weile. »Du wolltest ihr das Brett auf den Kopf hauen. Aber … du wolltest Hannah nicht töten.«

Rachel sah ihre Tochter an, sah sie mit sich kämpfen, sich trotzig gegen die Erkenntnis stemmen, dass ihre Mutter die eigene Schwester umgebracht hatte. Sollte sie es dabei belassen?

»Es ist schwierig, nach neunundzwanzig Jahren zu sagen, was mir genau durch den Kopf ging. Aber ich bin mir absolut sicher …«, Sarah sah einen Moment lang Rachel in die Augen, dann zuckte ihr Blick wieder weg, »… dass ich Hannah in diesem Augenblick den Schädel einschlagen wollte.«

Sarah biss sich auf die Lippen, stand nach einer Weile wortlos auf und ging ins Haus.

Am nächsten Morgen, es war ein Samstag, hatte Rachel eine Mail von Oberstaatsanwalt Schwind auf dem Handy. Er teilte mit, dass der Mann, der sich Boris nannte, tot war. Er hatte einen Wagen gestohlen und war in Richtung polnische Grenze unterwegs gewesen, als ihn eine Polizeistreife entdeckte. Bei der anschließenden Verfolgungsjagd war Boris gegen einen Baum gerast.

Als Rachel um halb zehn in die Küche kam, saß Sarah vor einer Tasse Kaffee, die Augen dunkel umrandet.

»Spatz, was machst du hier so früh? Du siehst furchtbar aus.« Sie streichelte Sarah die Schulter.

»Hm«, sagte Sarah und rührte in ihrer Tasse. »Ich hab viel nachgedacht und war heut Nacht im Internet unterwegs.«

»Im Internet? Weswegen?«

»Wegen dem, was du mir gestern erzählt hast.«

»Oh.« Rachel schenkte sich aus der Kaffeekanne eine Tasse ein.

»Heißt das, du willst wissen, was rausgekommen ist?«

Rachel zuckte mit den Schultern. »Ja …«

»Gut, hör zu!« Sarah sah ihre Mutter mit einem Blick an, in dem Autorität und Fürsorge lagen. »Du kannst jetzt aufhören, unter Hannahs Tod zu leiden, okay? Neunundzwanzig Jahre sind genug. Und du hast sie auch nicht umgebracht. Ich hab das nachgelesen.« Rachel legte ihre Stirn in Falten. »Ich meine, du wolltest ihr den Schädel einschlagen, hast du gesagt. Mal davon abgesehen, dass ich das nicht glaube. Du wolltest ihr das Ding einfach so fest reinhauen, dass sie möglichst lange was davon hat. Vielleicht auch eine fiese Narbe. Aber du wolltest sie nicht wirklich umbringen.« Rachel setzte an, etwas zu sagen, aber Sarah würgte sie mit einer Handbewegung ab. »Selbst wenn, dann wolltest du ihr, wie du sagst, den Schädel einschlagen. Sie ist aber die Treppe runtergefallen und hat sich das Genick gebrochen. Okay, das macht im Ergebnis keinen Unterschied und ist natürlich schrecklich. Aber man kann es dir, weil du das so gar nicht gewollt hast, kann man es dir …« Vor Sarah lagen ein paar Zettel, die sie jetzt durchsuchte, bis sie den richtigen gefunden hatte. »Da fehlt die objektive Zurechenbarkeit.« Sie sah ihre Mutter ernst an. »Ja klar, es ist schlimm, was du gemacht hast. Aber wie gesagt, keine … objektive Zurechenbarkeit.« Sie breitete die Hände auseinander, was bedeuten sollte, sorry, aber da kann man nichts machen.

»Hast dich ganz schön reingehängt in die Juraportale.«

»Aber ich hab doch recht, oder?«

»Na ja – ist zumindest ein achtbarer Versuch.«

»Schau mal, das war bei dir wie mit diesem Typen, der seine Frau erschießen will, sie aber nicht richtig trifft, und sie wird nur verletzt, kommt ins Krankenhaus, und im Krankenhaus bricht ein Feuer aus, und sie verbrennt? Klar – hätte er nicht auf seine Frau geschossen, wäre sie nicht gestorben. Trotzdem hat er keinen Mord begangen, oder?«

»Nein, er hat es nur versucht.«

»Außerdem muss man auch berücksichtigen, dass Hannah ziemlich fies zu dir gewesen ist. Nicht, dass sie dafür den Tod verdient hat. Aber ich meine – ein gewisses Mitverschulden …«

Rachel stellte sich hinter Sarah und umarmte sie. »Ich finde es echt lieb von dir, dass du die ganze Nacht aufbleibst, um irgendwas zu finden, das mich besser dastehen lässt.«

Sarah murmelte etwas Unverständliches, und Rachel setzte sich zu ihr an den Tisch. Viel Liebe und etwas Schmerz lag in ihrem Blick. Zwei Tränen liefen über ihre Wangen.

»Warum weinst du?«, fragte Sarah. »Wegen dem Typen, der auf seine Frau geschossen hat? Tut mir leid, das war nur ein dummes Beispiel …«

Rachel schüttelte den Kopf, nahm sich eine Papierserviette und trocknete die Tränen. »Darum geht es nicht.«

»Sondern?«

»Du weißt, ich war damals, als es passiert ist, erst dreizehn und nicht strafmündig. Es gab also keinen Prozess. Stattdessen hat man mich in eine psychiatrische Klinik gebracht. Dort haben sie mir Medikamente gegeben und versucht, mich zu therapieren. Die ganze Zeit stand die Frage im Raum, wie es bei einem normalen Mädchen wie mir zu so einem aggressiven Ausbruch kommen konnte. Man hat Gründe gesucht und mein Verhältnis zu Hannah und meinen Eltern analysiert. Und nach ein paar Monaten wurde ich wieder entlassen. Alle waren sehr freundlich und neutral und haben mir nie einen Vorwurf gemacht.« Sie zerknüllte die Serviette in ihrer Hand. »Aber es hat sich auch nie jemand auf meine Seite gestellt. Ich fand das in Ordnung damals. Ich hatte ja meine Schwester umgebracht. Was soll man da zu meinen Gunsten sagen? Aber ich war dreizehn und stand allein gegen den Rest der Welt. Tief in meinem Herzen hatte ich die Sehnsucht, dass irgendjemand zu mir hält. Dass irgendjemand für mich Partei ergreift. Egal, was ich getan hatte.« Sie nahm Sarahs Hand. »Du bist der erste Mensch in dreißig Jahren, der das gemacht hat.« Sie zog die Nase hoch. »Bisschen spät, aber immerhin.« Sie versuchte zu lachen, aber noch hatten die Tränen die Oberhand.

Sarah rückte ganz nah an ihre Mutter und drückte ihre Hand. So saßen sie eine Weile und redeten nicht.

»Bist du deswegen Strafverteidigerin geworden?«, fragte Sarah schließlich.

Rachel überlegte einen Augenblick. Dann entzog sie Sarah ihre Hand und wischte sich die letzten Tränen fort.

»Ich weiß es nicht. Vielleicht.« Einen Augenblick dachte Rachel noch über die Frage nach, dann stand sie auf und sagte: »Lass uns frühstücken gehen. Ich hab einen Scheißhunger.«

Danksagung

Ich danke allen Mitarbeitern von Droemer Knaur für deren ungebrochene Begeisterung, insbesondere meiner Lektorin Andrea Hartmann. Mein Dank gilt ferner Thomas Letocha für seine guten Ideen zum Plot und meiner Frau für ihre unerschöpfliche Geduld.

Der spannende Auftakt einer neuen Reihe rund um
Anwältin Rachel Eisenberg

Andreas Föhr

Eisenberg

Kriminalroman

Der Angeklagte ist Professor Heiko Gerlach. Eine Koryphäe im Bereich der theoretischen Physik – und Rachel Eisenbergs einstige große Liebe. Zwei Jahre lang hat die Anwältin mit diesem Mann Tisch und Bett geteilt. Rachel kann nicht glauben, dass er inzwischen auf der Straße lebt und einen Mord begangen haben soll. Doch die Beweislage scheint eindeutig. Auf der Leiche werden seine DNA-Spuren gefunden. Als sein Alibi für die Tatnacht platzt und die wichtigste Zeugin plötzlich spurlos verschwindet, legt der Professor ein Geständnis ab. Vergeblich versucht Rachel, Heiko zu überzeugen, es zu widerrufen. Daraufhin entzieht er ihr das Mandat. Der Schock sitzt tief. Und es bleiben quälende Fragen: Wie konnte so ein brillanter Wissenschaftler auf der Straße landen? Welche Rolle spielte das obdachlose Mädchen Nicole? Und ist der Professor wirklich so unschuldig, wie Rachel glaubt? Sie beginnt, auf eigene Faust zu ermitteln.

»Andreas Föhr liefert sorgfältig konstruierte, komplexe Plots […], die mit süffigen Dialogen von gut wiedererkennbaren Typen belebt werden.«
Süddeutsche Zeitung

Die Kultkommissare Wallner und Kreuthner ermitteln!

Andreas Föhr

Der Prinzessinnenmörder

An einem Januarmorgen wird im zugefrorenen Spitzingsee die Leiche einer 15-Jährigen gefunden. Als man im Mund des Opfers eine Plakette mit einer eingravierten Eins findet, ahnen Kommissar Wallner und sein ewig grantelnder Kollege, Polizeiobermeister Kreuthner, dass dies nur der Anfang einer grauenvollen Mordserie ist …

Schafkopf

Dem Kleinkriminellen Stanislaus Kummeder wird auf dem Gipfel des Riedersteins aus heiterem Himmel der Kopf weggeschossen. Warum der Mann, der nie auf Berge ging, sich gerade dort mit einem Bierfass aufhielt, als ihn der Schuss aus einem Präzisionsgewehr aus 500 Meter Entfernung traf – das können nur Wallner und sein Kollege Kreuthner beantworten. Bei ihren Ermittlungen stoßen die beiden unter anderem auf das geheimnisvolle Verschwinden einer jungen Frau und auf eine Neumondnacht vor zwei Jahren, in der die Geschehnisse durch eine Partie Schafkopf ihren tragischen Anfang nahmen.

Karwoche

Eigentlich ist Kommissar Wallner auf dem Weg in die Osterferien, als Polizeiobermeister Kreuthner ihn beinahe ins Jenseits befördert. Dabei entdecken sie eine Leiche und Wallners Urlaub rückt in weite Ferne. Bizarr und unheimlich sieht die Tote aus, wie sie da starr auf allen Vieren kniet, den Mund zu einem Schrei geöffnet. Die Ermittlungen führen Kommissar Wallner an den Schliersee, den Wohnort der Schauspielerfamilie Millruth. Je weiter Wallner und sein Team ermitteln, desto mehr geraten sie in ein dichtes Netz aus Familiengeheimnissen und Schuld …